用地理看歷史

大航海，何以重劃貿易版圖？

李不白 著

目錄

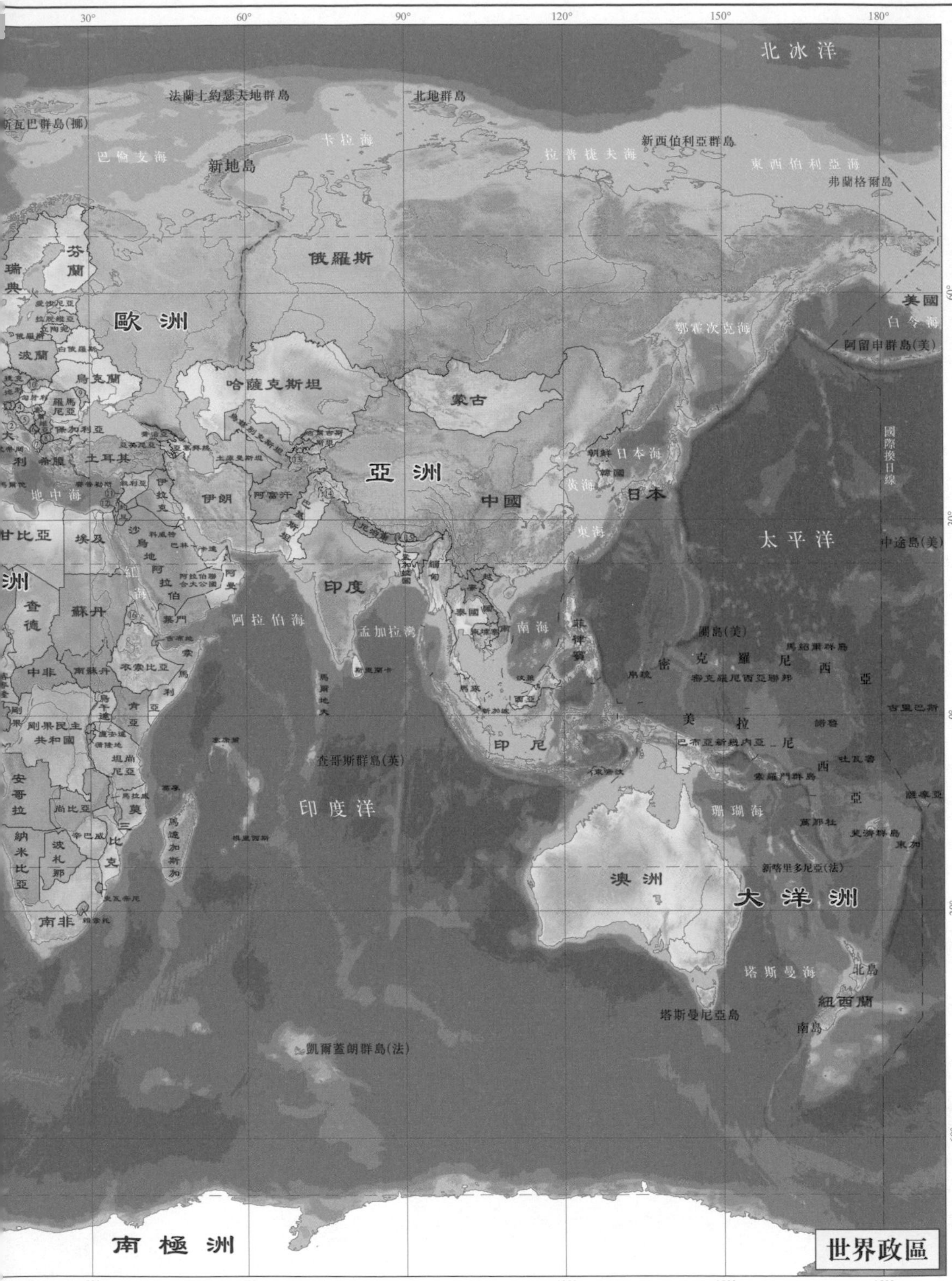

北冰洋
法蘭士約瑟夫地群島
北地群島
新瓦巴群島(挪)
卡拉海
巴倫支海
新地島
新西伯利亞群島
拉普捷夫海
東西伯利亞海
弗蘭格爾島
芬蘭
瑞典
俄羅斯
歐洲
美國
白令海
阿留申群島(美)
鄂霍次克海
波蘭
烏克蘭
哈薩克斯坦
蒙古
羅馬尼亞
保加利亞
土耳其
希臘
亞洲
朝鮮
日本海
韓國
黃海
日本
中國
伊朗
阿富汗
地中海
埃及
沙烏地阿拉伯
東海
太平洋
中途島(美)
國際換日線
甘比亞
查德
蘇丹
阿拉伯海
印度
孟加拉灣
南海
菲律賓
關島(美)
密克羅尼西亞
中非
索馬利
肯亞
剛果民主共和國
馬爾地夫
美拉尼西亞
印尼
巴布亞新幾內亞
查哥斯群島(英)
安哥拉
尚比亞
辛巴威
波札那
納米比亞
南非
馬達加斯加
莫三比克
印度洋
珊瑚海
澳洲
大洋洲
新喀里多尼亞(法)
塔斯曼海
北島
紐西蘭
南島
塔斯曼尼亞島
凱爾蓋朗群島(法)
南極洲
世界政區
30°
60°
90°
120°
150°
180°
-30°
-60°

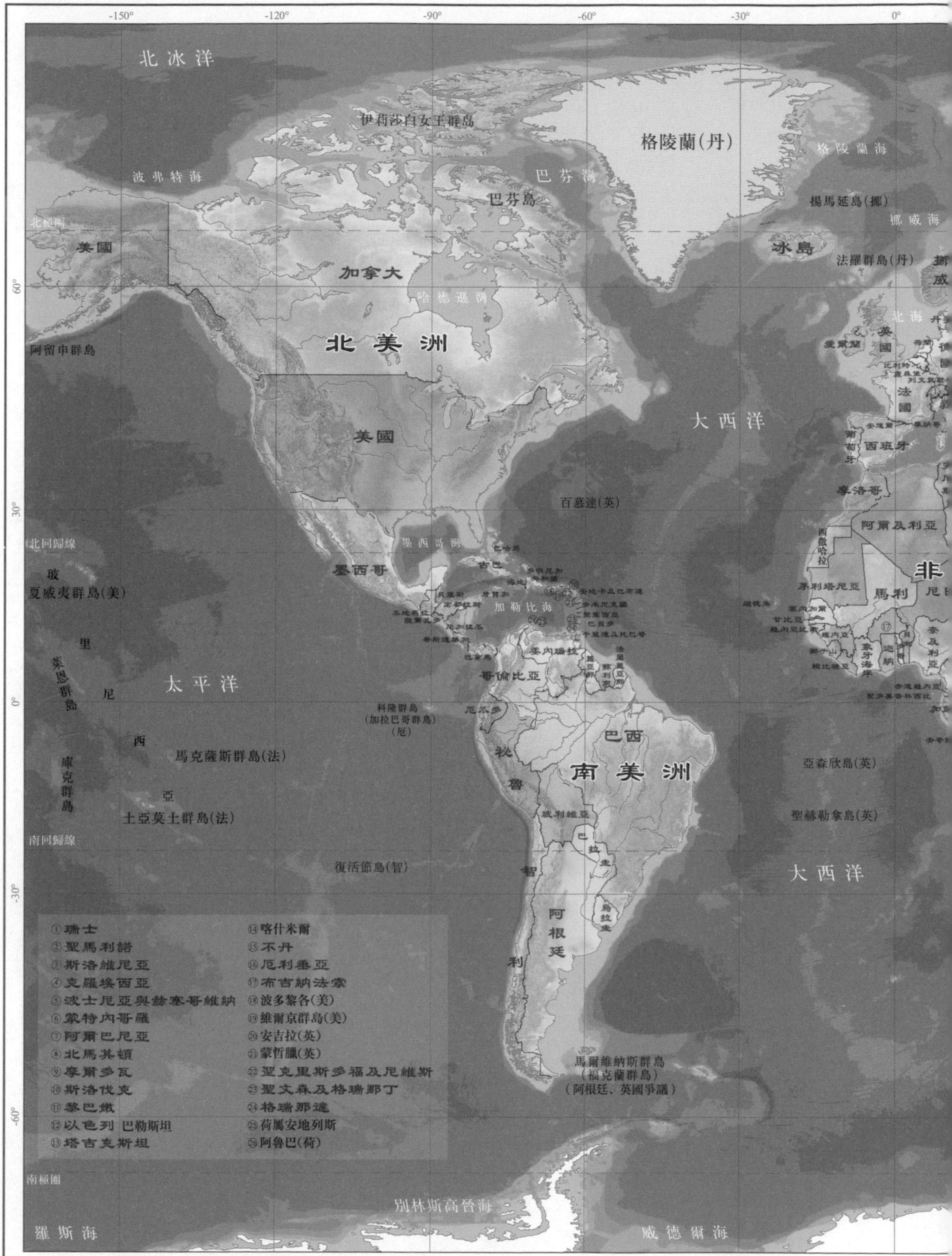

-150°
-120°
-90°
-60°
-30°
0°
60°
30°
0°
-30°
-60°
北冰洋
伊莉莎白女王群島
格陵蘭(丹)
格陵蘭海
波弗特海
巴芬灣
巴芬島
揚馬延島(挪)
挪威海
北極圈
美國
冰島
法羅群島(丹)
加拿大
哈德遜灣
北海
阿留申群島
北美洲
英國
愛爾蘭
法國
葡萄牙
西班牙
摩洛哥
美國
大西洋
百慕達(英)
阿爾及利亞
北回歸線
墨西哥灣
西撒哈拉
墨西哥
古巴
茅利塔尼亞
馬利
夏威夷群島(美)
加勒比海
委內瑞拉
哥倫比亞
萊恩群島
太平洋
科隆群島
(加拉巴哥群島)
(厄)
巴西
馬克薩斯群島(法)
秘魯
南美洲
亞森欣島(英)
庫克群島
土亞莫土群島(法)
玻利維亞
聖赫勒拿島(英)
南回歸線
巴拉圭
復活節島(智)
智利
大西洋
阿根廷
烏拉圭
①瑞士
②聖馬利諾
③斯洛維尼亞
④克羅埃西亞
⑤波士尼亞與赫塞哥維納
⑥蒙特內哥羅
⑦阿爾巴尼亞
⑧北馬其頓
⑨摩爾多瓦
⑩斯洛伐克
⑪黎巴嫩
⑫以色列 巴勒斯坦
⑬塔吉克斯坦
⑭喀什米爾
⑮不丹
⑯厄利垂亞
⑰布吉納法索
⑱波多黎各(美)
⑲維爾京群島(美)
⑳安吉拉(英)
㉑蒙哲臘(英)
㉒聖克里斯多福及尼維斯
㉓聖文森及格瑞那丁
㉔格瑞那達
㉕荷屬安地列斯
㉖阿魯巴(荷)
馬爾維納斯群島
(福克蘭群島)
(阿根廷、英國爭議)
南極圈
別林斯高晉海
羅斯海
威德爾海

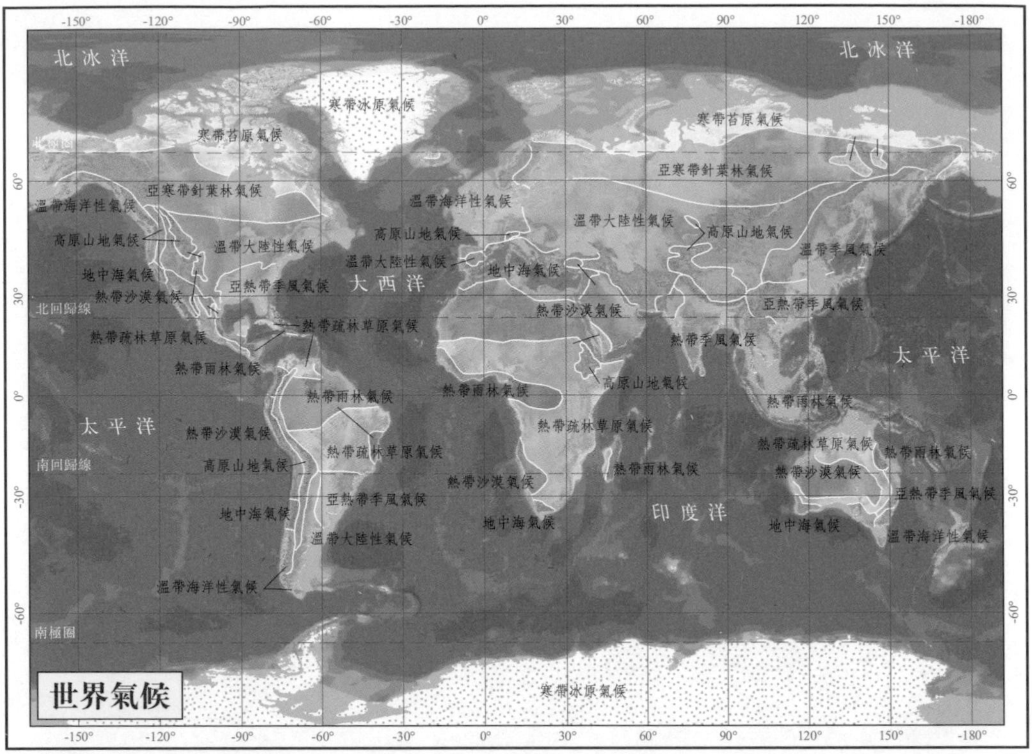
北冰洋
北冰洋
寒帶冰原氣候
寒帶苔原氣候
寒帶苔原氣候
北極圈
亞寒帶針葉林氣候
亞寒帶針葉林氣候
溫帶海洋性氣候
溫帶海洋性氣候
高原山地氣候
溫帶大陸性氣候
高原山地氣候
溫帶大陸性氣候
高原山地氣候
溫帶大陸性氣候
溫帶季風氣候
地中海氣候
地中海氣候
熱帶沙漠氣候
亞熱帶季風氣候
大西洋
亞熱帶季風氣候
北回歸線
熱帶疏林草原氣候
熱帶沙漠氣候
熱帶疏林草原氣候
熱帶季風氣候
太平洋
熱帶雨林氣候
高原山地氣候
熱帶雨林氣候
熱帶雨林氣候
熱帶雨林氣候
太平洋
熱帶沙漠氣候
熱帶疏林草原氣候
熱帶疏林草原氣候
熱帶疏林草原氣候
熱帶雨林氣候
高原山地氣候
南回歸線
熱帶雨林氣候
熱帶沙漠氣候
熱帶沙漠氣候
亞熱帶季風氣候
亞熱帶季風氣候
地中海氣候
地中海氣候
印度洋
地中海氣候
溫帶大陸性氣候
溫帶海洋性氣候
溫帶海洋性氣候
南極圈
寒帶冰原氣候

世界氣候

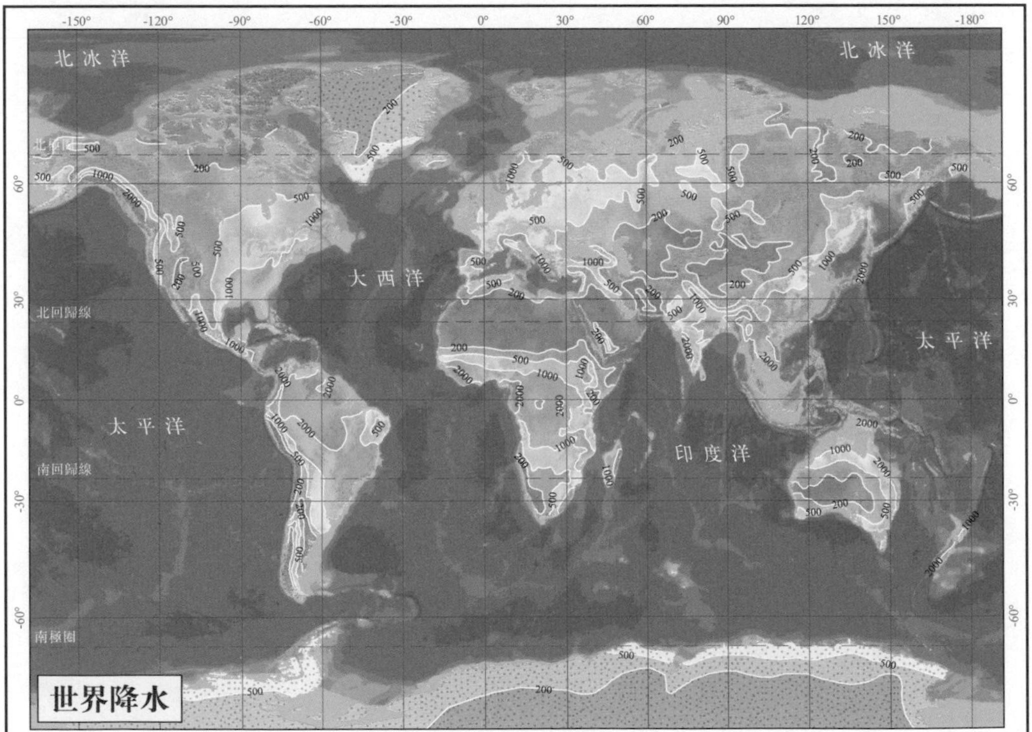
北冰洋
北冰洋
北極圈
大西洋
北回歸線
太平洋
太平洋
印度洋
南回歸線
南極圈

世界降水

第一章 大航海時代中的日本

葡萄牙人一邊與中國政府周旋，一邊與民間商人私相貿易，還在中國沿海一帶考察。有一次，他們的船隊北上探索時被風吹偏了航向，竟無意中發現日本。

對中國人來說，日本是一個既熟悉又陌生的民族。熟悉的是他們的文化和中國一脈相承，陌生的是民族性格與中國有很大的不同。

最早生活在日本列島的是蝦夷人（又稱阿伊努人），他們廣泛分布在九州、四國、本州一直到北海道這些島嶼上，一般認為蝦夷人源於東亞大陸。冰河時期，日本列島與東亞大陸連成一片，一些東亞的土著順著朝鮮半島和庫頁島，透過露出水面的大路橋來到日本列島。但蝦夷人的長相和印象中的東亞人差別很大，他們身材矮小，頭髮捲曲，

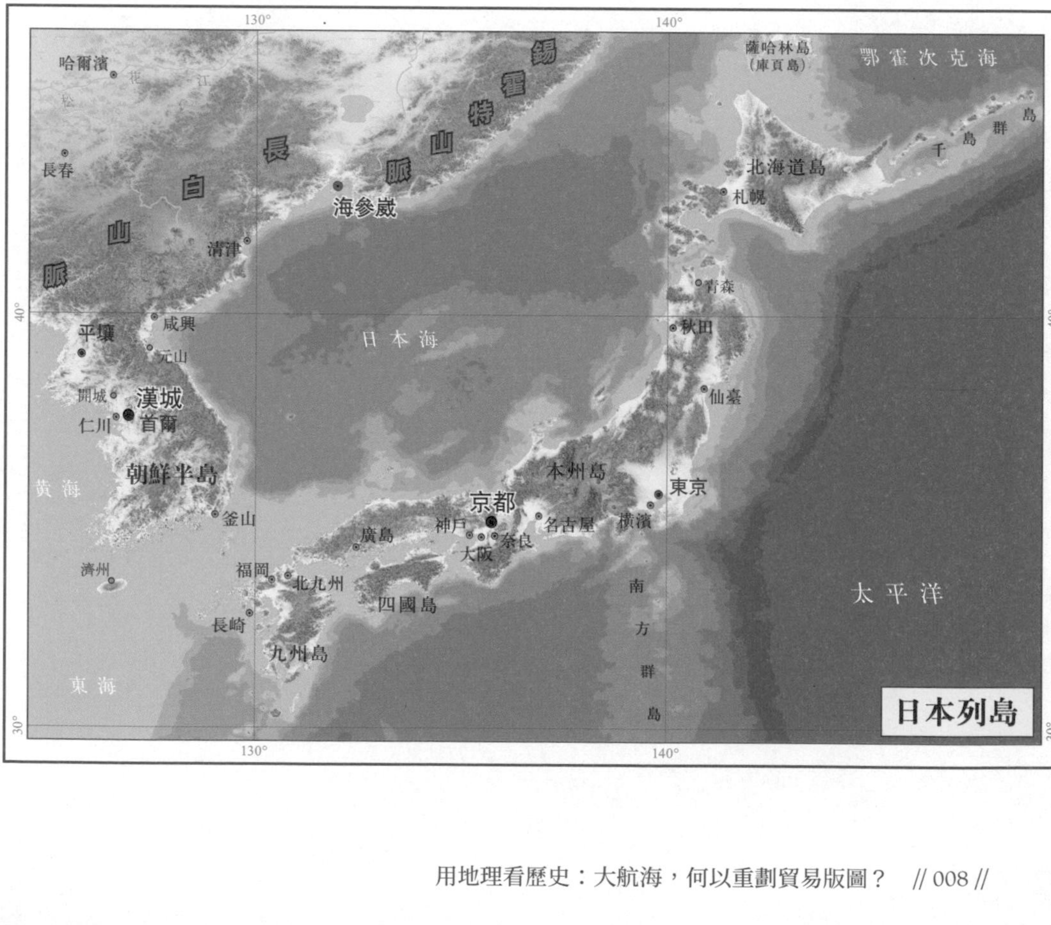

體毛旺盛，長相更像高加索人種（歐羅巴人種），但皮膚不白，反而很黑，倒像是棕色人種。

冰河期過後，日本列島孤懸海外，蝦夷人從此過著與世隔絕的生活，發展緩慢。西元前二千年到前五世紀漫長的一千五百年裡，蝦夷人占據了日本列島的統治地位，只是他們的文化很落後，沒有國家，沒有文字，以採集和狩獵為生。但蝦夷人發明了陶器，可以把食物煮熟吃，大大提高了壽命，於是人口迅速發展，最多時達到二十五萬左右，在沒有鐵器的時代，實在是一個驚人的數字。原因在於日本列島山地多，降水豐富，森林茂密，各種堅果、水果和漿果數量繁多，森林裡還有可提供肉食的動物，沿海地帶可以捕魚，而蝦夷人憑著陶器，就讓人口迅速繁衍。這種陶器外表有像繩子一樣的紋飾，史學家把這一時期稱為繩紋時代。

繩紋時代末期，即西元前五世紀中期，中國已經進入戰國時期，華夏文化基本上定型，農耕文明剛開始傳入日本列島。最早出現在九州北部，今福岡、北九州一帶。毫無疑問，一些人從朝鮮半島渡過海峽，不僅帶來新的人種，也帶來先進文化，包括鐵器和水稻種植技術。如果這麼說，好像韓國人成為日本人的祖先，日本人是無論如何也不能接受的。其實大可不必，這時半島上還沒有韓國，半島北部有個箕子朝鮮。箕子是商紂王的叔父，周滅商後，箕子不願奉周，東渡大海到今平壤一帶建國，史稱箕子朝鮮。箕子朝鮮在半島半部發展壯大，無疑會擠壓南部土著的生存空間，一些人為了謀生，南渡海峽到九州開荒也是很正常的事。這些土著並非是今天韓國人的祖先，韓國人的直系祖先是新羅人，具體情況稍後討論。

更主要的是，透過朝鮮半島渡海而來的不僅是半島的土著，也有遼東的、外東北的，包括為躲避戰亂的中原人，朝鮮半島只不過是必經之地而已，甚至還有吳越人。比較明顯的例子是，農耕文明一進入九州，這裡很快就會種植水稻，眾所周知，中國南方才種植水稻，戰國時期北方種植的是小米，水稻種植技術很有可能是吳越之地為躲避戰亂的農民帶來的。

總之，最早在九州北部出現的農耕文明，不是由原來的蝦夷人逐漸發展出來，而是一些外來人帶來的，這些人主要來自中國大陸和朝鮮半島，也包括一些東北亞的游牧民族和南洋群島的島民。但農耕文明無疑是從中國來的，因為此時除了中國具有高度發達的農耕文明外，放眼望去，四周都是一片蠻荒。這時日本列島上有自己的陶器，和繩紋陶器相比，紋飾相對簡單，器身細薄，但更堅固，這種代表性陶器最早發掘於日本東京都文京區的彌生町，後人把這一歷史時期稱為彌生時代。

彌生時代是日本農業社會發展的時代，農耕文明一在日本立足，立即顯現出極強的生命力，最早出現在九州，然後擴展到本州南部和四國島，之後繼續往本州北部擴散，但到達本州最北端時又退回，因為這裡已經是北緯四十度，在當時的條件下，已經到達農耕文明的極限了。隨著彌生人的擴張，蝦夷人要嘛被同化，要嘛被驅逐，最後退至本州的北端和北海道島。由於生存空間不斷受到擠壓，他們開始向庫頁島南部、千島群島和堪察加半島遷移。這種狀況一直維持到今天都沒有太大的變化，蝦夷人是歷史上日本主體民族對他們的稱呼，其中的「夷」就是蠻夷的意思，他們更願意被稱為阿伊努人。

有了農業，有了剩餘糧食，一些人可以不再從事生產，於是國家誕生了。約西元前一世紀（西漢初年），日本開始出現一些國家，例如大和（今奈良）地區的邪馬臺國，九州的奴國。這時日本列島上會種植水稻、苧麻，還會養蠶，製作絲錦。奴國還向漢朝稱臣納貢，漢光武帝給奴國（中國史書稱倭奴國）國王賜金印。但總體上，日本還是小國林立，各自為政，沒有建立統一政權，中國統稱為倭國。直到三世紀中葉，出現了一個大和國，從這時，日本歷史進入大和時代，做為日本主體民族的大和民族開始形成。因為這一時期被發現了大量墳墓，所以又稱古墳時代。

大和民族到底來自哪裡？這個問題歷來眾說紛紜，有的說源於中國，有的說源於韓國，這裡簡單討論一下。如前所述，大和民族的來源是彌生人，彌生人的來源有多個。如果說來源是中國，當時中國處於戰國時期，文化已經成熟，那麼彌生人說的應該是漢語，就算分隔日久，也不至於像今天這樣差別巨大。但從語法結構看，日語和漢語沒有什麼關係，除了從古漢語裡吸收了大量詞彙外。目前有許多學者認為日語和朝鮮語是近親，和中國歷史上的高句麗語也有關係，我們沿著這一思路探討。

從西元前五世紀到西元三世紀，是日本民族形成的關鍵時期。這時正是中國從戰國到秦、漢時期，也是戰亂不斷、人口大量流失的時期。而這時，朝鮮半島上的情況是：北部屬中國，先是箕子朝鮮，接著是衛滿朝鮮，而後是漢四郡；而南部始終存在三個小部落，馬韓、辰韓和弁韓，合稱三韓。三韓中馬韓最大，占領西部；辰韓和弁韓平分東部，其中辰韓靠北，弁韓靠南。

西元前一世紀，來自東北的扶餘人占領了半島北部，建立高句麗國，另一支扶餘人南下征服馬韓部落，建立百濟國。東部的辰韓也建立一個國家，叫新羅。先不說這三國混戰的事，單說從西元前一世紀到三世紀這段時間，我認為百濟和日本語的來源有很大關係。百濟的上層是扶餘人，下層是馬韓人，在這四百年時間裡，百濟足以融合為一個新的民族。而百濟是個海洋國家，海洋國家的特點是喜歡從海路擴散，在這段時間，有大量百濟人移居到九州上一點也不奇怪，日本列島上的彌生人可能主要來自百濟。當然，這段期間也有中國人透過朝鮮半島來到日本，但這種移民不是一蹴而就，很可能先到半島定居，幾代之後再移居日本。另外，離日本最近的弁韓也是日本民族人口一大來源。這兩個族群所占的數量最大，最終影響了日語的發展。在沒有文字的時代，人口數量最終決定了口語的主流方向。

當然，彌生人形成於西元前五世紀，百濟形成於西元前一世紀，前後差了四百年，最早的彌生人和百濟無關，他們的成分複雜，但後續大量的百濟人移入卻影響了日語發展。這解釋了為什麼日語和韓語是近親，又和高句麗語有關。三韓原本就是近親，而百濟的上層和高句麗人講的都是扶餘語。再說後來，新羅聯合唐王朝先滅百濟，再滅高句麗，最後吞併弁韓，統一朝鮮半島，就是現今朝鮮人和韓國人的祖先。所以說，韓國（包括朝鮮）人不是日本的祖先，只不過他們的祖先是近親，當然日本人的來源更複雜一些，包括來自中國的漢人，還有一部分來自當時不屬於中國的越人，這些越人和吳越地區的越人一樣，會種水稻，但不講漢語，所以漢語對日語的影響很小（主要是語法結構，詞彙的影響在唐、宋之後）。

高句麗和百濟被滅亡後，他們的遺民哪裡去了？如果不甘心為奴，最好的出路就是渡海逃亡，大量的新移民湧入，又會進一步影響日語發展。

以上只是我的一些推測，僅供參考，還是說回大和。

大和原本是個地名，是指京都、大阪、奈良之間的一塊盆地。這是日本列島上為數不多的肥沃土地之一，原本豪強林立，經過一番爭鬥後，最後統一成大和國，國君稱大王。

相對於周邊的小部落，統一後的大和國無疑實力超群，於是開始擴張。起初只是占領本州中部，到了六世紀，大和國基本上統一除北海道島之外的日本列島。此時大和國覺得自己已然是大國，但文化和管理跟不上，於是派出一批批遣隋使、遣唐使，全面向中國學習，就是日本歷史上的大化革新。

大化革新和明治維新並稱為日本歷史上兩次重要變革，有人說，大化革新將日本從奴隸社會過渡到封建社會，明治維新將日本又從封建社會過渡到資本主義社會，我們看看實際情況是不是這樣。

首先，看一下大化革新的內容：

一、廢除部民制（即豪族氏姓制度）和土地私有制，將全國範圍內的土地和人民收歸國有，即所謂的公地公民制；

二、實行「班田收授法」，由政府出面把所有土地分給每個公民；

三、實行租庸調制，把稅收集中歸國家所有，以充實國庫；

四、廢除貴族世襲制，建立中央集權制度，依照唐朝的政治制度，在中央設立二官八省，在地方設立國、郡、里，地方事務由中央委派官員進行管理。

這些都是具體的實施條款，簡單點說，就是消滅原有的貴族，實行中央集權。當然口號是耕者有其田，以得到底層民眾的支援。是不是很熟悉？沒錯，大化革新就是搞秦始皇那一套，消滅舊貴族，把所有的權力集中到天皇手上。對了，從大化革新開始，大和國的國王不叫大王了，他學習唐高宗，改稱天皇。中國以前一直稱他們為倭，是矮小的意思，明顯帶有歧視，他們覺得很不好，和中國再三交涉，從武則天時代開始，便改稱為日本，意思是太陽出來的地方。

秦國為了實現中央集權，結果二世而亡。後來漢朝立國半分封、半郡縣，直到漢武帝時才完全實現中央集權。放眼全世界，地方自治是自然存在的狀態，或者說是常態，而中央集權是人為的，為此統治者需要付出極大的代價。

首先是管理層的問題，既然要消滅舊貴族，就需有新的管理階層來替代，舊貴族原本就是替國君管理國家的，如果沒有人替代，他們不可能革自己的命。不巧的是，戰國時期就湧現一批士族，這些人沒有土地可以繼承，但有文化，可以替國君管理國家，這也是郡縣制實現的前提。秦朝的中央集權二世而亡，一是六國舊貴族的反撲（秦國的舊貴族已經被滅），二是秦國還沒有一套成熟的人才選拔機制。當時，原來的布衣士族沒有了，讀書人往往是新貴族的子弟，又成為變相的世襲。到漢朝，漢武帝建立察舉制，才有源源不斷的人才湧現，雖然不可避免出現門閥制度，但比以前好多了，至少打破了世襲制。直到隋、唐時科舉出現，任何人都可以透過考試做官，替皇帝管理國家，中央集權才徹底坐穩根基。

當時的日本不存在這個條件，大化革新的實施者是誰？不可能天皇親自處理，還是要靠舊貴族去執行，他們才是地方的管理者，結果可想而知。

其次，一旦實現中央集權，這個趨勢是不可逆的。秦始皇消滅六國貴族，包括秦國貴族，貴族一旦被消滅，新起的門閥心態完全不同，不可能再像舊貴族那樣代表地方利益。舉個例子，姜子牙被封到齊國，實際上是去拓荒，他的子孫、後代都會把齊國當成自己的根，後來的齊桓公不管是與周邊的諸侯爭鬥，還是與天子分權，都是為了齊國的利益，不會想著去替代周天子，哪怕是後來田氏代齊，這種想法依然不變，他們只代表地方利益；而後來的齊王，例如漢朝，劉邦封兒子劉肥為齊王，這個齊王和山東地方的宗族和百姓沒什麼關係，只是代理皇帝管理地方，假設這個齊王要爭權，也只是為自己爭權，而不是為齊地的百姓或齊地宗族勢力，如果權力愈來愈大，要想坐穩根基，只能向皇權挑戰，取而代之。再舉個例子，晚清時袁世凱任山東巡撫，與中央爭權的過程中，只是為自己爭權，與齊地的百姓無關，一旦有機會，他就會離開齊地去爭取更大的權力，最終向皇權挑戰。郡縣制後的藩鎮或封疆大吏，和先秦時的諸侯完全不同，一旦他們大權在握，就會向皇權發起挑戰。皇帝為了維持帝國穩定，需要龐大的官僚系統來制約平衡，這樣一來成本很高，需要管理者有高超的技巧和非凡的能力，一旦這個系統失靈，就面臨改朝換代的風險。中央集權制的國家改朝換代很頻繁，而分封狀態下的皇權卻相對穩定，哪怕這種皇權經常有名無實。日本沒學會中央集權，反而讓天皇的寶座萬世一系，就是這個道理。

另外，我們常說日本人學習唐朝制度，恰好有兩樣東西沒學，一是科舉，二是太監。沒引入太監是閹割技術不行，這個不提；沒引進科舉，同樣不是不想，而是不能。大化革新是七世紀的事，這時日本剛學習唐朝建立學校，直到九世紀才出現用日語書寫的書籍。可以說，大化革新時代，日本從上到下都是文盲，科舉考試該怎麼引進？不是不想，是根本辦不到。沒有科舉，就不能替皇帝找到管理各地政務的代理人，地方事務還是得交給舊貴族管理，中央集權最終成為無源之水。

大化革新總體上不成功，但不是沒有成果。一是提高了日本的行政管理能力，二是從某種程度上提高了天皇權力。但最大的成果還是在文化方面，從這時起，來自中原的先進文化被日本人全盤吸收進來。例如建築，中國很多古建築都毀於戰火，而日本人把唐代建築學過去後，當寶貝一樣守護著，以至於今天要了解唐代建築，還要到日本去學習。

大化革新後，日本經歷了三個時代，都是以首都所在地為名。一開始，他們的首都在飛鳥（當時稱藤原京），就是飛鳥時代。向唐朝學習後，他們在奈良仿造了縮小版的長安城，稱平城京，就是奈良時代。再後來，他們參考長安和洛陽，建造了更大的都城，就是京都，當時稱平安京，就是平安時代。

大化革新後，貴族們感覺到來自皇權的威脅，於是開始反抗。為了打擊貴族，天皇需要採取各種措施，包括在各個勢力之間平衡，合縱連橫，頻頻遷都也是各種舉措之一。但最終，天皇還是被一步步架空，最開始是藤原氏把控朝政，直到一一九二年源賴朝在鎌倉建立幕府，天皇徹底大權旁落，成了傀儡，這時已經到了中國的南宋時期。

幕府不同於傳統舊貴族，像原來的藤原氏是靠跟隨天皇打天下得到的地位，而幕府由將軍掌控，將軍是帶兵打仗的，底下都是職業軍人，就是武士。從此以後，武士集團逐步替代原有的貴族。武士原本是地方領主養來看家護院的，隨著時代一步步發展壯大，最終成為一份專門職業，也由此發展出一個個武士集團。幕府的建立帶來武士階層的崛起，日本成為從上到下由軍政府控制的時代。和傳統世襲的貴族不同，武士大多源於社會底層，靠個人武藝養家糊口。他們不畏艱難，忠於職守，精幹勇猛，是最好的戰士，同時又血腥殘暴，毫無憐憫之心，像個戰爭機器，令人恐懼。就是從這時，武士道精神開始滲透到日本人的各個層面。

但天皇還在，還是名義上的最高統治者，幕府的最高長官封號是征夷大將軍，算不上至高無上，理論上誰都可以當，所以各個武士集團開始博弈。一三三六年，鎌倉幕府被室町幕府取代。

室町幕府第八代將軍足利義政在位時，因繼承權問題爆發應仁之亂（一四六七年），幕府對全國的管理開始失控，各地大名（封建領主）紛紛起事，互相征戰，就是日本歷史上的戰國時代。

葡萄牙人發現日本時，正是日本的戰國時代。

第二章

葡萄牙的輝煌時刻

一五四三年，一艘滿載貨物的商船因暴風雨偏離了航向，無意中漂到日本九州以南的種子島。日本人一看這些人長得奇形怪狀，不知道從哪裡來的，非常好奇，好在船上有兩名來自大明的人，其中一位名叫五峰，透過筆譯，他們才明白這些人的來歷。不過最讓他們感興趣的是葡萄牙人的火繩槍，這東西發射簡單，威力無比，種子島的領主以二千兩銀子的巨大代價，從葡萄牙人手上買了兩支，然後命工匠仿造，費盡周折，最終在一年後仿造成功。當時日本人稱這種火繩槍為鐵炮，真正的火炮稱為大筒。火槍後來成為日本戰國時代的主力殺傷武器，也成為日本武士的終結者。

當時日本人稱這些歐洲人為南蠻人，隨著第一艘葡萄牙人的船在種子島出現，日本各個港口都開始出現葡萄牙人的身影。和中國不同，日本山地多，資源貧乏，又靠海，天生就有貿易的需求，而且日本人意識到南蠻人的武器比較先進，於是敞開懷抱和這些人做生意，這就是日本歷史上南蠻貿易的開端，長崎成為日本對外貿易的主要港口。

這樣一來，位於舟山群島的雙嶼港成為葡萄牙人、中國人、日本人之間的貿易集散地，一時繁華無二。日本學者藤田豐八曾稱雙嶼港為「十六世紀的上海」，當時島上設有市政廳、教堂、醫院和上千所民居，人口達三千以上。但立即引起大明政府的警惕，在大明政府眼裡，他們是海盜，是倭寇。

一五四八年（明嘉靖二十七年），浙江巡撫朱紈命都指揮盧鏜、海道副使魏一恭等，率戰船三百八十艘、兵六千餘，進擊雙嶼港，焚艇三十五艘、艦四十二艘，擒海商頭目李光頭、許棟、姚大等，毀掉他們所建的營房，又以木石填塞雙嶼港，雙嶼港從此消失。

中國人常感嘆為什麼沒有抓住大航海時代的機遇，導致後來落後於歐洲？看看雙嶼港的結局就知道，中國不是沒有像葡萄牙和西班牙那樣敢冒險的人，只是這些人在歐洲是英雄，在大明朝就是走私海盜。雙嶼港由中國商人和葡萄牙人建立，著名的海盜頭子汪直正以此為據點，雙嶼港被毀後，他只好奔走日本。

葡萄牙人在福建和浙江是徹底混不下去了，輾轉廣東沿海，終於在一五五三年登上澳門。

大明政府當然不會容忍葡萄牙人擅自登陸，葡萄牙人藉口在海上遇到風暴，貨物被淋溼了，上岸晾晒一下，乾了就走。地方官員一看他們高鼻深目、貓睛鷹嘴、面貌白皙、捲髮赤鬚，分明是佛郎機人，立即警惕起來。葡萄牙人趕緊解釋，他們不是佛郎機人，是葡萄牙人，同時送上豐厚的禮物，時任廣東布政使的汪柏這才答應。

但葡萄牙人在澳門一待就賴著不走了，廣東的地方官員也沒有趕他們走的意思，因為政府文武官員的俸祿，有相當一部分來自關稅。在海禁政策之下，商船愈來愈少，廣東官員的錢包也吃癟。而且葡萄牙人說他們會和其他商人一樣，交二〇％的稅，無疑會增加廣東地方的財政收入，所以一開始只給葡萄牙人留了一個小據點，讓他們在這裡進行貿易。

但葡萄牙人的貿易量很大，可以把歐洲、非洲、印度、東南亞的貨物運送到澳門，還成為中、日貿易的中間商，吸引愈來愈多人，逐步占領整個澳門。這時大明政府對他們的管理相當嚴格，不許修圍牆，不能買土地，每年交五百兩白銀做為地租，葡萄牙人老老實實照辦。

傳統的朝貢貿易有時間和次數限制，民間走私受諸多限制，遠遠滿足不了市場的需求，自從葡萄牙人取得澳門的居住權後，一個完整的東亞版三角貿易形成了。這些活躍於東海的商船，先從葡萄牙人手上購得歐洲火器，日本處於戰國時代，對火器的需求量大，商人們就把火器賣到日本；日本產白銀，葡萄牙人對白銀沒興趣，但白銀是中國的強勢貨幣，於是商人們把白銀運到中國，換取絲綢；絲綢對日本人的吸引力有限，卻是歐洲人的奢侈品，於是交由葡萄牙人販

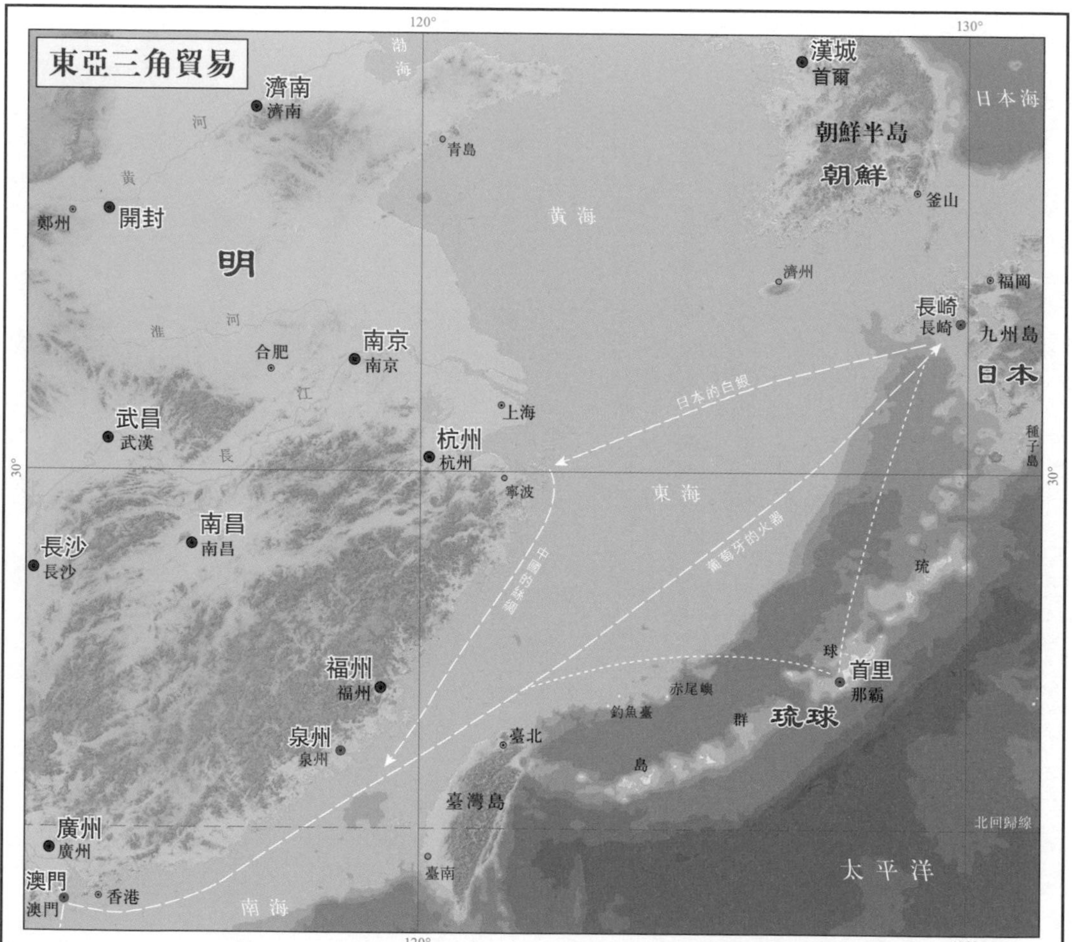

賣到歐洲。環環相扣，船不走空，每一環都利潤豐厚。當然，其中還少不了琉球王國的參與，琉球既無特產也無市場，但特殊的地理位置成為這一貿易中必不可少的中轉站。和歐、美之間的三角貿易不同，這裡沒有血腥暴力，而是各取所需，簡直完美。

實際上這場三角貿易中，真正唱主角的原本不是葡萄牙人，而是中國人，確切地說是中國的民間走私商人，他們的頭領叫汪直。

汪直的經歷足以說明為什麼中國在大航海時代一直置身事外。

他是徽州歙縣人，據說本姓王，化名姓汪。年幼家貧，為謀生路，私造船下海，混跡於東南沿海。一五四〇年（嘉靖十九年），汪直抵達日本，受到當地大名歡迎，他在島上看到五座山峰，所以自號五峰。有人推測葡萄牙人發現日本時，船上的五峰書生正是汪直。一五四二年，汪直結識了肥前國的大名松浦隆信，開始以長崎為基地，從事海上貿易。松浦隆信幫他蓋房子，汪直從此長住這裡。

當時，舟山群島的雙嶼港已經發展起來，不僅有中國沿海的走私商人，也有東南亞的商人，葡萄牙人還沒來，但雙嶼港已經是東亞最大的走私貿易港，其中實力最大的是福建商人李光頭和徽州商人許棟。一五四五年，汪直加入同鄉許棟的團夥，擔任掌櫃，主要任務就是招呼那些無處可去的葡萄牙人來雙嶼港貿易。

一五四八年，雙嶼港被浙江巡撫朱紈的軍隊剿滅，李光頭等人後來在福建被擒殺，許棟跑到廣東（廣東政策相對開放）後成了驚弓之鳥，不敢再回浙江，汪直就自己當船老大，以金塘島（舟山群島中的第四大島）為據點，收攏浙江沿海的海商和海盜殘部。

說到這裡，必須說明，海商和海盜有時真是難以分清。商人在海上經商，特別是中國的東南沿海，沒有官方維護秩序，很容易碰到海盜，可能半輩子的心血就在一次搶劫中化為烏有，說不定還會賠上性命。為了保證財產和人身安全，有實力的海商會雇用一些人來保駕護航，最好的對象就是日本武士，他們盡忠職守，言必行，行必果。如果在平時，日本武士不容易雇傭，他們對雇主很忠心，不是金錢能打動的。但在戰國時期，許多日本領主被殺，手下的武士成為沒有主子的浪人，又不能投靠原主人的對手，有悖武士道精神，於是投靠這些與他們沒有夙怨的中國人就成為一條比較好的出路。中國歷史上東南沿海的倭寇之亂，和日本國內的政局息息相關：日本政局混亂，倭寇就多；政局穩定，倭寇就沒了。中國官方把他們定義為倭寇，實際上他們和日本已經沒有什麼關係了，不過是中國海商雇用的私家軍隊。

從某種程度上講，明軍剿滅雙嶼港反而成就了汪直，但這不是他的志願。他的志願是讓明朝開放海禁，讓商人們自由貿易，他不想成為官府眼中的海盜，只想做一個合法的商人。

一五五一年，汪直與官軍配合，一連消滅了盧七、沈九和陳思盼三股海盜勢力。當然，我們不排除有黑吃黑的嫌疑，但從嚴格意義上講，汪直與那些打家劫舍的海盜不同，他更是一個有理想的商人。

因為這些功勞，浙江官方對汪直的走私行為就睜一隻眼、閉一隻眼，他真正體會到自由貿易的魅力，不但可以堂而皇之地做生意，還和官府中的人隨意交遊，逐漸確立自己在海上的霸主地位，從浙江到福建，甚至到日本的長崎，到處都有汪直的船隊。

汪直被一時的假象迷住了，以為從此以後大明就會走向開放之路，當時他的部下可以堂堂正正地在蘇州、杭州的大街上和百姓交易，許多百姓爭相把子女送到汪直的船隊當差，於是計畫在舟山重建雙嶼港的繁華。

若說所有明朝官員都反對汪直的這一想法也不對，大明朝裡有個明白人，但在當時傳統農耕文明的思想下，汪直這種自由貿易的思想無疑是離經叛道，何況他和海盜還有著千絲萬縷的聯繫。汪直的部下眾多，來路不一，有的就是海盜出身，平時趁人不注意時打點劫不是什麼稀有的事，不足為奇。但是，很快就有人以此為藉口，說這些人是受汪直指使，他是主謀，於是派兵圍剿。

一五五三年，汪直敗走日本。同年，葡萄牙人進駐澳門，取代汪直的中間商角色，但僅是中、日間的官方貿易。

從舟山撤走的汪直沒有傷到元氣，只是損失一個據點，從此以後他把重點放在日本。汪直在平戶島建立一個國，國號「宋」，自稱徽王。雖然失去在中國沿海的據點，汪直仍然控制著從日本到琉球，一直到東南亞的許多貿易點，手下有幾十萬的私人武裝，其中就包括不少日本武士。

一五五四年（嘉靖三十三年），胡宗憲出任浙江巡按御史，總督南直隸、浙、閩軍務，負責東南沿海的抗倭重任。為招降汪直，胡宗憲將上次圍剿時抓獲汪直的妻兒老小都放了出來，還好生供養，然後派使者蔣洲和陳可願到日本和汪直交涉，曉之以理，動之以情，勸他歸順大明。汪直得知妻兒老小無恙後，不禁喜極而泣。明使又承諾開放商貿，更讓他無法拒絕，於是表示願意聽從命令。為表示雙方誠意，汪直把蔣洲留在身邊，命毛海峰（王激，汪直養子）護送陳可願回國。胡宗憲厚待毛海峰，使汪直消除疑慮。

一五五七年，在汪直的幫助下，日本山口、豐後兩國的大名歸還了從中國搶來的人口，並準備土產向明朝入貢。胡宗憲以此事上奏朝廷，得到朝廷支持，讓胡宗憲準備厚賞，讓汪直回國。十月，汪直終於率部分人馬和船隊前往浙江，蔣洲同行，目的地是浙江岑港。沒想到途中遇到一場暴風雨，蔣洲的船隻先行到達，遭到官方懷疑，蔣洲被捕。

稍後到達的汪直得知消息後在舟山停止不前，結果被明軍水師團團圍住。在胡宗憲的勸說下，汪直親自來到定海關，向明軍投降。

胡宗憲安撫汪直後，帶著他到杭州拜見浙江巡按王本固。王本固是一身正氣、毫無眼界的老頑固。一五五八年（嘉靖三十七年）二月五日，汪直在西湖遊玩時，被王本固誘捕。

一五五九年（嘉靖三十八年）十二月二十五日，汪直被斬首於浙江省杭州府官巷口。

汪直死前曾說，如果仿效廣東的做法，在閩浙一帶設立海關，允許貿易，朝廷可以獲取稅收，所謂的倭寇之患自然解除。他還說，祈求皇上開放海禁，他願效勞驅馳，為朝廷守海疆。這種聲音出自四百多年前一個「海盜」的口中，著實讓人汗顏。

汪直死後，群龍無首，東南沿海的倭患果然嚴重起來。朝廷花費巨大的人力和物力，收效甚微。直到一五六四年，戚繼光出現，倭患才算平息。

汪直的記載見於中國史料的不多，且大多是以海盜的負面形象示人。相反的，他的生平主要來自日本人的記述，在日本人眼中，汪直無疑是個英雄。今長崎縣平戶市松浦史料博物館外，還豎立著一座汪直的銅像。從對待葡萄牙人來貿易的態度差別上，我們可以看出面對新鮮事物時，中、日兩國採取截然不同的態度，也造成不同結果。

需要說明的是，葡萄牙人一開始進駐澳門，不是強占，而是租借，每年要交五百兩地租。到清朝早期，這個規矩沒有變。那時還沒有租界一說，明政府只是讓他們適度自治，特權是不存在的。明朝在世界上的國力還是數一數二，他們見到黃頭髮、綠眼睛的佛郎機人可以隨時開炮。但到晚清，清政府對海外仍一無所知，鴉片戰爭後，清政府以為歐洲全是強國，只要一見到黃頭髮、綠眼睛的歐洲人就發怵，最終在一八八七年，葡萄牙人逼迫清政府簽訂《中葡和好通商條約》，強占澳門，澳門才徹底淪為殖民地。

進駐澳門後，葡萄牙人開闢了當時世界上最長的一條貿易線。這條航線從歐洲出發，南下非洲，繞過好望角，到達印度洋，經過麻六甲海峽，進入南海，最終到達中國本土。這條航線幾乎把舊大陸所有的文明都連接起來了，既帶來商貿發展，也引起文明碰撞。

這是葡萄牙人創造的第二個巨大成就，第一個是在一五四一年時，葡萄牙在衣索比亞帝國（就是傳說中的長老王國）登陸，與鄂圖曼土耳其帝國作戰，西歐國家聯絡基督教友反擊穆斯林這一夙願終於實現。

但這也是葡萄牙人最輝煌的時刻，一五六九年，葡萄牙人在印度洋敗於印度人之手，艦隊司令德米德蘭重傷致死。更悲慘的是，一五八〇年，西班牙攻占葡萄牙的首都里斯本；第二年，西班牙徹底吞併葡萄牙，葡萄牙王國沒了。

雖然葡萄牙仍保持某種程度的自治，但因主權喪失，很快就衰落。正因如此，葡萄牙在海外的殖民地逐漸被新起的荷蘭人和英國人搶走。做為大航海時代的先行者，葡萄牙人引領著西歐進入一個嶄新的時代，沒想到卻早早地離開了這個舞臺的中央。

第三章

航海家的守護者——麥卡托投影法

十六世紀中葉，雖然歐洲人已經證實地球是個球體，斐迪南．麥哲倫（Ferdinand Magellan）也實現了環球航行，但遠航探險依然危險重重，這是受限於當時的技術條件。不過，很快歐洲人就有了一項新的技術來減少遠航風險，就是用麥卡托投影法繪製的地圖。

一五六九年，尼德蘭地圖學家傑拉杜斯．麥卡托（Gerardus Mercator）發明一種等角正軸圓柱投影，非常適合航海人使用。後人為了紀念麥卡托的偉大發明，把這種投影命名為麥卡托投影法，對遠洋航行來說具有革命性意義，要明白這一點，先來了解什麼是投影。

首先，地圖雖然是地球上各個事物的抽象表達，但地球是個三維球體，而地圖是二維平面，要把三維球體的資訊完整地反映到二維平面上，採用簡單幾何方法是不行的。打個比方，想要把一個完

方位投影

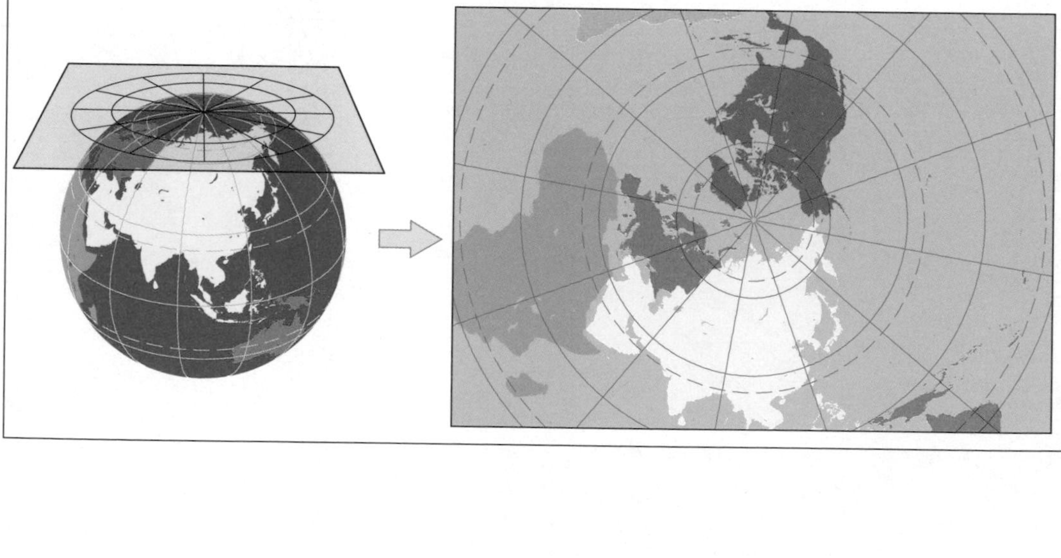

圓錐投影

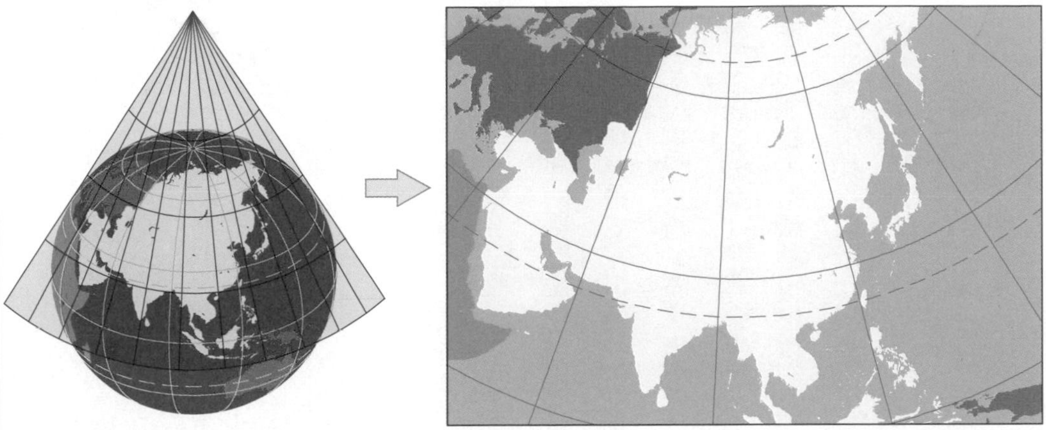

圓柱投影

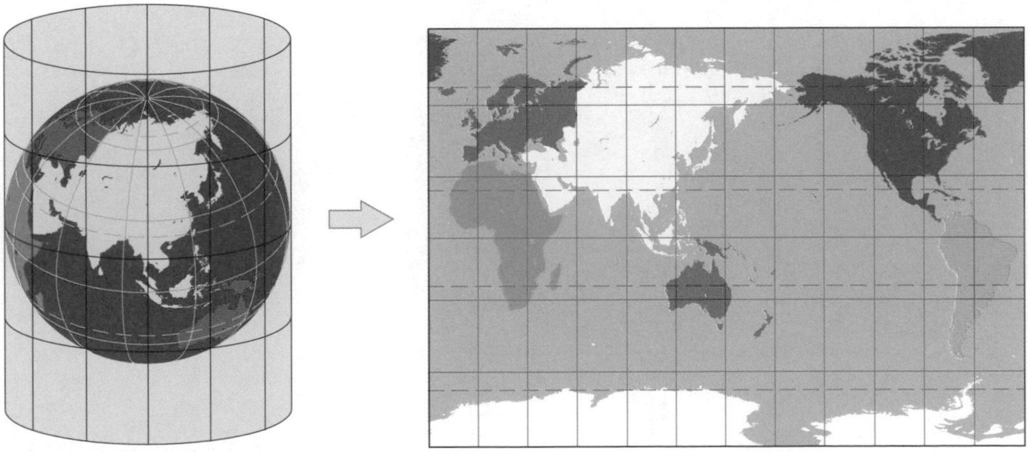

整的橘子皮延展到桌面上，一些地方會被擠壓，一些地方會斷裂。但我們需要的是一張完整地圖，而不是某些地方撕裂的地圖，那樣完全違背了方便使用的初衷，就需要採用投影的方法。

我們先假設地球是個規則的球體，地球一側有個平面，光從地心投射過來，這樣地球上的各種事物就會在平面上留下影子，就是投影。這樣一來，雖然變形依然存在，但得到一個連續的平面，就是一張完整的平面地圖。這種方式適合局部地區，因為離平面愈遠，投影在平面上的變形愈大，而且有半個球體無法投射到平面上，所以這種投影也叫方位投影。

換一種方法，假設有一個圓錐體罩在地球上，光源還是在地心，那麼地球上的事物投射到圓錐上後，再把圓錐展開，就得到一個平面地圖，這就是圓錐投影。相較於方位投影，圓錐有更大的面積接近地球，變形更小。注意，這裡的變形是指投影過程中的變形，從球體到平面的過程中，變形是不可避免的，只是我們想盡辦法讓變形最小，很顯然，圓錐投影的總體變形比方位投影小。

但我們看到，圓錐投影只能得到半個地球的地圖，另外半個地球的地圖不是無法得到，只要把圓錐做得夠大，但那樣的變形已經到了無法容忍的地步，而且南極永遠不可能投影到地圖上。

我們再把圓錐換成圓柱，這樣就可以得到一張世界地圖了。缺點是愈往兩極變形愈大，南、北兩極變成了一條線。例如在麥卡托投影法的地圖中，我們會看到格陵蘭島的面積和非洲相當，但實際上，格陵蘭島的面積為二百一十六萬平方公里，非洲的面積是三千零二十二萬平方公里，二者相差十四倍。今天的導航地圖，包括網路上的電子地圖，大多採用麥卡托投影法，導致很多人產生誤解。既然麥卡托投影法在面積上的變形這麼誇張，為什麼還有這麼多人使用呢？因為它適合導航，無論是陸地導航、海上導航，還是空中導航，麥卡托投影法都是最好的選擇。

以圓柱投影為例，如果圓柱與地球的關係相切，就稱這種投影為切圓柱投影；如要圓柱與地球的關係相割，就稱這種投影為割圓柱投影。其中與地球相交的那條線上的要素是不變形的，離這條線愈遠變形愈大，所以割圓柱投影比切圓柱投影能更好地控制變形。

變形是地圖投影中不可避免的事，體現在三個方面：面積、距離和角度，它們之間的關係此消彼長。還是以圓柱投影為例，它的經緯線呈直角相交狀態，與現實一致，就是角度沒變形，所以可以稱為等角圓柱投影。這種地圖很適合大海航行時辨別方向，麥卡托採用的就是這種投影。

想要控制投影過程中角度不變形，面積的變形就會很誇張，於是在這種地圖中，我們會看到格陵蘭島的面積比澳洲大還大，所以這種地圖不適合表現政區。展現世界政區的地圖中，常用等積投影，這樣各國的面積呈比例變化，相對客觀，只是角度變形又大了，所以這種地圖中的經緯線不完全是直角相交。

還有一種等距投影，是保持在某個方向上距離不變形。例如書中的絕大部分地圖，為了規避麥卡托投影法兩極變形過大的問題，在經線方向做了等距處理，這樣靠近兩極地區的面積就沒那麼誇張，但形狀略有失真。特別說明，本書的絕大部分地圖都繪有經緯線，但沒有標注比例尺，因為有一個簡單的方法可以估算兩點之間的距離，地球上所有的經線長度都相等，每隔一度的距離約為一百一十一公里，本書的經線一般相隔十度，其間的距離就是一千一百一十公里，大家可以據此推算圖中任意兩點間的距離。

依然以圓柱投影為例，如果圓柱的軸線與地球的軸線平行，就是正軸投影；如果垂直，就是橫軸投影；特殊情況下會用到斜軸。

基本的地圖投影就是以上三種，例如製作南、北極地圖時用方位投影；製作中緯度國家地圖時用圓錐投影；製作世界地圖時用圓柱投影。實際應用中，我們會根據需求調整，在這三種基本投影的基礎上又變化出很多種投影。

最關鍵的是，地圖投影可以用數學公式計算出來，包括正向和反向。在沒有地圖投影的年代，所有地圖都可以稱為示意圖，只是反映各要素之間的相對關係，例如中國古代的地圖，有時看起來像一幅山水畫，這種地圖不能測量，就是不能從圖上測出實際地物之間的距離或角度。有了數學基礎後，地圖就可以稱為一門科學。同時，在數學換算中，各個參數可以根據需要調整，於是衍生出各式各樣的投影。例如中國常用的世界地圖，為了反映中國版圖及其與周邊各國的地理關係，採用等差分緯線多圓錐投影，這種地圖主體清晰明瞭，但離中國愈遠的地區，變形愈大。

在麥卡托之前，歐洲的航海圖都是一種類似於圓錐投影的地圖，經線匯於北極一點，航海家們很難將航線繪製在地圖上。麥卡托發明等角圓柱投影，就是專為航海家服務的，可以很方便地為航海家們制定遠航計畫，使遠洋冒險變得可控，下面舉個例子說明航海家怎樣使用麥卡托投影法地圖。

等角航線

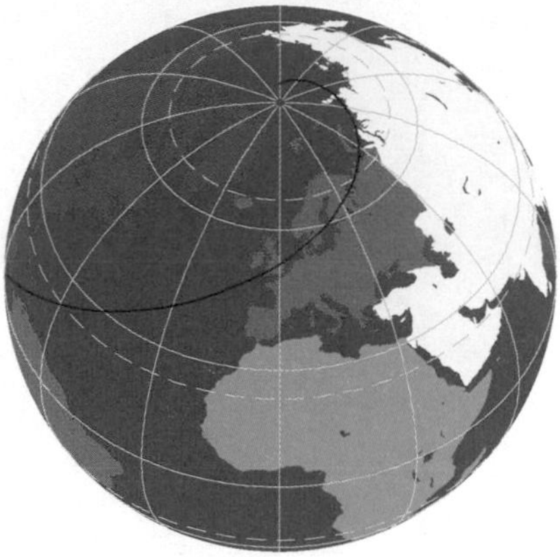

等角航線是指地球面上一條與所有經線相交成等方位角的曲線，又名恆向線、斜航線。在地球表面上除經線和緯線以外的等角航線，都是以極點為漸近點的螺旋曲線。

大圓航線

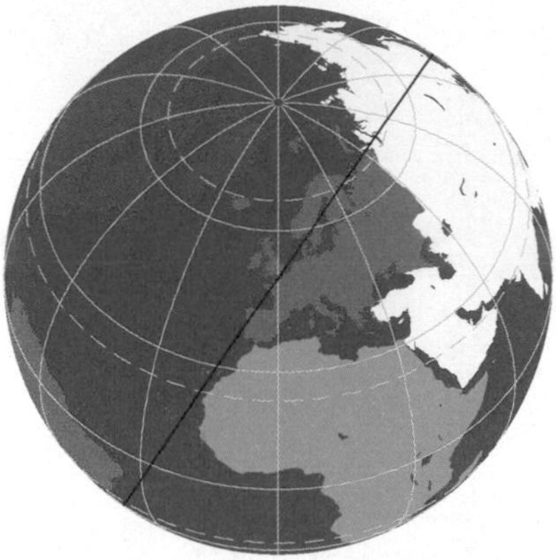

兩點之間的大圓劣弧線是兩點在地面上的最短距離，沿着這一段大圓弧線航行時的航綫稱為大圓航線。由於大圓航線是兩點之間的最短航線，故有時稱為最經濟航線。

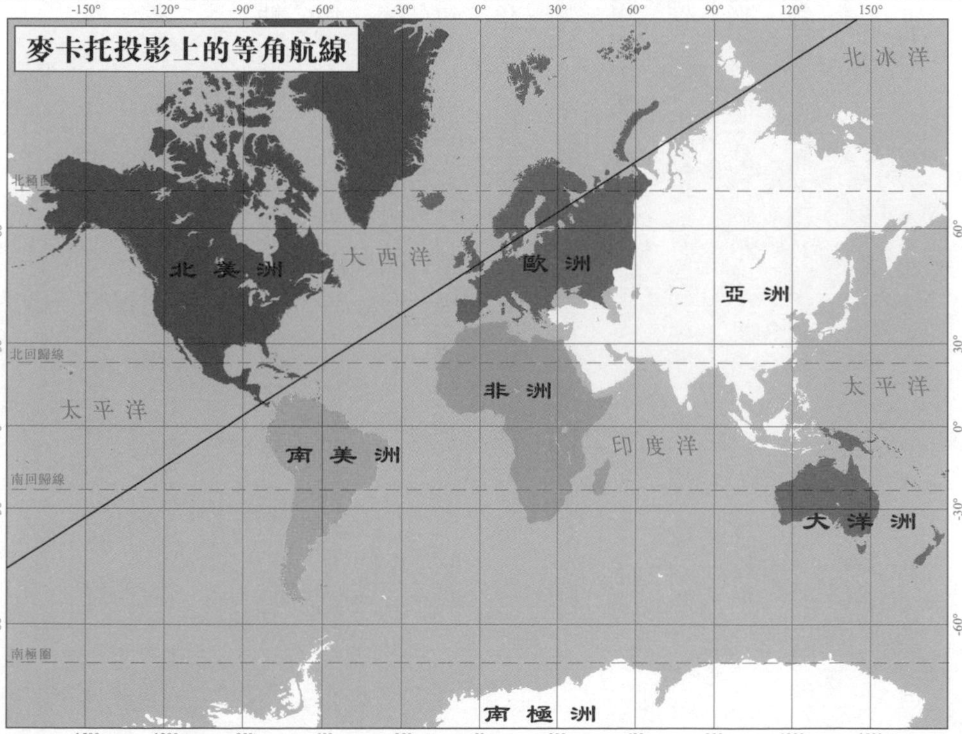

傳統的海圖上，航海家要制定一次遠航計畫，需要在地圖上先畫好一條航線，然後在航行的過程中按著這條線行駛，才能盡量避免意外發生。但如果真把這條線畫在地圖上，會發現它是一條曲線，現代，我們有導航衛星，這沒問題；十五、六世紀時，船隻把控航向只有羅盤可以依賴，在實際行駛過程中，想要按既定的航線走，幾乎不可能。例如克里斯多福．哥倫布（Christopher Columbus）採用的等緯度航線，在地圖上就是一條和緯線平行的曲線，實際航行中，他很難保持同一緯度，需要每隔一段時間測量北極星的高度，看看有沒有偏離航線，如果碰到天氣不好、看不到北極星，就很容易偏離航線。

但在麥卡托地圖上就簡單了，假設出發地為甲，目的地為乙，航海家只要在地圖上畫一條從甲到乙的直線，這條直線與所有的經線夾角相同，又稱為等角航線，船隊在實際行駛過程中，只需要保持與經線的固定夾角就可以到達目的地，而保持與經線的夾角比測量緯度簡單得多，單靠羅盤就可以實現，不受天氣影響，於是遠航就變得可控了。這個方法直到今天的遠洋船隻仍在近距離航行時使用，如果距離太遠，等角航線有點繞遠路，所以採用大圓航線，但航海圖依然使用麥卡托投影。

所謂大圓航線，我們把地球當成一個球體，透過地面上任意兩點和地心做一平面，平面與地球表面相交看到的圓周就是大圓。兩點之間的大圓劣弧線是兩點在地面上的最短距離，沿著這一段大圓弧線航行的航線稱為大圓航線。由於大圓航線是兩點之間的最短航線，故有時稱為最經濟航線。

能採用大圓航線是因為現在有衛星導航，十五、六世紀，等角航線無疑是最科學、風險最小的航線。麥卡托的這一發明，無疑是當時的導航。

麥卡托出生於尼德蘭，但當時政治很不穩定。尼德蘭的意思是窪地，指萊茵河下游的一塊沖積平原。中世紀初，尼德蘭是法蘭克王國的一部分。法蘭克王國分裂後，尼德蘭分屬神聖羅馬帝國和法蘭西。一五一六年，西班牙女王伊莎貝拉一世（Isabella I of Castile）和國王斐迪南二世（Ferdinand II of Aragon）相繼死後，其外孫卡洛斯一世（Carlos I）即位。卡洛斯一世原是神聖羅馬帝國皇帝的兒子，父親去世時，他繼承了尼德蘭這片土地。卡洛斯一世當上西班牙國王後，尼德蘭就成為西班牙的屬地。在西班牙，卡洛斯一世又稱為查理五世。

尼德蘭的自然條件不好，既不適合種植，也不適合畜牧，傳統的封建領主的統治相對薄弱，但尼德蘭靠海，有萊茵河伸入內陸，做港口貿易具有天然優勢。早在十四世紀就出現手工工廠，十六世紀得到迅速發展。例如北部的荷蘭省和西蘭省，主要經營紡織和造船等行業，南部的法蘭德斯省和北布拉邦省，主要經營紡織、冶金、製糖、印刷等行業。這些手工工廠都帶有資本主義性質，也就是說，他們不屬於傳統的封建領主控制範圍。封建領主大多是透過土地獲取資源，手工工廠是由一些小資本家投資建立。

尼德蘭發展最快的是毛、麻紡織廠，英國產羊毛和麻，同時也是消費市場，所以尼德蘭和英國的關係緊密。同時，尼德蘭屬於西班牙領地，西班牙有很多人在大航海時代發財，形成巨大的消費能力，所以尼德蘭的發展離不開西班牙。

宗教改革的浪潮中，路德、慈運理、喀爾文等教派先後傳入尼德蘭。新教很打動人心，追隨者既有資產階級的新貴族，也有廣大勞動人民。但和西班牙信奉的天主教格格不入，尼德蘭人也借助新教的力量反抗西班牙的統治。

查理五世當選為神聖羅馬帝國皇帝後，成為歐洲權勢最大的人。為了維護統治，查理四處征戰，耗費巨大，於是到處徵稅。當時的尼德蘭最為富庶，查理把這裡當成提款機，搜刮來的稅收占了西班牙國庫收入的一半，同時利用天主教打壓這裡的新教勢力。

一五五〇年，查理在尼德蘭頒布「血腥詔令」規定，禁止傳抄、私藏、散發、買賣馬丁・路德（Martin Luther）和約翰・喀爾文（John Calvin）等人的文集。這些文集被打上「異端」學說的標籤，凡傳播異端學說者，男的殺頭，女的活埋。查理統治期間，有五～十萬尼德蘭人死於宗教迫害，尼德蘭

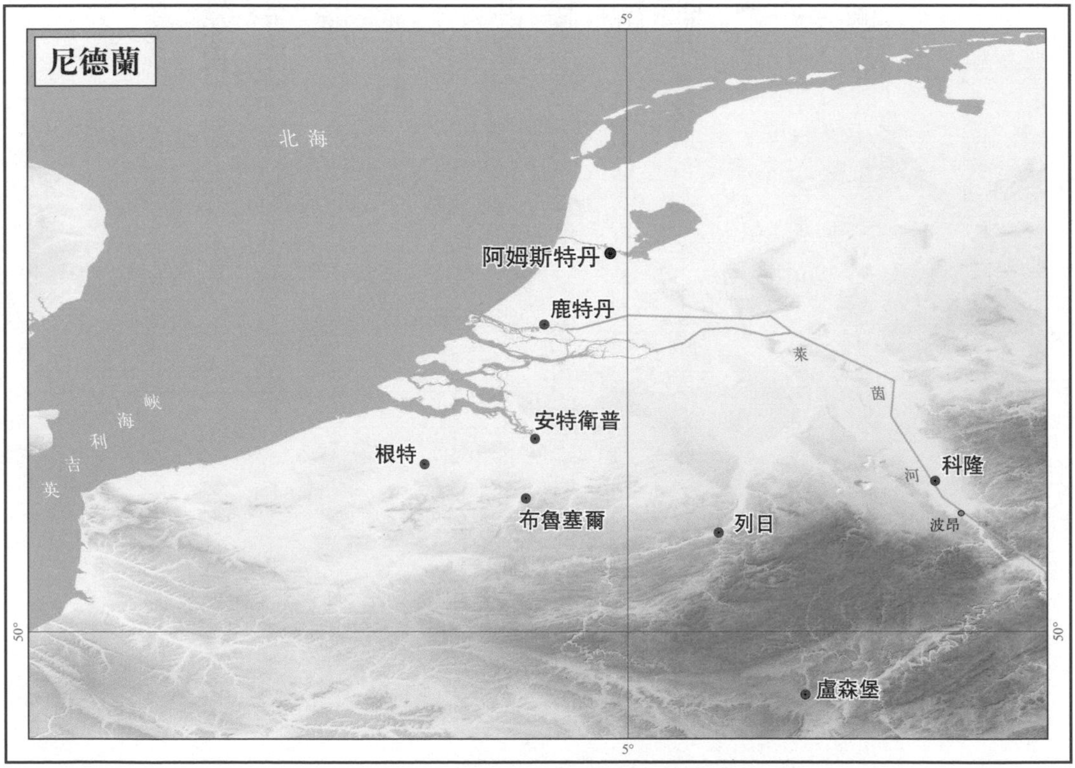

人的反抗運動也此起彼伏。

一五五六年，查理退位，其弟斐迪南一世（Ferdinand I, Holy Roman Emperor）繼任神聖羅馬帝國皇帝，其子費利佩二世（Philip II of Spain）繼任西班牙國王。費利佩二世即位後，對尼德蘭的高壓統治變本加厲：排擠尼德蘭的新貴勢力，取消尼德蘭商人直接與西班牙殖民地通商的特權，還拒絕償還國債，而債權人就是尼德蘭的銀行家；接著又提高羊毛的關稅，使以羊毛為原料的尼德蘭手工廠遭受重創，許多工廠倒閉，大量工人失業。迫害新教教徒方面，費利佩二世更是青出於藍，最終激起新教教徒的武裝暴動。

終於，一五六六年八月，尼德蘭的法蘭德斯市民爆發起義，以反抗西班牙政府的暴政，開始破壞天主教聖像。這場運動很快席捲尼德蘭十七省中的十二個，尼德蘭謀取獨立的資產階級革命爆發。一年後，費利佩二世派人前來平叛，許多革命人士逃亡國外。

一五七二年四月一日，一支海上游擊隊攻占西蘭島的布里勒城。到了夏天，荷蘭省和西蘭省已經擺脫西班牙的統治。一五七三年底，北方七省（荷蘭、西蘭、烏特勒支、海爾德蘭、上艾塞爾、德倫特、格羅寧根）先後從西班牙的占領中獲得解放。

一五七九年一月，南方十省首先退卻，費利佩二世成為尼德蘭的合法君主，天主教是唯一合法宗教，於是尼德蘭南北分裂。月底，北方各省成立「烏特勒支同盟」，宣布獨立。尼德蘭的南北分裂並非偶然，主要是尼德蘭經濟發展不平衡，沒有出現全國性統一市場所致。南北各省分別以安特衛普和阿姆斯特丹為中心，形成兩個彼此對立的經濟實體，歷來就存在著競爭，而南方十省的貿易對象主要是西班牙及其殖民地，因此無法割斷與西班牙王國的經濟聯繫。更重要的是，北方資產階級多信奉喀爾文教，南方貴族多信奉天主教。

一五八一年七月二十六日，「烏特勒支同盟」各省的三級會議正式宣布廢黜國王費利佩二世，成立「尼德蘭七省聯合共和國」。隨後，英格蘭和法蘭西都宣布承認聯省共和國，並給予支援，以對抗西班牙。

「尼德蘭七省聯合共和國」的中文譯名就是荷蘭共和國，從地理上說，尼德蘭包括南、北兩部分，而尼德蘭七省聯合共各國只是北部，從這時起，就以其最大的省「荷蘭」來代稱北部聯省共和國。直到現在，荷蘭的正式國名仍叫尼德蘭王國，荷語為 Koninkrijk der Nederlanden，英語為 The Kingdom of the Netherlands，簡稱 The Netherlands，而非 Holland。之所以張冠李戴，是中國人最初接觸到的尼德蘭人正是來自荷蘭省的人，後來乾脆用荷蘭代指整個國家。不過這種將錯就錯沒有壞處，中文的語境裡，尼德蘭更多意義是地理名詞，包含南、北兩部分，如果用來單指北部這個國家很容易混淆。例如，一八一五年維也納會議後，原南部各省和荷蘭合併為尼德蘭王國，一八三〇年南部脫離尼德蘭獨立，成立比利時王國，一八三九年《倫敦條約》承認盧森堡為獨立國家。這裡的尼德蘭包含今荷蘭、比利時和盧森堡三個國家，而荷蘭單指北部地方，簡單明瞭。

嚴格來說，麥卡托不是荷蘭人，他出生於安特衛普附近，當時是尼德蘭南部，今天屬於比利時。當然，麥卡托屬於哪國人不重要，重要的是他的成就為全世界人類做出了貢獻。麥卡托將數學基礎引入地圖學中，使歐洲的製圖技術從古希臘的托勒密時代，進入近代地圖學的時代。正是有了數學做基礎，今天的地圖才能承載各式各樣的資訊，才能與天上的衛星聯動，實現數位導航。晚年，麥卡托寫了一本《地圖與記述》，是地圖學界的鉅著，一時轟動世界。這本書的封面印有古希臘神話人物阿特拉斯（Atlas）的畫像，後人就用「Atlas」做為地圖集的代名詞，並沿用至今。

第四章

英格蘭海上爭奪戰的轉捩點——海盜德瑞克

法國發現加拿大等地後，本來可以再接再厲，在北美洲有一番作為，但一五六二年起，法國內部發生一場天主教和喀爾文教之間的戰爭，史稱「胡格諾戰爭」（法國宗教戰爭）。這場戰爭一打就是三十多年，法國無法從內戰中抽身，這個機會又給了英國。

一五六六年，英格蘭吉伯特勛爵編寫了一本名為《論發現去契丹的新道路》的小冊子，在英國流行。這裡的契丹是指中國，歐洲的民族國家形成較晚，對中國的了解很少，中世紀即將結束，歐洲人開始關注外面的事物時，中國早過了影響深遠的漢、唐時期，進入宋朝。無論北宋還是南宋，版圖都限定在傳統的農耕區，最西邊只到達河西走廊，對西方的影響微乎其微，契丹人原本是鮮卑人的一支，而鮮卑人來自東胡，長期生活在中國北方，文化上已經被徹底漢化，蒙古人（實際和契丹人同源）認為契丹人和漢人沒什麼區別，把他們稱為北方漢人，但這不是歐洲人用契丹代指中國的理由。契丹人建立的遼國被金人消滅後，殘部在耶律大石的率領下進入西域，又建立遼國，史稱西遼。西遼完全仿製中原王朝的制度，雖遠居西域，仍以漢語為官方語言。這些契丹人的心裡已經自認是中國人，遼也是個國號，就像漢、唐一樣，只是他們還沒有統一中國、入主中原而已。西遼鼎盛時期，統治範圍不僅有西域，還包括中亞的河中地區，這是以前漢文化很少涉及的地方。更重要的是，一一四一年，西遼擊敗歐洲人痛恨的塞爾柱帝國，聲名遠播，歐洲人就把這個來自東方的強國稱為契丹，他們不知道當時的中國已經四分五裂。不只是英國，當時的葡萄牙、西班牙都稱中國為契丹，甚至直到今天，俄羅斯仍稱中國為契丹，俄語裡的中國（Китай）一詞實際是契丹的音譯。

這本小冊子裡，吉伯特勛爵利用當時已知的資料得出結論，認為北美洲北部是海洋，北美洲西北部與亞洲東北部是隔開的，因此西北航路必然存在。

這本書的影響很大，卡博托父子（喬瓦尼・卡博托 Giovanni Caboto 和塞巴斯勞安・卡博托 Sebastian Caboto）尋找西北航道大半個世紀後，又燃起英國人對西北航道的興趣。雖然這時英國已經學法國發放私掠許可證給海盜搶劫西班牙船隻，但終歸不是長久之計，如果能自己開闢出一條新航路，將會帶來源源不斷的財富。

何況，當海盜是有風險的，例如接下來的兩件事。

一五六八年，英國的六艘船隻在約翰・霍金斯（John Hawkins）的帶領下，本來已經獲准停泊在墨西哥灣維拉克魯斯港外的聖胡安・德烏魯阿島，但突然遭到西班牙戰艦襲擊，除了霍金斯和他的表弟法蘭西斯・德瑞克（Francis Drake）各率領一船逃脫外，其餘四艘船的人受傷被俘，死傷數百人。很顯然，這是西班牙對英國縱容海盜搶劫的報復。此後，霍金斯轉投政界，致力於英國海軍建設，而德瑞克成為攻擊西班牙最活躍的海盜。

一五七二年，德瑞克率領兩艘海盜船，共計七十人，襲擊巴拿馬地峽的西班牙港口，搶了幾船財寶。西班牙艦隊反擊，德瑞克身受重傷，敗退。

這兩件事後，英國人就把重心放到探索西北航道上了。

一五七六年，英國另一位著名的海盜馬丁・弗羅比舍（Martin Frobisher），在一批官員和商人的資助下，帶著三艘排水量為二十～二十五噸的小帆船去尋找西北航道，船隊一共才幾十人。六月，船隊繞過蘇格蘭王國後駛入茫茫的大西洋。七月十一日，他們在北緯六十一度看到格陵蘭島南端海岸。一艘船不幸遇險沉沒，船員無一生還，另一艘船見到這種情況後嚇跑了，只有弗羅比舍坐鎮的加百列號和二十三名船員仍然堅持前行。

八月二十日，他們在北緯六十三度處發現一個海灣，海灣很窄，深陷內陸，讓弗羅比舍誤以為是個海峽，說不定就是西北航道的關鍵，於是命名為「弗羅比舍海峽」（實際是巴芬島東南部的弗羅比舍灣），想著以後可能和麥哲倫海峽一樣留芳後世。然後，弗羅比舍一行人沿著這條所謂的海峽朝西北方前進九十多公里，歐洲人在這裡第一次遇到愛斯基摩人。

和印第安人一樣，愛斯基摩人是從亞洲跨過白令海峽到達美洲的黃種人。只是，他們比印第安人來得晚，踏上美洲的那一刻，就遭到印第安人的圍追堵截和血腥屠殺。愛斯基摩人且戰且退，最後退到北極圈以內。印第安人以為愛斯基摩人肯定會被凍死，就停止追殺。沒想到他們卻奇蹟般活了下來，創造人類在自然條件下生存的極限。愛斯基摩人這個稱謂是印第安人取的，意思是吃生肉的人，他們很不喜歡敵人給的稱號，更喜歡因紐特人這個稱呼。不過，印第安人也沒說錯，在極寒條件下，生火是極為困難的事，冰天雪地的北極要找到生火用的柴草也幾無可能，他們為了適應環境，已經養成生吃肉的習慣。但或許是一種天意，北極沒有蔬菜和瓜果（唯一的綠色植物是苔蘚），生肉（包括動物內臟）能保留更多維生素，所以愛斯基摩人沒有像歐洲船員那樣得壞血病。

愛斯基摩人長著黃皮膚、黑頭髮，臉比較寬，鼻子扁平，不論男人、女人，身上穿的都是海豹皮，看起來很像韃靼人（當時歐洲人對蒙古人的稱呼，就像稱中國為契丹人一樣），讓英國人以為快到中國了。

由於語言不通，英國人和愛斯基摩人進行不對話的物品交換。他們意外發現一種閃著金光的黑色石頭，弗羅比舍認為是金礦石，興奮不已。八月，有五名船員出去交換貨物時失蹤，有人認為是被當地土著抓了，但秋天即將來降，弗羅比舍下令返航，並帶上一名愛斯基摩人。十月初，加百列號駛進泰晤士河。

聽說在北美發現了金礦，英國

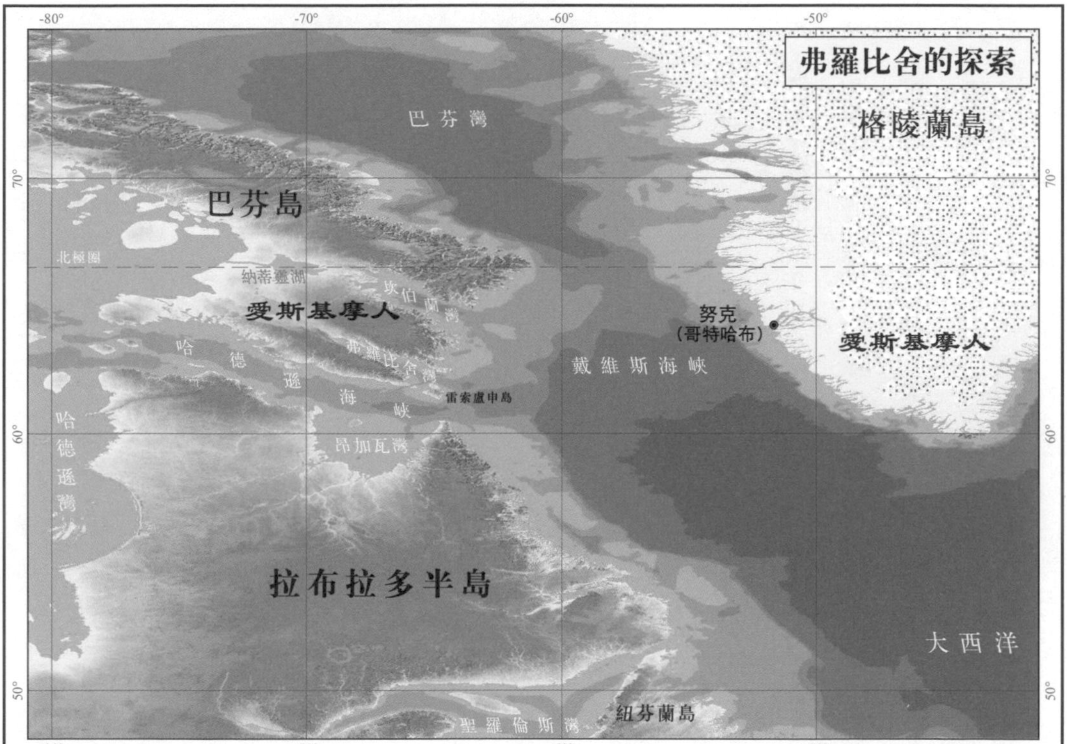

人立即熱情高漲，一些商人湊在一起，成立「中國股份公司」，連伊莉莎白女王（Elizabeth I）也入了股。隨後，伊莉莎白女王加封弗羅比舍為「在中國發現的一切海洋、湖泊、陸地、海島、國家和地區的元帥」，並動用公款裝備一艘二百噸的中型帆船，將這艘船和加百列號，以及那艘中途逃跑的船組成一支船隊，乘員約十四人，準備再一次遠航。

一五七七年，弗羅比舍再次率隊出發。這次的目標有兩個，一是大船載滿金礦石後立即返航；二是兩艘小船由弗羅比舍率領繼續探索到達中國的航道。

七月中旬，船隊到達「弗羅比舍海峽」後，因為浮冰阻隔，再加上「金礦石」太誘人了，弗羅比舍乾脆把所有的船都裝上「金礦石」後就返航了，九月下旬回到英國。

一五七八年四月底，弗羅比舍第三次出海尋找西北航道。這次大、小船隻共十五艘，任務有三個：第一，在「弗羅比舍海峽」附近建一個要塞，以防止其他海洋列強染指新發現的金礦；第二，開採金礦，把礦石運回；第三，還是用小型船打通西北航道。

六月初，一艘大船在「海峽」入口處遭遇暴風雪後，與海上的浮動冰山相撞後沉沒，所幸船上人員獲救。隨後，整個船隊被暴風雪捲向南方，到了今拉布拉多半島北部的昂加瓦灣。弗羅比舍又發現了哈德遜海峽，而且順著海峽向西北航行三百多公里才返回，他感覺這條海峽才是去往中國的最佳通道。

暴風雪過後，弗羅比舍率隊返回，向東北航行的路途中，發現雷索盧申島等小島。透過連日觀察，弗羅比舍發現，冰山融化的水是淡水而不是鹹水，說明冰山不是形成於大海，而是陸地，在某種條件下滾入海中。看似簡單的道理，卻讓弗羅比舍成為研究冰山的第一人。

和上次一樣，弗羅比舍既沒建要塞，也沒去尋找通往中國的航道，而是把所有船隻都裝滿「金礦石」，然後返航。

但讓人絕望的是，英國人沒有從這些礦石中提煉出哪怕是一丁點的黃金，它們就是普通的石頭，不是什麼金礦石。連續三次遠航，耗費無數，沒想到帶回來的是一堆破石頭，負責弗羅比舍探險的「中國股份公司」不久後破產倒閉，董事長洛克因負債而入獄。緊接著，人們發現「弗羅比舍海峽」不過是個海灣而已，根本沒有通路。

這三次遠航是英格蘭有史以來派出最大規模的船隊，但結果一無所獲。受此打擊，弗羅比舍從此不再從事探險和發現，而是轉入反抗西班牙的海盜活動。後來，他死於對法蘭西作戰的戰場。

西北航道雖然一無所獲，但在另一條線上，英國人卻收穫滿滿，就是著名的海盜德瑞克。

一五七七年十二月中旬，伊莉莎白女王派德瑞克率船隊出海南下，一是與南美洲的居民通商，二是尋找南太平洋中未知的陸地，主要目的就是打擊西班牙在南美一帶的勢力。可以說，這次遠航就是對西班牙使壞，沒抱什麼大希望，沒想到卻無心插柳。

船隊有三艘排水量約一百噸的海盜船和兩艘小型的補給船，乘員一百六十多人。

一五七八年，船隊從普利茅斯港啟航，先沿舊大陸南下到維德角群島，然後斜渡大西洋，四月到達拉布拉他河口，接著向南航行。在南緯四十七度的海岸，英格蘭人得到巴塔哥尼亞人的友好接待和幫助。

六月底，船隊進入聖胡利安港。這是當年麥哲倫過冬的地方，他還在此處理過一起叛亂。巧合的是，德瑞克也碰上一起叛亂，不過很快被平息，為首的軍官被處死。如果細究起來，其實不是巧合，聖胡利安港已接近南緯五十度，又趕上冬季（北半球夏季），任何船員都會產生心理恐懼，叛亂是想放棄這次任務，潛逃回國。船員們常說一句話：「四十度以上沒有法律，五十度以上沒有上帝。」在這裡，滿眼荒蕪，嚴寒相逼，一切只能靠自己。

但德瑞克不打算放棄，也沒打算停留，為了減少負擔，他把兩艘基本上耗盡的補給船扔掉了，還把旗艦鵜鶘號改為金鹿號，船隊縮編為三艘，繼續前進。八月下旬，船隊駛入麥哲倫海峽。一個月後，船隊剛駛出海峽就遭遇暴風雨，持續了五十二天，直到十月底結束。這場暴風雨中，一艘船失蹤，一艘船被逼回麥哲倫海峽，等待一個月後被迫返航。剩下的唯一一艘旗艦金鹿號被吹向南方，推移了五個緯度，到達合恩角一帶。這個意外讓德瑞克發現火地島不是南美大陸的一部分，而是一個海島。海島之外，仍是海洋。三百年後，人們發現南極洲，才知道這裡不是海洋，而是海峽，於是把它命名為德瑞克海峽。

暴風雨過後，金鹿號按計畫一路向北。十一月底，到達南緯四十三度的奇洛埃島。島上的阿勞坎人受盡西班牙人的暴虐統治而仇視白人，所以德瑞克一行人上岸時，立即遭到當地人攻擊，兩名船員被打死，德瑞克只好返回船上繼續北上。

幸運的是，奇洛埃島以北的智利海岸，英格蘭人受到當地印第安人的友好接待，並得到一名引水人幫助，順利到達南緯三十三度的港口城市瓦爾帕萊索。

瓦爾帕萊索是西班牙人的移民城市，也是繞道南美大陸的船隻在繞過麥哲倫海峽後的第一個中轉站。德瑞克本想在這裡等另外兩艘船前來會合，但沒等到，於是下令海盜們洗劫了這座港口城市。

然後，德瑞克繼續北上，沿途考察，發現西班牙人在地圖上向西多畫出十萬平方公里的土地。此後，金鹿號在南緯二七．五度的拜雅－薩拉達港停留了一個月，一是維修船隻，二是等待失散的同伴，但依然沒有等到。

過了南回歸線後，德瑞克又搶劫

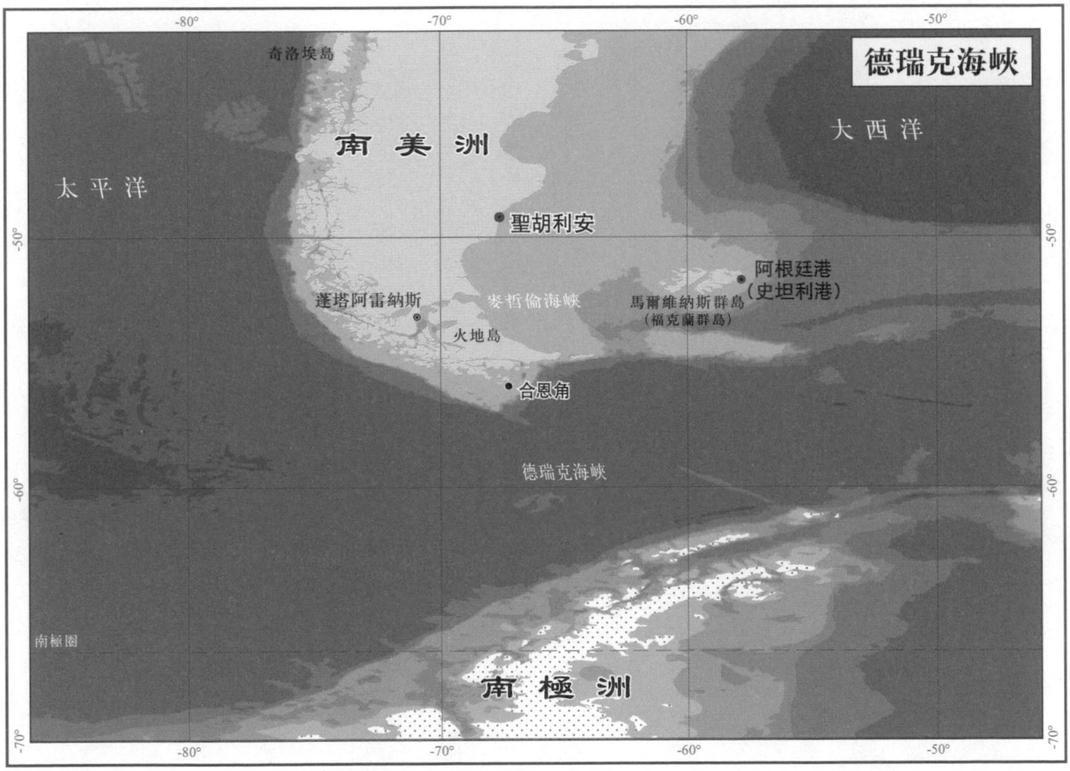

一些西班牙的移民港口。至此，德瑞克基本上已經完成這次出航的目標。他是海盜，只要對西班牙人搗亂就行了，地理發現只是順手的事。

按道理，德瑞克這時可以返航了。但是他猜測如果按原路返回，損失慘重的西班牙人很可能在麥哲倫海峽等著收拾他（事實上他的猜測完全正確），於是決定冒險北上。他想，既然西北航道存在，那麼可以從北美北部的海洋駛入大西洋，從北大西洋回國。如果能反向打通西北航道，也能千古留名。

要反向打通西北航道，就要先找到阿尼安海峽（今白令海峽），於是德瑞克繼續北上，途經尼加拉瓜和墨西哥海岸時，又搶劫了幾個西班牙人的據點。一五七九年六月，金鹿號在北緯四十二度遭遇暴風雪，並伴有大霧。金鹿號頂風前行，到了北緯四十八度附近（今溫哥華一帶）後，德瑞克感覺再往前走天氣會愈來愈糟，於是下令返回。六月中旬，金鹿號回到北緯三十八度一帶的聖法蘭西斯科灣（聖法蘭西斯科又譯作三藩市，華人更喜歡舊金山這個名字）。

英國人登陸休整，搭建營地，與當地印第安人友好相處，互贈禮物，最後雙方達成共識，當地居民和土地全都歸附英格蘭王國。德瑞克將這個地方命名為新阿爾比恩之地，並豎立石碑做為紀念和主權象徵。

一個月的休整後，德瑞克有了一個大膽的計畫，就是橫渡太平洋，直往摩鹿加群島，從東方回歐洲。在德瑞克看來，南歸的路已經被西班牙堵死，北美洲西岸的氣候遠比東岸惡劣（受洋流影響），反向打通西北航道幾無可能，不如賭一賭運氣，來一次環球航行。做為海盜，德瑞克更喜歡這種不按常理出牌的方式。

七月中，德瑞克離開新阿爾比恩之地向西，駛入一望無際的太平洋。在海上飄了兩個多月後，九月底，他們發現了帛琉群島。

帛琉群島屬於加羅林群島的一部分，靠近菲律賓，離民答那峨島八百多公里。如果從三藩市到帛琉群島拉一條直線，會發現這條線經過夏威夷群島，那樣的話，德瑞克能早一點得到補給，橫跨太平洋的風險就會大大降低。但德瑞克沒有經過夏威夷群島，原因是他沒有沿直線航行，在太平洋上，這麼遠距離的航行採用直線（等角航線）條件也不允許。在風帆時代，遠洋船隻的動力是風，還有洋流。從三藩市到帛琉群島，如果利用信風航行，會先經過西風帶，這是逆風；再經過副熱帶高氣壓帶，這是無風帶；最後才是順風的東北信風帶。利用信風顯然不行，只能利用洋流了。德瑞克正是先利用加利福尼亞洋流南下，進入北赤道暖流，然後漂到帛琉群島。

從帛琉群島到摩鹿加群島，是往西南偏南方航行，可是這一帶此時還是夏季，東南亞一帶受季風影響，颳的是東南風，金鹿號只能頂風逆行，又用了一個多月，十一月初才到達摩鹿加群島，就是大名鼎鼎的香料群島，今馬魯古群島。

金鹿號在摩鹿加群島的德那第島停泊後，獲得補給。這裡的人與葡萄牙人處於敵對關係，對英國人還算好。他們買了幾噸以丁香為主的香料，裝滿船艙。隨後的一個月，在蘇拉威西島以南的一個無人小島上休整；又一個月，在蘇拉威西島、爪哇島一帶海域遊蕩，並盡量躲避葡萄牙人。雖然是海盜出身，但德瑞克畢竟是王室授權，遠航除了搶劫西班牙人以外，所到之處也要進行必要的考察，這些資料帶回國內，對英國的海軍大有用處。

一五八〇年初，德瑞克決定返航。和麥哲倫的船隊一樣，為了避開葡萄牙人，金鹿號從爪哇島出發後，橫渡印度洋，直奔好望角而去。

六月中旬，金鹿號繞過好望角，八月中旬越過北回歸線，九月下旬回到普利茅斯港。人類歷史上第二次環球航行完成了，全程歷時二十五個月。去時一百六十多人，回來時倖存五十六人。

金鹿號帶回來的金銀財寶和香料價值一百五十英磅，等於王室一年的

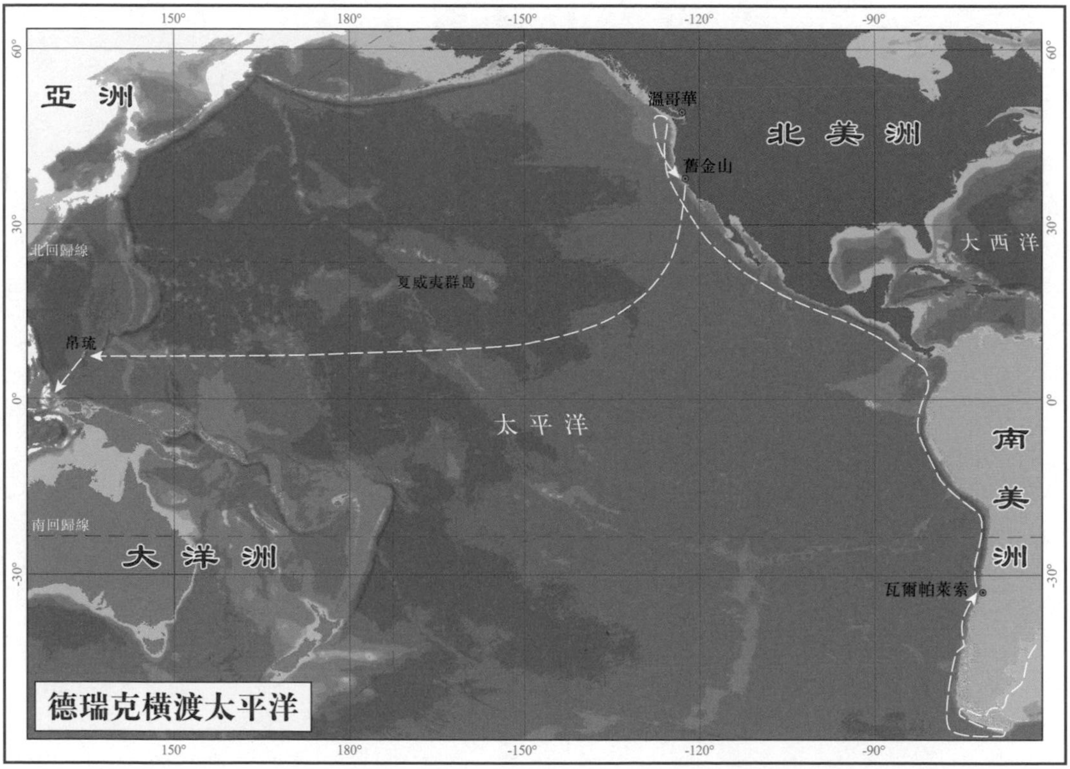

德瑞克橫渡太平洋

收入，伊莉莎白女王親自登船祝賀，下令把金鹿號保存起來做為永久紀念，封德瑞克為爵士。

德瑞克這次行動是英格蘭在海上爭奪戰的轉捩點，本來英國人動手晚，再加上無論是在西北航線還是東北航線，都屢屢受挫，收效甚微，德瑞克的成就無疑激勵了英國人：星辰大海，前途無量。

第五章

西班牙「無敵艦隊」的殞落——英國崛起

探索西北航道的同時，英國人也沒有放棄東北航道。

一五八〇年五月，德瑞克在爪哇島準備返航的同時，英格蘭的莫斯科公司派遣彼特和本傑明兩人率兩艘滿載貨物的帆船去探索東北航道，目標是中國的汗八里城（今北京）和行在（今杭州）。兩艘船總排水量只有七十噸，成員二十人。只能說，此時英國的志向遠大，但實力太弱了。

船隊駛出泰晤士河口後，向北到達挪威王國海岸。六月二十三日，船隊抵達瓦爾德港。因為本傑明的船需要修理，彼特獨自向東，他們約定在瓦伊加奇島會合。七月十日，彼特到達新地島。七月二十四日駛入卡拉海，然後沿海岸東行，到達拜達拉塔灣的入口處時，遇到本傑明。兩船在卡拉海的浮冰和迷霧中徘徊了三個星期，因迷路最終返航。但回國的途中，兩船因氣候失散。彼特於十二月返回英格蘭，而本傑明被迫在挪威的一個港口過冬，直到第二年二月，與一支丹麥王國的船隻同行，在駛往冰島的途中一去不返。

這是英國人對東北航線的探索中斷二十三年之後的再次嘗試，結果不盡人意。從此以後，基本上放棄了對東北航線的探索，還是老老實實和俄羅斯人做生意比較好。畢竟英國花費九牛二虎之力探索的航路，都是俄羅斯人探索過的，況且一路上都有王國勢力，很難找到一塊無主之地做為據點。

東北不行了，還是西北吧！

一五八三年，英國航海家約翰．戴維斯（John Davis）向伊莉莎白女王的首席祕書法蘭西斯．沃辛漢（Francis Walsingham）提出新的探索西北航道計畫，最終被伊莉莎白採納。

一五八五年，戴維斯在沃辛漢與一些倫敦商人的資助下第一次出海，目標是打通到中國的西北航道。戴維斯的船隊只有兩艘小型帆船，成員四十二人。

七月，船隊到達格陵蘭島東南海岸。格陵蘭島對北歐人不陌生，但他們誤以為這是另一個島。船隊沿著格陵蘭島海岸線向西南航行，繞過格陵蘭島最南端後，到達今哥特哈布港。

哥特哈布是今格陵蘭的首府，也是格陵蘭島最適宜人類居住的地方。受北大西洋暖流影響，冬季不結冰，還形成一些漁場，漁業是當地的特產。「哥特哈布」是丹麥語和挪威語發音，格陵蘭語的發音是「努克」。最早進入格陵蘭島的是愛斯基摩人，藉著加拿大極地群島的島嶼做跳板，從北美渡海進

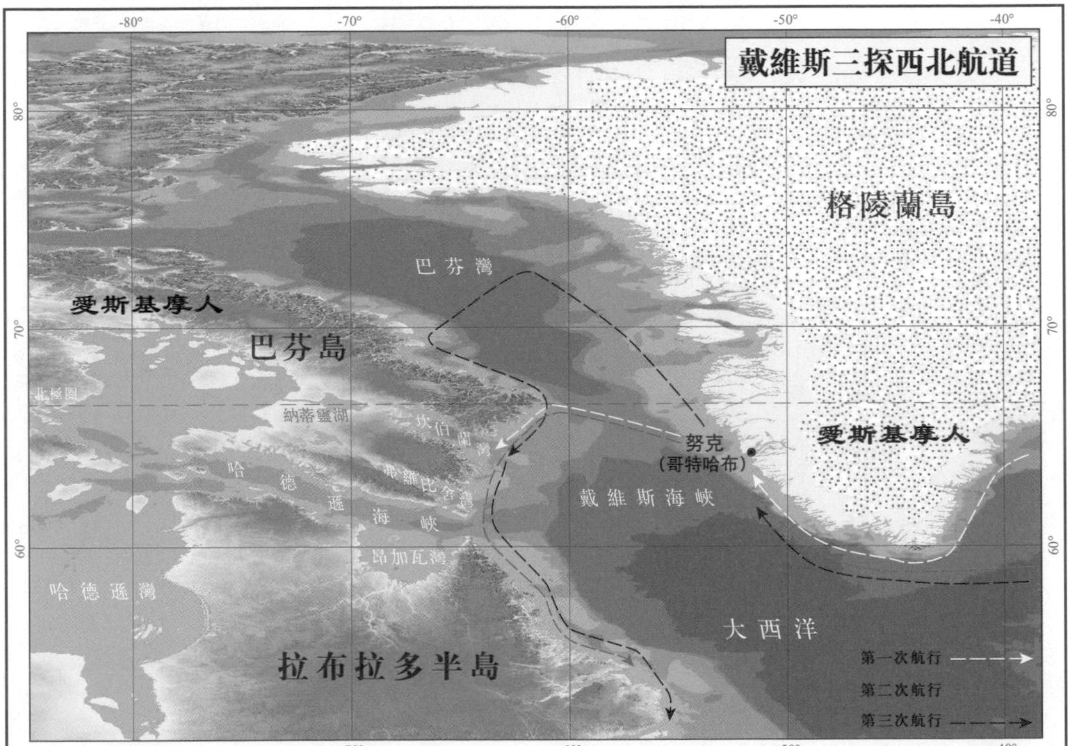

入格陵蘭島。他們多次遷移，從西元前四千年起延續上千年，每次大遷移都帶有不同時期的文化，因而形成不同於北美大陸愛斯基摩人的獨特文化。十世紀時，挪威人發現這裡，開始殖民，哥特哈布就是殖民地之一。十三世紀，格陵蘭島成為挪威王國的殖民地。一三八〇年，丹麥與挪威聯盟，格陵蘭轉由丹麥、挪威共同管轄，丹麥勢力介入。此後，丹麥、挪威分治，格陵蘭就歸丹麥管轄了。當然，這是後話。

一五八五年，戴維斯到達哥特哈布時，遇到一些愛斯基摩人，進行了不對話的實物交換。八月初，天氣溫暖，海上沒有浮冰，船隊離開港灣後，向西北前進約六百公里，斜渡戴維斯海峽，到達北極圈上的巴芬島東岸。沿著曲折的海岸線南下，船隊發現了坎伯蘭灣。進入海灣後，向西北航行二百公里仍看不到盡頭，和弗羅比舍一樣，戴維斯以為這是個海峽，是西北航道的關鍵所在，於是興奮地返航了，準備下一次探索。

一五八六年，戴維斯準備了四艘船，再度向西北方進發。五月，船隊來到哥特哈布，然後和上回一樣，斜渡戴維斯海峽向對岸北緯六十七度一帶（即北極圈）的巴芬島前進，這是從哥特哈布到巴芬島最短的距離。但不一樣的是，海上濃霧彌漫，一些船員因恐懼而不滿，無奈之下，戴維斯先後打發了兩艘船返航。八月初，他們終於到達北極圈一帶的巴芬島東岸，然後向南探索。經過哈德遜海峽入口和拉布拉多半島東北端後，戴維斯又在北緯五十四度一帶發現狹長的漢米頓灣。在北美的極地，這種狹灣似乎特別多，讓英國人一開始總以為是一條可以通往遙遠中國的海峽，但結果總是令人失望。

九月，秋天來臨，天氣轉涼，戴維斯決定返航。十月中旬，船隊回到英格蘭，還帶回滿船的鱈魚和五百張海豹皮。

一五八七年，戴維斯第三次出發去尋找西北航道，這次共有帆船三艘。因為靠近極地，戴維斯每次都選擇在夏季出發，而且先到哥特哈布港落腳，以最大限度降低遠航的風險。在哥特哈布港，戴維斯命令兩艘大船獵捕鯨魚和海豹，自己則駕一艘小船去尋找西北航道。

從哥特哈布出發，戴維斯向北航行一千一百多公里，深入巴芬灣，到達北緯七十三度，這是英國人當時能到達的最北點。戴維斯發現向北和向西都是大海，但浮冰和逆風阻止了前進的方向，於是折向西南，橫渡巴芬灣，七月中旬到達巴芬島北海岸。然後，戴維斯沿巴芬島東岸南下，到達第一次來時發現的坎伯蘭灣。戴維斯還是寄託著希望，進入坎伯蘭灣後向西北方航行了兩天，直到確定從這裡找不到前往太平洋的出口，才掃興而歸。

從坎伯蘭灣出來後，戴維斯繼續南下考察，經過哈德遜海峽入口，再往南，幾乎考察全部的拉布拉多半島東海岸，一直到北緯五十二度貝爾島海峽附近，進入英國人熟悉的領域才停止。九月中旬，戴維斯回到英格蘭。

一五八八年，戴維斯準備第四次探索西北航道，但資助的投資人拒絕了他的請求，因為幾趟下來，投資人沒賺到什麼錢，他在地理發現的成果很大，但那些東西變不了錢，僅是幾船鱈魚或鯨魚油，或者是海豹皮，不夠維持高昂開支。雖然不能再去西北，但戴維斯隨即參加一次大海戰，因為西班牙的「無敵艦隊」打來了。

英國和西班牙的梁子，結下不是一天、兩天了。

自從開闢從菲律賓到墨西哥的航線後，西班牙就致力於經營美洲和亞洲兩條航線，除了一五六八年意外發現索羅門群島外，在地理發現上鮮有成果。而英國方面，自從一五五八年伊莉莎白女王上臺後，就把西班牙當作競爭對手，組織海盜搶劫西班牙珍寶船。西班牙對此恨得牙癢癢，但沒有任何行動，反倒是把目光放在鄂圖曼帝國身上，認為那才是他的敵人，英國不足為懼。一五七一年，勒班陀戰役爆發，西班牙與威尼斯的聯合艦隊大敗鄂圖曼帝國海軍，西班牙將勢力範圍深入地中海。一五八〇年，西班牙吞併葡萄牙，正是如日中天時，沒想到第二年荷蘭宣告獨立，而背後離不開英國人的支持。做為大陸邊緣的島國，英國的政策一向是保持大陸各個勢力均衡，因為一旦有人稱霸大陸，必然會向周邊海島擴張，在荷蘭獨立這件事情上，英國全力支持，因為當時的西班牙在歐洲大陸一家獨大，法國人陷在內戰的泥沼裡已經四分五裂，難以與西班牙抗衡。

終於，一五八六年，西班牙忍無可忍，策劃了一起謀殺案，目標是英國伊莉莎白女王。但最終行動失敗，執行者和參與此案的蘇格蘭女王瑪麗・斯圖亞特（Mary Stuart，瑪莉一世）都被處死，於是兩國的仇恨擺到桌面上。

一五八八年，戴維斯回國不久，西班牙派出著名的「無敵艦隊」遠征英格蘭，打算好好教訓英國人。

所謂的「無敵艦隊」，顧名思義，就是打遍世界無敵手。西班牙為了保障海上交通線及其在海外的利益，建立一支擁有一百多艘戰艦、三千餘門大炮、數以萬計士兵的強大海上艦隊。最盛時，有千餘艘艦船，總排水量超過現代美軍的單支航母編隊，這支艦隊橫行於地中海和大西洋，驕傲地自稱為「無敵艦隊」。

一五八八年七月，遠征英國的西班牙「無敵艦隊」有重型軍艦一百三十二艘，士兵三萬多，大炮約三千門。這麼大的陣勢，看來是想一口把英格蘭吞掉。

英國的艦隊首領正是大名鼎鼎的德瑞克，海軍原本只有三、四十艘戰艦，七拼八湊加上各種武裝商船才達到一百多艘，從實力上看簡直不堪一擊，結果卻大大出乎意料。

提到海戰時，歐洲人利用火炮技術，特別是側舷炮的威力，橫行世界。但攻打鄂圖曼帝國海軍時，西班牙發明了一種戰術，先利用船頭的撞角靠近敵船，然後派士兵衝上敵船的甲板短兵相接，利用人數優勢取得壓倒性勝利。實際還是利用步兵作戰，是冷兵器時代的戰法，但勒班陀戰役的勝利讓西班牙人忘了這是一種倒退，以為這種戰法無往不利。

而英國人呢？沒有西班牙暴發戶那種又高又大的帆船，船體偏小，但速度快。於是利用這一特點，用側舷炮猛轟西班牙大帆船，西班牙人想靠近卻追不上，結果一敗塗地。

海戰持續兩週，西班牙的「無敵艦隊」卻摸不著敵人，最終敗退，又遭遇暴風雨襲擊，幾乎全軍覆沒，僅剩五十三艘戰船繞道北海逃回國。

「無敵艦隊」的覆滅對西班牙是個沉重打擊，從此一蹶不振。經此一戰，英國開始樹立在海上的霸權。從此以後，大航海的主角由葡萄牙和西班牙換成英國和荷蘭。

第六章

荷蘭的航海貿易——海上馬車夫

荷蘭的興起與西班牙的衰落有著必然的關係，也與其獨特的組織結構有關。與歐洲其他國家以貴族立國不同，荷蘭一開始就是以商業立國。也就是說，歐洲由封建制逐步過度到資本主義制度時，荷蘭已經是資本主義制度。荷蘭沒有傳統的封建貴族，只有商人，你可以把荷蘭看成一個國家，也可以看成一間公司。在歐洲甚至全世界，沒有哪一個國家把商人放到如此重要的地位。

由於地理條件限制，荷蘭的農產品無法自給自足，導致他們把商業看得比命還重要。從獨立那一刻起，荷蘭人就積極參與大航海事業。而一開始，瞄準的就是東北航道。

早在一五六五年，尼德蘭的航海家就開啟與俄羅斯的海上聯繫。一五七七年，尼德蘭與俄羅斯已經建立穩定的貿易關係，這也是荷蘭人對東北航線感興趣的原因之一。

獨立後，荷蘭人正式探索東北航道。

一五八四年，荷蘭國內的局勢不太穩定，荷蘭航海家奧利維耶．布魯內爾（Olivier Brunel）受恩克赫伊曾城市政府的委託，前往探索東北航道。布魯內爾一直航行到瓦伊加奇島，但一進入卡拉海就被浮冰所阻而返回。第二年，布魯內爾在伯朝拉河口沉船遇難。

十年後（一五九四年），荷蘭政府出面，由威廉．巴倫支（Willem Barentsz）率隊出發，目的是開闢「中華王國和泰王國的海上通道」。由這句話可見，歐洲人雖然完成了兩次環球航行，但對東方，特別是中國的了解還是很模糊。

船隊共有三艘帆船，巴倫支任探險隊隊長兼旗艦船長，科．納伊和捷特卡列斯分別擔任另兩艘船的船長。船隊到達卡拉河口後即兵分兩路，科・納伊和捷特卡列斯向東，而巴倫支前往東北。

先說科・納伊和捷特卡列斯，他們一路向東，到達瓦伊加奇島時聽從俄羅斯航海者的忠告，從瓦伊加奇島以南穿過，進入卡拉海。這裡已處於北極圈內，到處都是浮冰，緯度每增加一點，風險就大一點。兩船到達亞馬爾半島西海岸北緯七十一度處。八月中旬，寒冬將至，他們原路返回。

與此同時，巴倫支從卡拉河口往東北方向前進，試圖從新地島北端繞過，找到一片不凍的海域。新地島綿延一千公里，但不是一個完整的島嶼，中間有一條不到三公里寬的馬托奇金海峽，因此被分為南島和北島。七月四日，他們看見新地島北島的乾角（北島最西邊的海角）。然後巴倫支繼續前行，陸續發現一些小島和俄羅斯船隻的殘骸。七月十三日，船隊遇到大量浮冰，緊接著又遇到冰層，幾乎寸步難行。七月二十九日，巴倫支一行人在北緯七十七度附近發現新地島最北端的海角，將其命名為冰角（今卡爾謝納角）。八月一日，在這一帶發現一些小島礁，但嚴寒逼人，船員們拒絕前行，巴倫支只好下令向瓦伊加奇島駛去，與另兩艘船會合。最終在伯朝拉海的馬特耶維耶夫島，三艘帆船勝利會師。九月，探險隊回到荷蘭。

一五九五年，荷蘭共和國再次組織探險隊尋找通向中國的東北航道。這次探險隊擴大到七艘帆船，科・納伊出任探險隊隊長，捷特卡列斯出任副隊長，巴倫支出任主舵手和其中一艘船的船長。

八月，船隊繞過挪國王國最北部的諾爾辰角後，兵分兩路。一路朝東南方向駛入白海，另一路繼續向東。向東的一路在北緯七十・五度附近，還沒到新地島就遇到許多巨大浮冰，只得轉向南，試圖從瓦

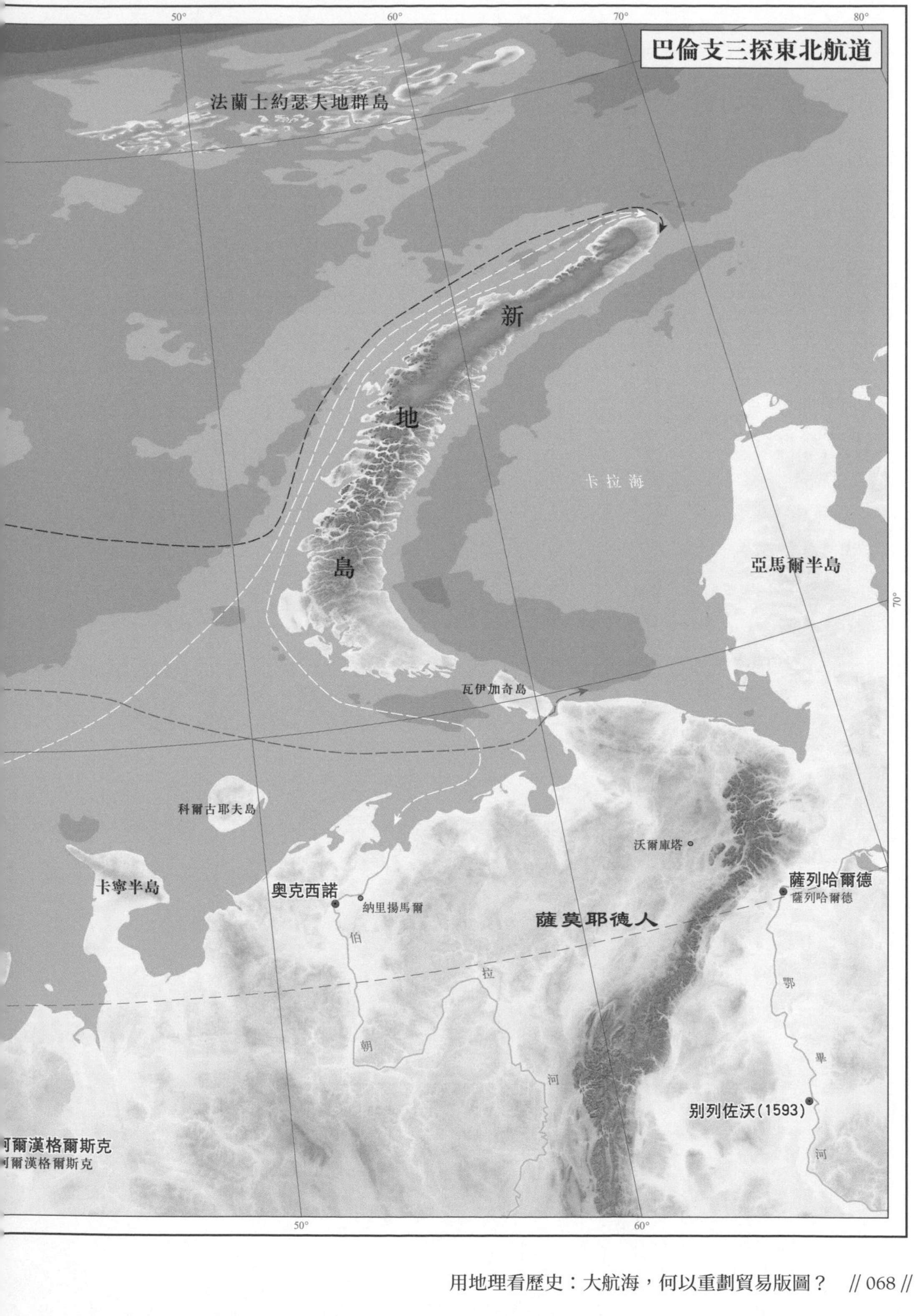
巴倫支三探東北航道
50°
60°
70°
80°
法蘭士約瑟夫地群島
新
地
島
卡拉海
亞馬爾半島
70°
瓦伊加奇島
科爾古耶夫島
卡寧半島
奧克西諾
納里揚馬爾
沃爾庫塔
薩列哈爾德
薩列哈爾德
薩莫耶德人
伯
拉
朝
河
鄂
畢
河
別列佐沃(1593)
阿爾漢格爾斯克
阿爾漢格爾斯克
50°
60°

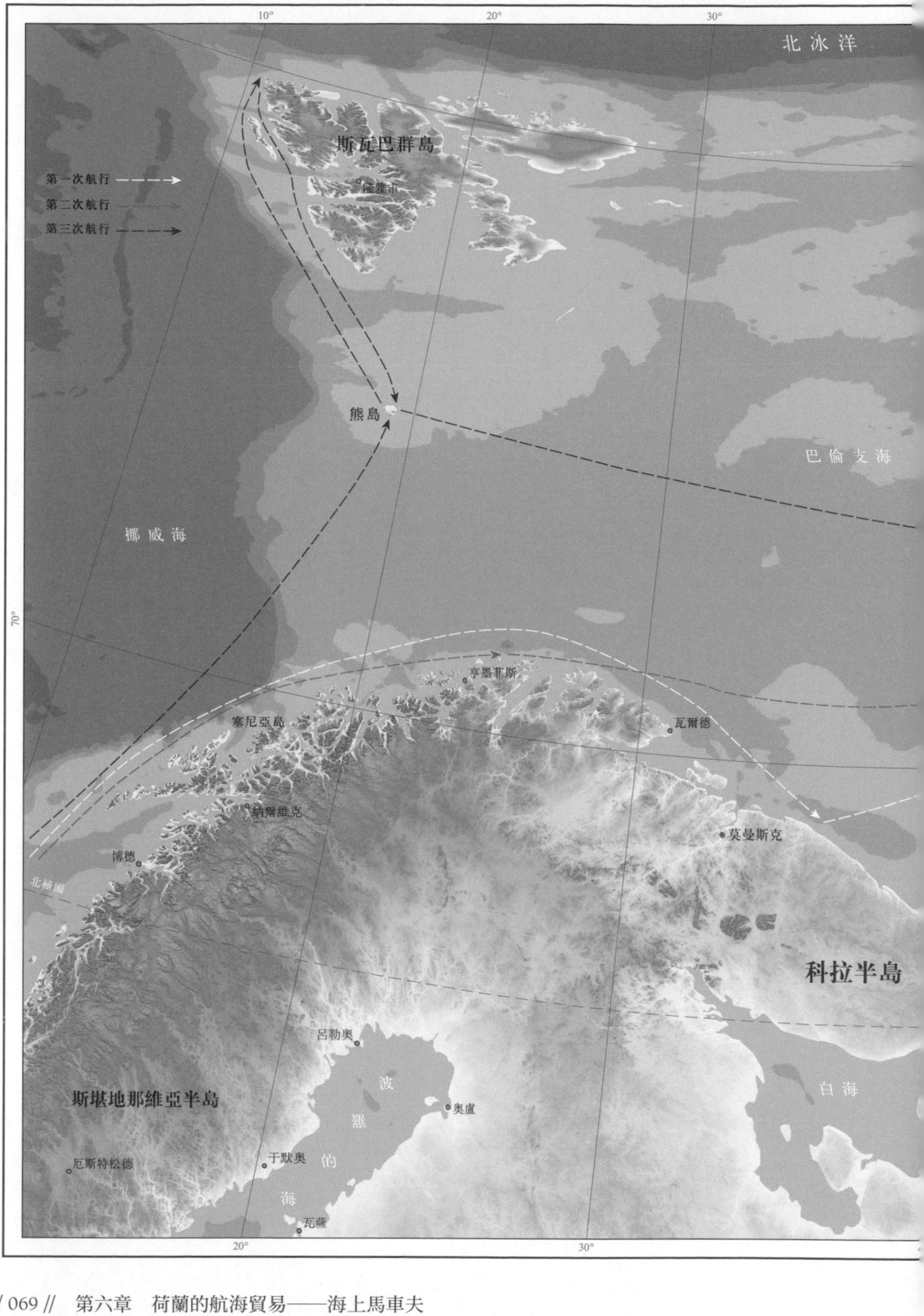
北冰洋
斯瓦巴群島
隆雅市
第一次航行
第二次航行
第三次航行
熊島
巴倫支海
挪威海
亨墨菲斯
塞尼亞島
瓦爾德
納爾維克
莫曼斯克
博德
北極圈
科拉半島
呂勒奧
波
羅
的
海
奧盧
斯堪地那維亞半島
白海
于默奧
厄斯特松德
瓦薩
10°
20°
30°
70°

伊加奇島南邊的尤戈爾斯基海峽駛入卡拉海，然而尤戈爾斯基海峽也結冰了。九月初，這支船隊才穿過尤戈爾斯基海峽進入卡拉海，但很快被浮冰阻隔，難以前行。船隊在一個小島上停靠登陸，有兩名船員遭熊襲擊身亡，熊襲事件是大航海時代以來首起被野獸傷害的例子。船隊在小島上召開軍官會議，除了巴倫支反對外，所有人一致決定返航。十二月探險隊回到荷蘭，一無所獲。

因為這次失敗，荷蘭政府決定不再親自組織探險隊，把精力放到南方去搶占既有的航路。就像英國人把西班牙人當作目標一樣，荷蘭人主要把葡萄牙人當作競爭對象。對於東北航道的探索，政府主要以高額獎金的方式，鼓勵單位或個人繼續參與。

一五九六年，荷蘭探險家再次出海探索東北航道，這次是由阿姆斯特丹市議會出資，裝備了兩艘帆船。兩艘船的船長分別是雅各布．凡．黑姆斯克爾克（Jacob van Heemskerk）和揚．里日普（Jan Rijp），巴倫支志願在黑姆斯克爾克的船上擔任領航員。航行過程中，巴倫支很快與兩名船長發生爭執。做為經驗老道的探險家，巴倫支主張走東北方向先到新地島，而里日普執意往北走。里日普認為北極的海域不會封凍，如果從北極直接到中國，路程會短很多，黑姆斯克爾克表示贊同。

少數服從多數，何況巴倫支只是個志願者，船隊按照里日普的計畫北上。六月九日，在北緯七四．五度的地方發現一個海島，船員們在島上見到一隻死去的白熊，於是將該島命名為熊島（今屬挪威）。船隊在熊島停留四天後繼續向北偏西方向航行。六月十九日，在北緯八十度再次發現陸地，他們以為是格陵蘭島的一部分，里日普將之命名為斯匹茲卑爾根（今斯匹茲卑爾根島）。斯匹茲卑爾根島實際是冷岸群島（斯瓦巴）中最大的島嶼。船隊在該島西北海岸考察數日，最後被冰層擋住，不得不折返南方。

七月一日，船隊再次來到熊島。這時，巴倫支與里日普又發生爭執。里日普主張從斯匹茲卑爾根出發，找到它的東海岸，再尋找通往北極的無冰航道，進入不封凍的暖水海域，然後直奔東亞。而巴倫支則認為去中國的東北航道只能往東尋找。這一次，黑姆斯克爾克感受到北極的酷寒對行船的影響，贊成巴倫支的意見，於是兩船分開，各行其道。

我們先來看看里日普的方案可不可行，這要用到之前說過的方位投影地圖，從北極的視角來看就一目瞭然。里日普的方案是從熊島一直往北，直穿北極，然後到達亞洲。從地圖上看，熊島位於東經二十度，而白令海峽在西經一七〇度，幾乎呈一條直線，方向是沒錯，問題是北極的冰層根本不可能穿過，以當時的條件，人在極低氣溫下難以存活。而巴倫支的意見是沿著歐亞大陸的邊緣走，這樣能最大限度降低緯度，避免冰凍和極寒帶來的危害。但他還是低估了北極圈內的嚴寒，他們剛繞過挪威海時，這裡受北大西洋暖流的影響，氣溫相對溫和，莫爾曼斯克後來成為俄羅斯的不凍港，一是受北大西洋暖流的影響，二是受冷岸群島、法蘭士約瑟夫地群島和新地島的護衛，阻擋住來自北冰洋的浮冰，一旦過了新地島，進入卡拉海，氣溫立即大幅降低，這也是巴倫支沒有想到的。

事實上也是，里日普與巴倫支和黑姆斯克爾克分手後，繼續向北探索，但仍然只前進到斯匹茲卑爾根的北海岸，就被冰層擋住，於是返航回國。

而巴倫支和黑姆斯克爾克則徑直向東，七月十七日，在北緯七十三．五度靠近新地島，然後折向北方，途中遇到很多浮冰。八月十九日，船隊到達新地島北島最北部偏東南的希望角。繞過新地島後，又向東南方向航行了一小段路程，為浮冰和冰層所阻。八月二十一日，巴倫支和黑姆斯克爾克不得不停泊在新地島北部偏東南的一個港灣，巴倫支將此命名為冰港。當晚，港灣冰封，船被凍在冰層裡，他們只能在此過冬，就地

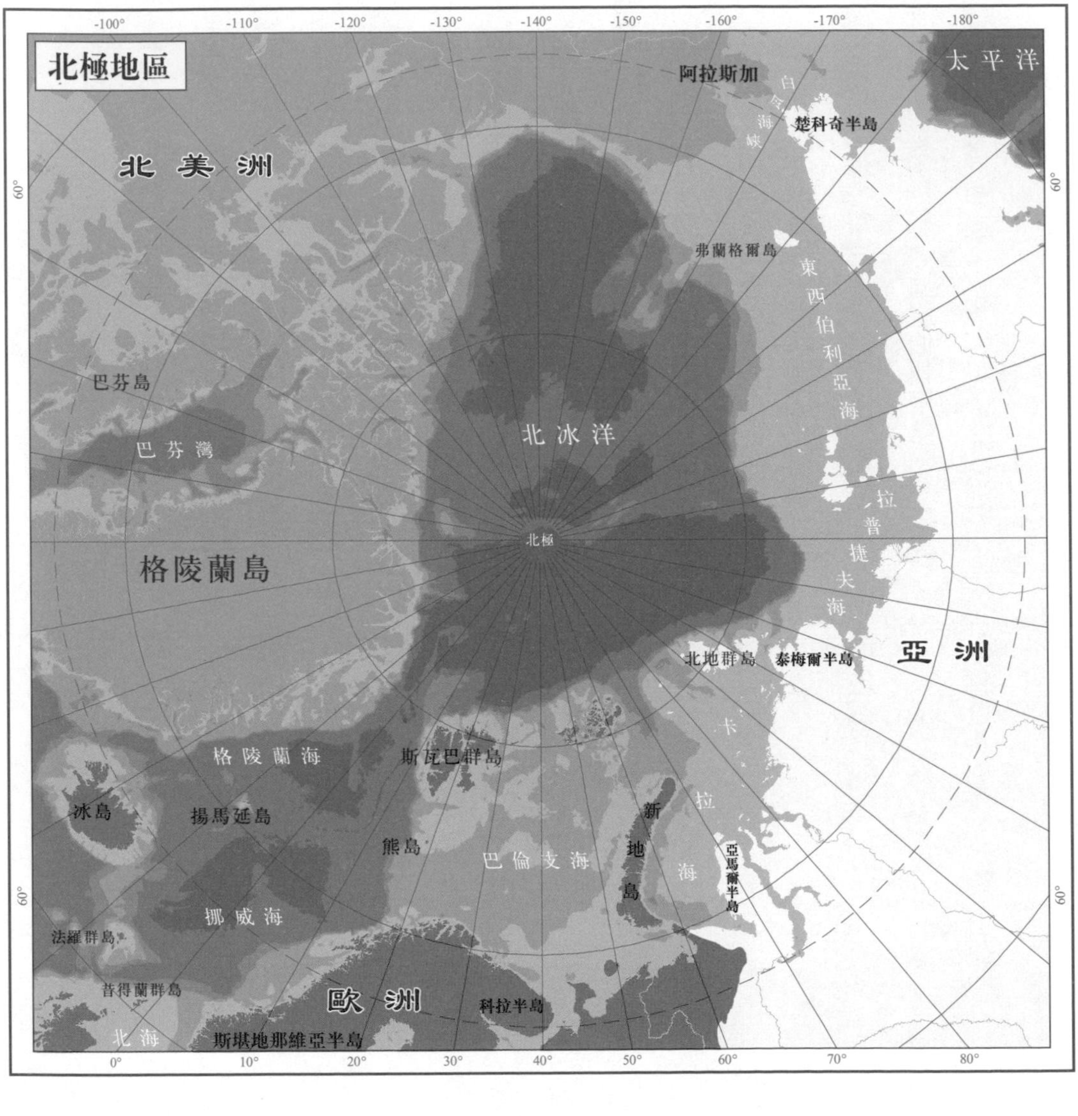

取材修建營地。

十一月，北極的極夜來臨，三個月不見太陽，氣溫降到零下六十度，探險隊靠獵捕野生動物和融化冰雪勉強為生，壞血病逐步襲來，大多數人都得了壞血病，情況十分緊急。

巴倫支和黑姆斯克爾克及其隊友共十七人在新地島度過整個冬天，有兩個人因壞血病而死。到了五月，冰層開始鬆動，但船被凍裂而無法修復。於是船員們把大船拆了，用這些木料做了兩艘小船。六月中旬，開始返航，一路波濤洶湧，浮冰不斷，前行緩慢。經過六天的艱苦航行，繞過了「冰角」。一五九七年六月二十日，巴倫支和另一名船員因壞血病相繼死去。按照慣例，巴倫支的遺體被葬入大海。直到十九世紀，人們為了紀念這位偉大的探險家，把這片海域命名為巴倫支海，還有他參與發現的斯匹茲卑爾根群島東部的一個小島也被命名為巴倫支島。我們看世界地圖會發現很多以人名命名的地名，凡是能把自己的名字留在地圖上的，都是了不起的人。

巴倫支去世後，兩艘小船沿新地島西海岸繼續南下。七月二十八日，船隊抵達新地島南島的西海岸，遇到兩艘俄羅斯船，得到補給和幫助，隨後一起駛向瓦伊加奇島。但中途又遇到風暴和迷霧，不得不在一個小島上停留四天。他們在島上發現一種匙形雜草可以治療壞血病，剩下的船員算是得救了。可惜晚了一步，否則巴倫支也能活下來。

隨後，天氣漸漸好轉，荷蘭人繼續南下，到達伯朝拉海南岸後，接著西返，途中不斷遇到俄羅斯船隻，得到補給和幫助。八月二十五日，船隊到達卡拉灣入口處附近的基利金島，在這裡意外碰到里日普。原來里日普返航後，又被派到阿爾漢格爾斯克進行貿易，正準備返航。里日普有三艘荷蘭船，於是探險隊的人員放棄臨時建造的小船，改乘里日普的大船。九月十六日，眾人回到阿姆斯特丹。

巴倫支死後，荷蘭一時難以再組織人員探索東北航道。五年後，荷蘭共和國東印度公司成立，這是一家由六個貿易公司聯合組成的龐大商業機構，資本是兩年前英國東印度公司的十幾倍。從名字可以看出，東印度公司的目標在東印度，就是東南航道，不是東北航道。

不同於傳統的封建王國，荷蘭的特點是商業比工業發達，國際貿易比國內貿易發達，當時的阿姆斯特丹已經是歐洲最大的國際商港。荷蘭人製造的船也很特殊，不同於葡萄牙人喜歡用克拉克帆船，也不同於西班牙人喜歡用蓋倫帆船，荷蘭人的船又輕又快，甚至為了多裝貨物，船上經常不裝火炮，騰出空間來建貨艙，因此貿易效率大大提高。到十七世紀，荷蘭的造船業居於世界首位，其商船噸數占歐洲總噸數的一半，荷蘭人的商船遍布世界各地，有「海上馬車夫」之稱。

第七章

探索從西北航道通往亞洲——亨利・哈德遜

十六世紀末、十七世紀初，大海上正是新舊兩股勢力交替的時刻。一邊是葡萄牙和西班牙的沒落，一邊是英國和荷蘭的崛起。法國人也結束了內戰，重新返回大海。

三股新興勢力之中，法國人繼續向加拿大一帶移民，荷蘭人把目光放在遠東，而英國人除了向北美移民外，主要的精力仍是執著於探索西北航道。

一六〇七年，英格蘭的莫斯科公司委派航海家亨利．哈德遜（Henry Hudson）出海尋找西北航道，只有一艘船，名為好望角號，排水量八十噸，船員十二人。

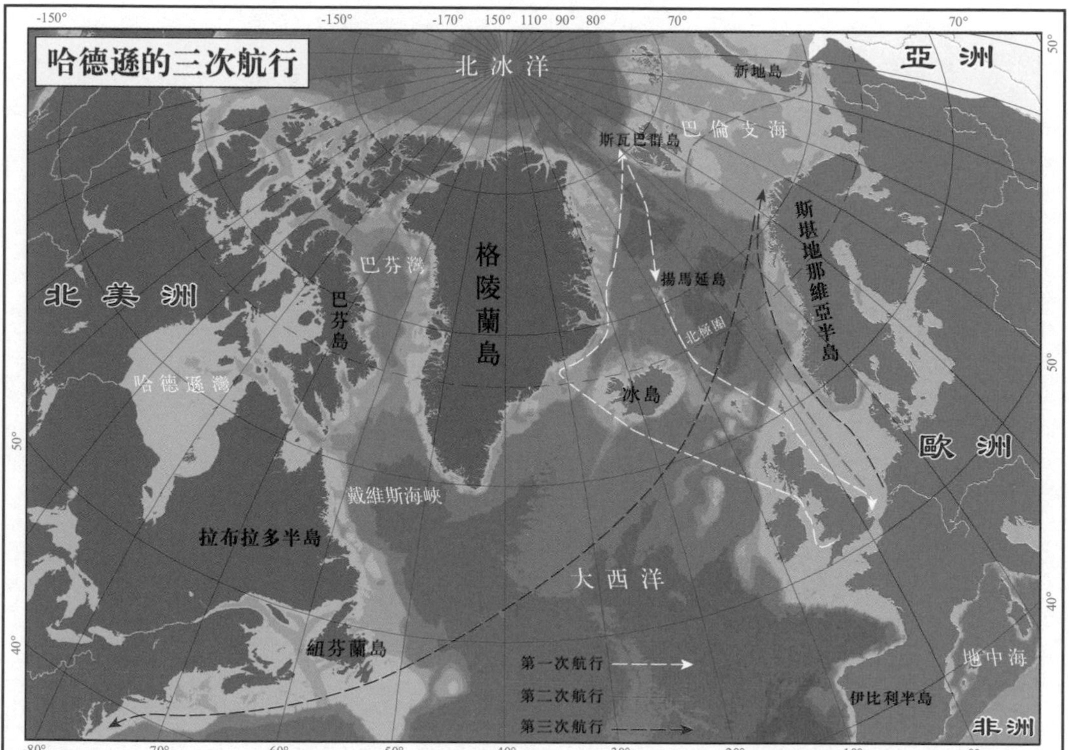

哈德遜從布里斯托啟航後，直接向北，試圖在格陵蘭島和斯匹茲卑爾根島之間找到一條通道。六月，好望角號到達北極圈內格陵蘭島東南海岸，然後沿海岸北上。到達北緯七十三度後，由於浮冰阻隔，便轉向東北，打算繞過斯匹茲卑爾根島。七月中旬，好望角號到達北緯八十．三八度，這是有史以來航海家到達的最北點。這裡海水封凍，冰層阻隔，哈德遜只好下令返航，途中在北緯七十一度附近發現揚馬延島。九月中旬，哈德遜回到倫敦。

第二年，莫斯科公司再派哈德遜率原班人員出海，這次的目標是東北航道。英國人感覺到荷蘭人從盟友已經變成強有力的競爭者了，想搶在荷蘭人之前打通東北航道，當然不是為了分享，而是獨占利益。

這一次哈德遜從倫敦出發，駛出泰晤士河後，先朝斯匹茲卑爾根島東海岸駛去，但途中被浮冰和逆風阻擋，便折向東。六月中旬，到達新地島西南岸，但還沒有穿過卡拉海峽（瓦伊加奇島與新地島之間的海峽）就被冰層擋住了。只好返航，八月下旬回到倫敦。

英國派人探索東北航道本來讓荷蘭人緊張萬分，沒想到的是，兩次探險失敗後，英國人棄用哈德遜，於是荷蘭人把他請過來，讓他替荷蘭打通東北航道。

一六〇九年，受荷蘭共和國東印度公司委託，哈德遜駕船出海。先駛出愛塞湖，繞過諾爾辰角後，在北緯七十二度附近駛入巴倫支海。很快，由於浮冰所阻，只得退向西南，途中又遭到一場大風暴襲擊。於是，哈德遜臨時改變計畫，決定去西邊尋找西北航道。說服船員後，哈德遜橫渡大西洋，來到北緯四十四度的北美海岸。在這裡先南下到三十六度附近，然後再北上，一路考察。九月二日，在北緯四十．五度處發現一條河。這條河其實早在八十多年前（一五二四年）就被法國人喬瓦尼．達．韋拉扎諾（Giovanni da Verrazzano）發現了，只是韋拉扎諾沒有深入考察，而哈德遜則花了三週溯河而上二百四十公里，仔細考察這條河，後人就把這條河命名為哈德遜河。

哈德遜以為這條河能通往太平洋，但最終結果讓他失望，只好返航。

荷蘭人雇用哈德遜的行為著實讓英國人嚇了一跳，特別是這一次，哈德遜把荷蘭人的勢力帶到北美，對英國人來說絕對不是好事，於是他們又重新起用哈德遜。哈德遜本來就是英國人，做為航海家，只要有人贊助，讓他去海上探險，為誰效力都不是問題。

一六一〇年四月十七日，英格蘭王國兩家最大的公司——東印度公司和莫斯科公司，聯合聘請哈德遜出馬去探索西北航道。公司提供一艘五十五噸的發現號帆船給哈德遜，船員二十三人。

發現號駛出倫敦後，哈德遜根據英格蘭探險家維茅斯的建議，打算到北緯六十二度一帶尋找海峽和通道。英國人根據多次探險的成果分析，那裡應該存在一條海峽，說不定能通往太平洋。

他們先到達冰島，接著到達格陵蘭島南端，然後繼續向西，轉南，到達拉布拉多半島昂加瓦灣以東的小半島。七月五日，終於在北緯六十二度處駛入一條真正的海峽（即哈德遜海峽，因此次探索而得名）。七月十一日，風暴來臨，於是調轉船頭向南行駛，再次發現昂加瓦灣。

從昂加瓦灣出來後，他們繼續向西，完成對拉布拉多半島整個北海岸的探索。

八月二日，哈德遜在北緯六十三・三八度處發現一個海角（其實是索爾斯貝里島）。八月三日，繞過「海角」向南，駛入一片遼闊而平靜的海水。這裡水面平靜，太像太平洋了，而且沒有浮冰，可以自由航行。

為了避開浮冰，哈德遜折向南方航行。

他們往南前進了一千二百多公里，九月底到達哈德遜灣最南部的詹姆斯灣，沿著海岸繼續探索，如果能找到一條更低緯度的航線，將來跨越太平洋就容易多了。但船員們開始不滿，因為冬季已經來臨。

十一月初，海水開始結冰，在詹姆斯灣南岸，沒想到已經是這片海水的最南端了，愈往北愈冷，在五十三度附近，船被冰層包圍，為了避免船體被凍裂，船員們只能把發現號拖上岸，就地過冬。

這裡荒蕪人煙，他們以捕獵鳥類為生，因為哈德遜的執著，最終造成他們被困在這裡，因此船員們對哈德遜一肚子怨氣。

一六一一年，探險隊熬過艱苦的冬天。六月中旬，冰層開始融化，可以行船了，於是合力把發現號拖進水裡，開始往西北航行。哈德遜沒有打算立即返航，還想獲取更多資訊，以便為下次遠涉重洋做準備，他相信英國人朝思暮想的西北航道就要在他手裡打通了。

但不是每個船員都這麼想，六月二十二日，叛亂終於發生了。為首的是亨利・格林（Henry Greene）和羅伯特・朱埃（Robert Juet）兩名船員，他們抓住哈德遜和他的兒子，將父子兩人和另外八名忠於哈德遜的船員趕到一條小船上，既不給武器，也沒留下食物，然後開著大船回去了。

所謂惡有惡報，不久之後，格林和朱埃一夥與愛斯基摩人發生衝突後被殺，羅伯特・拜洛特（Robert Bylot）帶著剩下的九人返回英國。而哈德遜父子和另外八名船員，則從此杳無音信。

歐洲人探尋西北和東北航道的過程中，因冰凍和極寒，經常發生主將折損的事，但哈德遜既不是死於冰凍，也不是死於極寒，而是死於自己人的背叛，尤其讓後人唏噓不已。或許正是這個原因，後人把哈德遜海峽、哈德遜灣、哈德遜河的名字都給了他。能在地圖上留下這麼多名字，除了哥倫布外，恐怕只有哈德遜了，也算是對他冤死的一種慰藉吧！

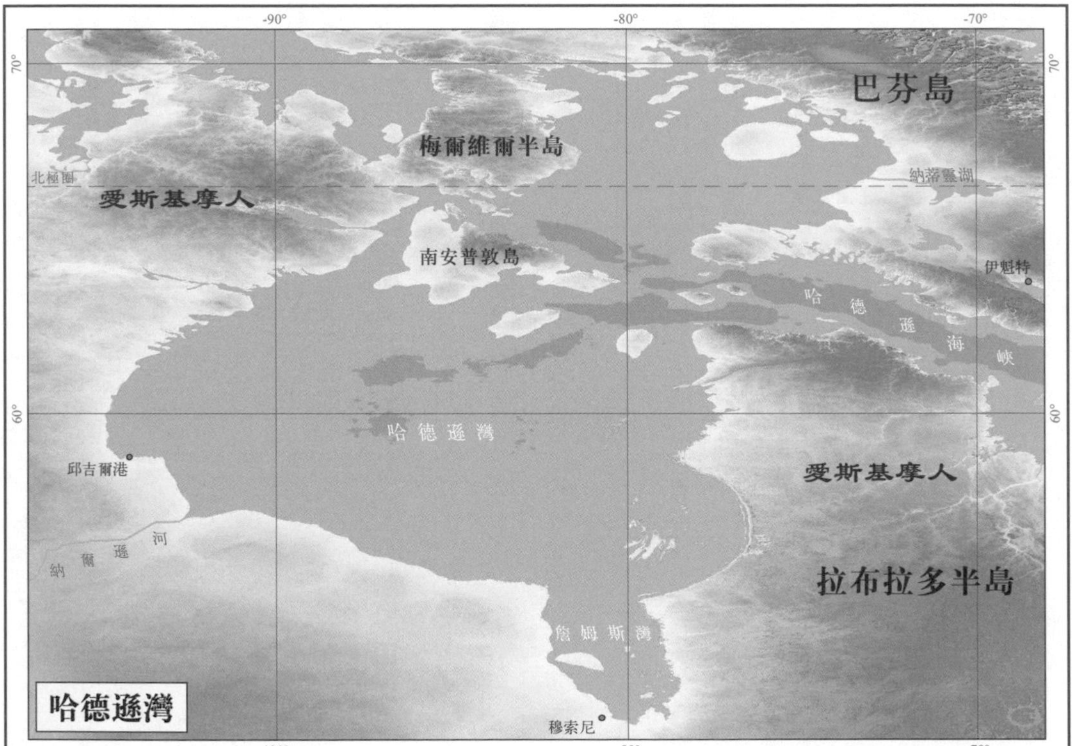

哈德遜灣

但英國人不相信哈德遜就這麼死了，發現號返回的當年，英國成立「倫敦商人探尋西北航道公司」，第二年就派了兩艘船出海探險，一方面繼續探索西北航道，一方面尋找哈德遜等人，其中一艘是哈德遜用過的發現號。

夏天，探險隊穿過哈德遜海峽，先後發現雷索盧申島和南安普敦島，然後南下進入哈德遜灣，向西南方前進，他們認為沿著這個方向可以到達中國。可惜的是，在北緯六十．六六度處，他們發現南北走向的海岸，意味著這裡無法通往太平洋，只好南下，看看還有沒有其他出口。在北緯五十七度附近，探險隊長湯瑪斯．巴頓（Thomas Button）發現注入哈德遜灣的納爾遜河。這條河通向哪裡？會不會連著太平洋？探險隊還沒來得及考察，秋天已經到了，海水結冰，返程的路已被冰層堵死，巴頓只好下令在這裡過冬。

一個冬天下來，許多船員因壞血病而死。因為人手不夠，巴頓不得不拋棄一艘船。

來年六月，港灣解凍，探險隊啟程返航。他們沿哈德遜灣西岸北上，在不遠處發現邱吉爾河口。隨後，探險隊在北緯六十三度發現哈德遜灣的另一個出入口，即南安普敦島和大陸之間的海峽。但巴頓只前進到北緯六十五度後，就下令走原路返航。九月下旬，探險隊回到英格蘭，沒有找到哈德遜等人。

一六一五年，西北航道公司再派羅伯特．拜洛特（曾參加哈德遜第四次遠航）率領發現號出海，探索西北航道。探險隊裡有位名叫威廉．巴芬（William Baffin）的船員，擔任此次任務的領航員兼主舵手，此人將在航海探險事業上有一番作為。

五月三十日，發現號在雷索盧申島停靠，然後繼續向西北航行，陸續發現一些小島。七月十日，他們看到南安普敦島，沿該島的西北岸航行，到達梅爾維爾半島南岸。發現號在這裡遇到浮冰，於是調頭返航，九月上旬回到英格蘭。

一六一五年五月，西北航道公司再次派遣拜洛特和巴芬率領發現號和七十人去尋找西北航道。這一次，他們調整了航線，不走哈德遜海峽，而是沿戴維斯海峽東岸，就是格陵蘭島的西岸北上。七月八日，他們到達北緯七十八·七五度處（即史密斯海峽南部）。因浮冰阻隔，發現號只得轉西，再轉南。沿巴芬灣西岸南下，先後發現埃爾斯米爾島東南岸、瓊斯海峽入口、德文島東岸、蘭開斯特海峽入口、巴芬島東岸。但他們沒能登上巴芬島，因為從蘭開斯特海峽起，陸地邊緣全是冰，船隻無法靠岸。就這樣，發現號完成環繞巴芬灣的航行，於八月底返回英格蘭。為什麼會用巴芬的名字命名這個大海灣和大島呢？這次考察中，巴芬繪製出一份詳細和準確的地圖，並用這次探險贊助人的名字命名北部的三個海峽，即史密斯海峽、瓊斯海峽和蘭開斯特海峽。這次考察的主要成果在巴芬，船長名不見經傳，人們便以他的名字命名巴芬灣和巴芬島。

但巴芬也認為大衛斯海峽北部水域（即巴芬灣）既沒有通道，也沒有找到通道的任何希望。人們對他的話深信不疑，不久，「倫敦商人探尋西北航道公司」宣布倒閉，探索西北航道的事業因此停滯五年。

一六三一年，英格蘭國王查理一世（Charles I）親自出面，派遣盧克·福克斯（Luke Foxe）打通西北航道，也只有一艘七十噸的金戈．奇爾斯號。出發前，福克斯與東印度公司簽訂了提供胡椒的合約，查理一世給他幾封致日本天皇的國書。離開倫敦後，福克斯一行人於七月底到達哈德遜灣，發現南安普敦是一個很大的島嶼，他發現哈德遜灣西岸邊的小島馬布林島，以及納爾遜河以東、詹姆斯灣以西的哈德遜南海岸。福克斯最終得出結論，哈德遜灣西岸沒有西北航道。然後，駛出哈德遜灣，橫渡了一條海峽（後被命名為福克斯海峽），發現巴芬島往西伸出的半島（後被命名為福克斯半島），然後進入一個大海灣（後被命名為福克斯灣）。九月二十二日，福克斯一行人到達北緯六十六．五八度，就是北極圈附近。他下令返航，十月底回到英格蘭。

與此同時，英國航海家湯瑪斯．詹姆斯（Thomas James）受布里斯托商人的聘請，駕船出海探索西北航道。詹姆斯從布里斯托出發後，七月中旬到哈德遜灣，先向西南前進，到達邱吉爾河口，然後沿海岸南下。然後向東，發現哈德遜灣南海岸，比福克斯早一點。他在這裡（西經八十三度處）碰到福克斯。分開後，詹姆斯繼續向東，不久發現海岸急轉南下。沿著海岸下行，發現全部的西海岸和最南端，以及灣內的一些島嶼。詹姆斯考察並確認這裡是個小海灣，後來這個海灣便以他的名字命名——詹姆斯灣。

和當年哈德遜一樣，詹姆斯錯過返航的季節，只得在查爾頓島（詹姆斯灣內的小島）過冬，部分船員因壞血病而死。過冬期間，他們不忘登陸考察，發現一片廢墟，透過各種跡象判斷，極有可能是二十年前哈德遜他們建造的臨時住所，只是物事人非，他們早已不知所蹤。十月，詹姆斯回到布里斯托。

詹姆斯之後，歐洲人尋找西北航道的探險活動基本上就停止了。以當時的技術條件，這是一項不可能完成的任務，但還是有無數冒險家以生命為代價前仆後繼，在人類前進的道路上一步步探索。直到一九〇三年，挪威王國的極地探險家羅爾德·阿蒙森（Roald Amundsen）才完成這一使命。阿蒙森用了三年時間，乘一艘四十七噸的約阿號帆船，僅六人的團隊，最終完成從大西洋到太平洋的航行，而此時距離卡博托首次探尋西北航道已經過了四百多年。

阿蒙森的航線是怎樣的呢？

要了解阿蒙森的航線，就得先了解這裡的地形。北美洲大陸的北部有

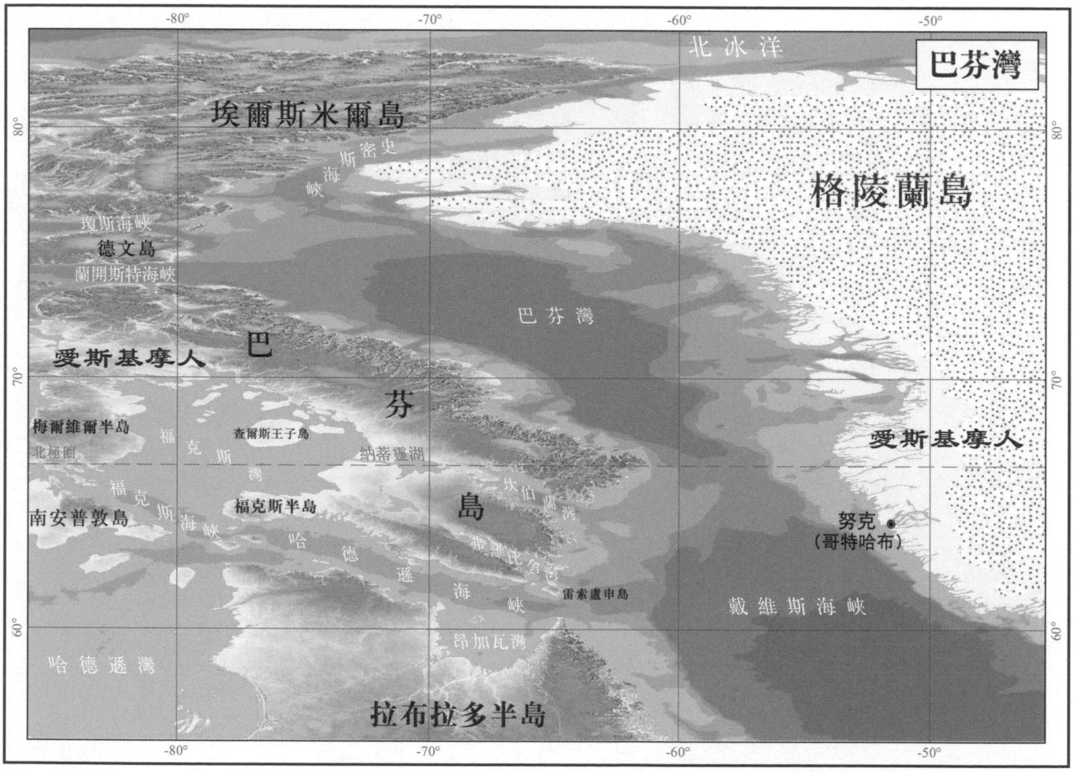

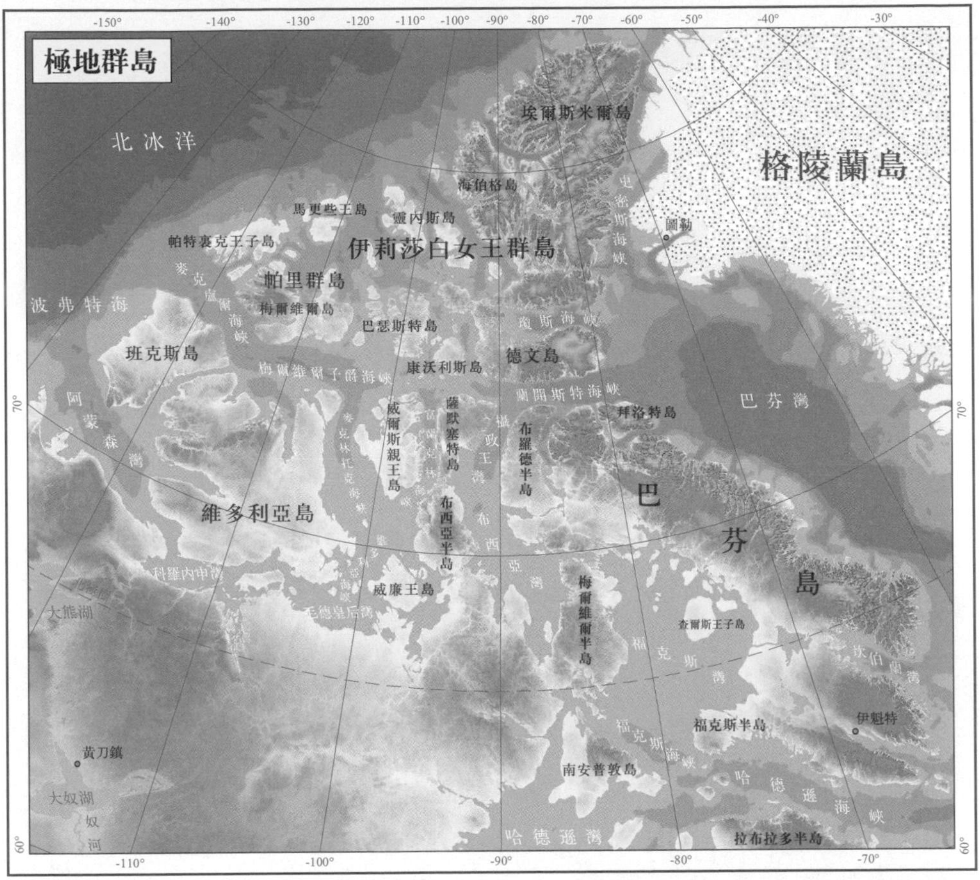
極地群島
北冰洋
埃爾斯米爾島
格陵蘭島
海伯格島
史密斯海峽
圖勒
馬更些王島
靈內斯島
帕特裏克王子島
伊莉莎白女王群島
麥克盧爾海峽
帕里群島
梅爾維爾島
波弗特海
巴瑟斯特島
瓊斯海峽
班克斯島
德文島
梅爾維爾子爵海峽
康沃利斯島
蘭開斯特海峽
巴芬灣
拜洛特島
阿蒙森灣
威爾斯親王島
薩默塞特島
攝政王灣
布羅德半島
麥克林托克海峽
巴芬島
維多利亞島
布西亞半島
布西亞灣
科羅內申灣
威廉王島
毛德皇后灣
大熊湖
梅爾維爾半島
查爾斯王子島
福克斯灣
坎伯蘭灣
伊魁特
福克斯半島
福克斯海峽
黄刀鎮
南安普敦島
哈德遜海峽
大奴湖
奴河
哈德遜灣
拉布拉多半島

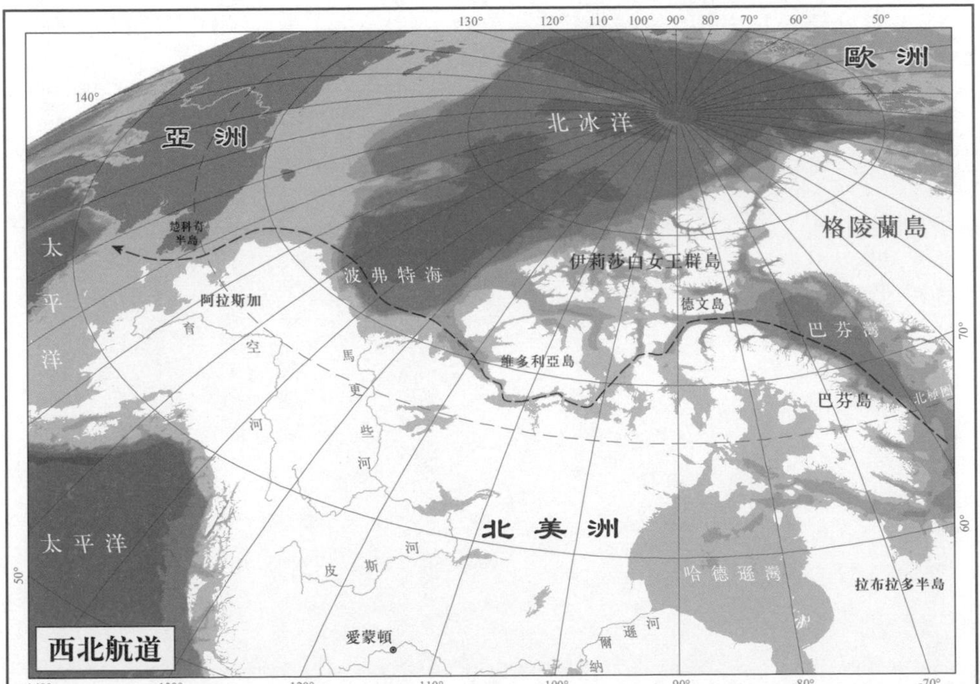
歐洲
亞洲
北冰洋
格陵蘭島
楚科奇半島
太平洋
波弗特海
伊莉莎白女王群島
阿拉斯加
德文島
巴芬灣
育空河
馬更些河
維多利亞島
巴芬島
北極圈
北美洲
太平洋
皮斯河
哈德遜灣
拉布拉多半島
愛蒙頓
納爾遜河
西北航道

一片由無數大大小小的島嶼組成的島嶼群，統稱為極地群島。極地群島屬於大陸群島，就是說這些島嶼原本與北美大陸是連在一起的，第四紀冰河時期過後，由於海平面上升，才與大陸分離。極地群島所含的島嶼太多，但大致可以分為三部分。

最北的一部分，從埃爾斯米爾島到派屈克王子島，再到德文島，大致呈三角形的這片島嶼，有個統一的名稱，即伊莉莎白女王群島，埃爾斯米爾島和德文島都比較大，而西南一眾破碎的小島又有個統一的名稱，即帕里群島。

這裡的島嶼絕大部分處於北緯七十五度以上，極度嚴寒，長年封凍，夏季最溫暖時的平均溫度只有四度，而且極度荒涼，除了愛斯基摩人，只有北極熊和海豹出沒。

東南部分，以巴芬島為主，包括薩默塞特島、威爾斯親王島，以及由北美大陸伸過來的布西亞半島、梅爾維爾半島形成犬牙交錯之狀，其中面積巨大的巴芬島占主導地位。這裡靠近大西洋，整個極地群島中，算是氣溫最溫和的一部分。

西南部分，主要由維多利亞島和班克斯島兩大島嶼組成。它的緯度和巴芬島相當，但靠近北冰洋，氣溫處於前二者之間。

這些島嶼，除了巴芬島東南部外，都處於北極圈之內，存在永晝和永夜現象。如果要穿越這裡，只能在夏季的永晝進行，冬季一來，就是無盡的永夜，海水封凍，不僅不能行船，還要把船隻拖上岸，以防止船體凍裂，然後就近過冬，等到隔年夏季，海水解凍後才能繼續前行。

了解極地群島的地形，就比較好理解阿蒙森探索出來的西北航道線路了。阿蒙森的線路是從大西洋，先由戴維斯海峽進入巴芬灣，然後由巴芬島和德文島之間的蘭開斯特海峽向西；到達攝政王灣後南下，從薩默塞特島和布西亞半島之間的海峽轉入富蘭克林海峽；然後一直南下，經維多利亞海峽後向西，過毛德皇后灣；繼續向西，過柯洛內申灣，向西；進入阿蒙森灣，還是向西；由阿蒙森灣進入北冰洋，最終過白令海峽進入太平洋。這樣，就實現了由大西洋西北方向經海路到達亞洲的目的。

阿蒙森的線路不是一次成行的，他們在威廉王島上度過兩個冬天，又在馬更些王島上度過一個冬天，經反覆探索後得來的。

我們現在借助衛星探測技術，會發現阿蒙森的線路還有改進之處，例如最開始那一段，可以不走巴芬灣，而是由哈德遜海峽，經福克斯海峽和福克斯灣，再經巴芬島和梅爾維爾半島之間的海峽進入布西亞灣，最後從布西亞灣進入富蘭克林海峽，後半部分相同。從哈德遜海峽到布西亞灣這一段，比原有線路的緯度低一些，氣候溫和一些，風險也小一些。當然，本質上沒有什麼改變，由於氣候惡劣，這條路線直到今天也不能做為常備航道，更何況在十七世紀，即使英國人當時打通了西北航道，帶來的效益也極其有限。但探索西北航道的意義不僅在於線路本身，更在於在探索的過程中，北美大陸的神祕面紗漸漸褪去，在英國人眼裡愈來愈清晰明瞭。

第八章

加拿大奠基者——來自新法蘭西的「尚普蘭」

從十六世紀七〇年代開始，直到十七世紀三〇年代的六十餘年期間，英格蘭王國一面在寒帶地區積極探索西北航道，一面往北美洲適宜居住的地區移民，建立新英格蘭殖民地，又和法國人的擴張方向產生矛盾。

法國人被內戰耽擱太久，在海上已經沒有任何優勢。當他們終於從內戰中脫身時，想起曾經開拓的加拿大，就是他們眼裡的新法蘭西。

一六〇〇年，法蘭西王國的探險家弗朗索瓦．格拉維（François Gravé Du Pont）帶著一幫人到泰道沙克殖民。泰道沙克位於薩格奈河與聖羅倫斯河交匯處，是法國人發現加拿大這個地方的初始地。但嚴寒加上壞血病，這次殖民以失敗告終。

一六〇三年，格拉維再次來到泰道沙克。這一次，格拉維先和印第安人中的蒙塔格奈人結成同盟。有了盟友，既可以得到一些必要的補給品，還能在遇到敵人時有個幫手，更重要的是能更快地獲取當地的資訊。

然後，格拉維派部下山姆．德．尚普蘭（Samuel de Champlain）逆河而上探索。尚普蘭帶著一艘小船，沿著聖羅倫斯河，經過魁北克、蒙特婁，到達一片急流、險灘、瀑布密布的地區。前行困難，尚普蘭便向當地的阿爾岡昆人（印第安人的一支，也是法國人的盟友）打聽，得到的消息是，從這裡往西，有兩個大湖，還有大瀑布，再往西就是一大片鹹水區。鹹水就是海洋，尚普蘭覺得應該就是太平洋，於是回國後著書立說加拿大一帶適合移民，而且經過那裡的內河可以進入太平洋。

一六〇四年，胡格諾派（喀爾文教派在法國的稱謂）想在北美開闢一塊寬容、民主、自治的殖民地，尚普蘭領導了這一次殖民活動，他本身是天主教徒，但對新教持寬容態度。他們首先看中芬迪灣一帶，一番考察後，把聖十字架島選為據點。可是過了一個冬天後，一半的移民（約四十人）死於嚴寒和壞血病。直到第二年春天，法國的增援船隊帶來補給品，剩下的人才得救。

孤島上固然可以避免與土著的衝突，但不適合生存，於是尚普蘭把殖民點移到芬迪灣的皇家港（今安納波利斯）。皇家港位於一條狹長的谷地當中，可以種植農作物。尚普蘭宣導透過結合種植、捕魚和狩獵，實現自給自足。

這次移民新教徒的出資人是法國商人皮埃爾．杜瓜（Pierre Dugua Sieur de Monts），很快從法王那裡獲得北美毛皮貿易的壟斷權，做為條件，同時承擔建立永久性殖民地的義務。

於是杜瓜再派尚普蘭去聖羅倫斯河探險並建立殖民地。

一六〇八年，尚普蘭率領一支三十二人的隊伍來到聖羅倫斯河。七月，魁北克城建成。從這一刻開始，法國人真正在加拿大殖民。但僅僅一個冬天後，探險隊只剩下九人，最大的敵人不是印第安人和野獸，而是嚴寒和壞血病。直到第二年春天，還是從法國來的補給船挽救了他們。

有了魁北克做為據點，法國人就可以伸入北美腹地了。一六〇九年夏天，尚普蘭帶著幾名法國人和幾十名阿爾岡昆人開始溯聖羅倫斯河而上。此行還有一個目的，就是打擊易洛魁人。易洛魁人是北美最強大的部落，泛指操易洛魁語的印第安部落，他們於一五七〇年組成易洛魁聯盟，包括莫霍克、奧奈達、奧農達加、卡尤加、塞尼卡五個部落。休倫人也說易洛魁語，但不算在內，反而是易洛魁人的死敵。法國人主要從休倫人手中收購皮毛，和他們結成盟友，為了表示對盟友的支持，法國人把易洛魁人也當成敵人。當然，從另一方面來說，法國人想在北美立足，聯合眾多的小部落攻擊最大的部落也是一種戰略需要。

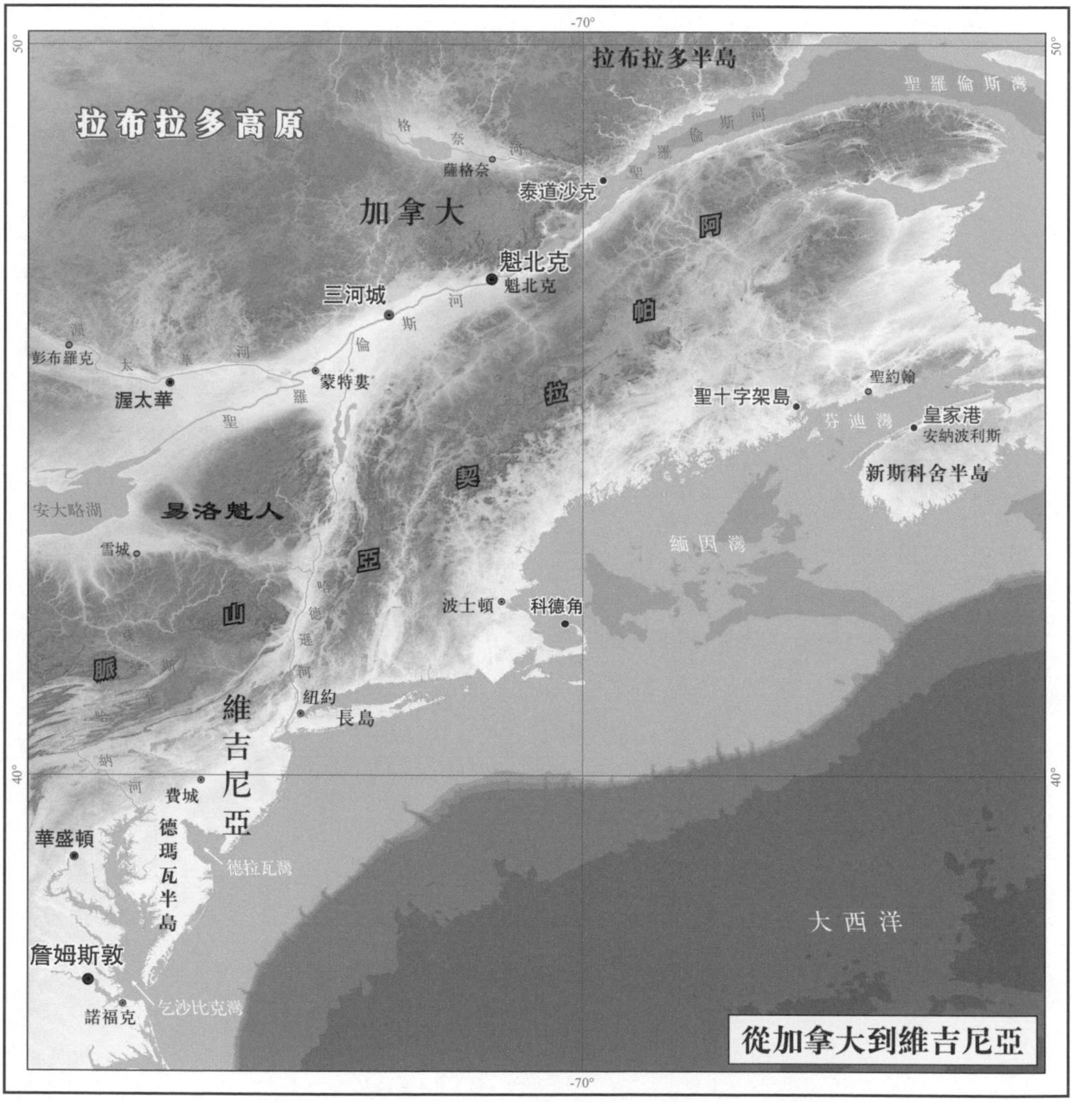

從加拿大到維吉尼亞

尚普蘭一行人乘一艘大船，沿聖羅倫斯河走了約一百八十公里後，進入南部一條支流黎塞留河，繼續逆河而上，不久發現中游的一個小湖——尚普蘭湖。他們在湖的南岸遇到易洛魁人，雙方交火，法國人戰勝。這場戰爭規模不大，但讓易洛魁人從此痛恨法國人。

一六一二年，尚普蘭被法王路易十三（Louis XIII）任命為新法蘭西的司令，從此不用再替資本家打工了。

一六一三年，尚普蘭考察了渥太華河，從河口一直上溯到今彭布羅克一帶，為進入加拿大腹地做準備。不好的消息是，這一年，英國人拆除了法國人在皇家港的殖民地，還把那裡的法國人趕走了。

一六一五年，尚普蘭繼續向北美腹地推

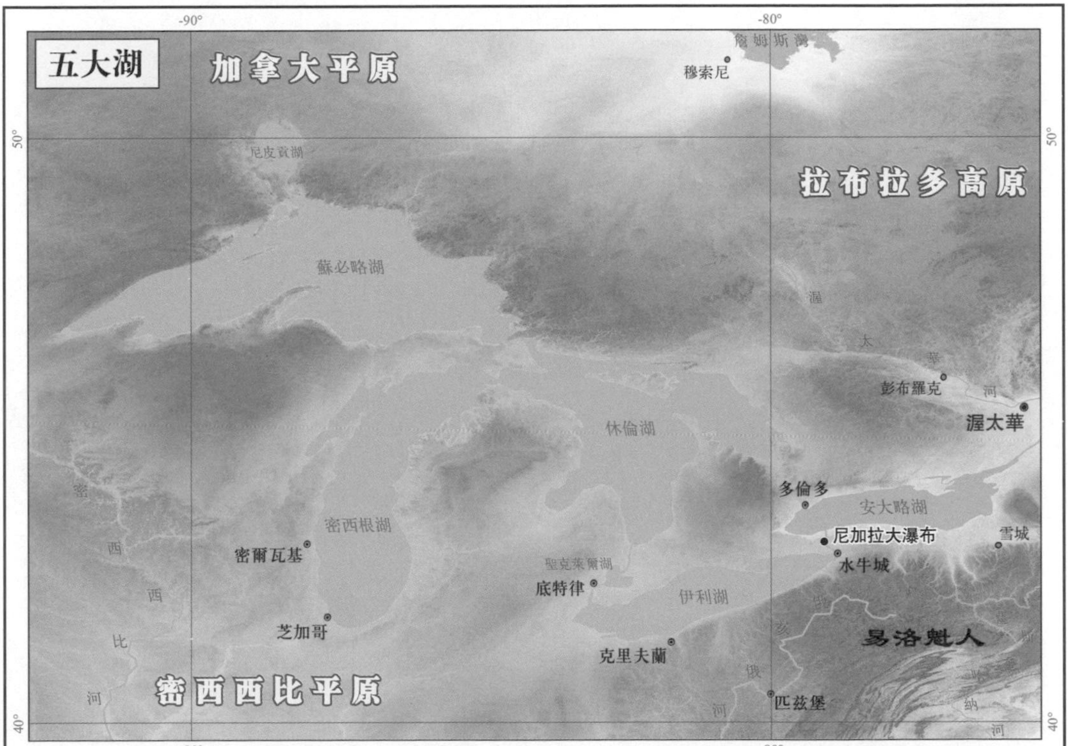

進，在今彭布羅克以西二百多公里的上游，經渥太華河的上游馬太華河，再向西經過一段河網地帶，他們發現尼皮辛湖。然後，沿著這個湖的一條河（法蘭西河）順流而下，進入一片巨大的水域。這一路上，經常需要把小船抬上岸，走上一段陸路，再進入另一條河。

尚普蘭發現這裡是淡水，說明眼前的水域不是太平洋。向附近的印第安人打聽，才知道是休倫湖。休倫湖附近的印第安人就是休倫人，休倫人不僅分布在休倫湖附近，分布範圍一直往東延伸到聖羅倫斯河沿岸，而聖羅倫斯河兩岸的休倫人正是法國人一直以來的交易夥伴。這裡的休倫人一見法國人也很親切，請他們幫忙打擊易洛魁人，法國人義不容辭地答應了。

易洛魁人分布在休倫人的南邊，尚普蘭率領幾百名休倫人，坐上印第安人的獨木舟戰船，先渡休倫湖到達東南岸；登陸後，一行人裹挾著獨木舟穿過陸地，到達東南方的安大略湖；再渡過安大略湖，在今錫丘茲一帶遭遇易洛魁人，雙方交戰。這一次，法國人大敗，尚普蘭腿部受傷。休倫人撤回休倫湖，法國人走原路繞回。這次經過安大略湖時，尚普蘭已經了解到，聖羅倫斯河是從安大略湖的東北角流出去，但他也知道，從安大略湖到蒙特婁一帶有很多險灘瀑布，不利於行船，所以沒有抄近路，而是沿原路返回。

這次受傷，尚普蘭此後不再親力親為，探險的事就讓手下的人去做了。而且，他放棄尋找西北航道的希望，把精力放在殖民地的經營上。很難說這種做法的對錯，自從大航海時代以來，沒有海權的國家，陸權也難以保障，法國人後來丟掉北美的殖民地，正是在海上的優勢不如英國。

這次失敗對法國人來說不算什麼，他們主要的目的是探險，而且這次遠征易洛魁人時，從休倫湖到安大略湖的路途中，還分出一支十二人小隊去探險。這支小分隊在艾蒂安·布魯爾（Étienne Brûlé）的帶領下，從今多倫多一帶進入安大略湖，往南渡過安大略湖西端，穿越尼亞加拉瀑布以西的地峽後，進入伊利湖。在伊利湖北端也是最東端，棄舟登岸，東行三百多公里，發現薩斯奎哈納河。於是順流而下，航行好幾百公里，最後輾轉駛入乞薩比克灣。他們在這裡考察了德拉瓦半島，直到第二年春天才開始返回，途中遇到易洛魁人，小分隊被打散，流落四方，直到一六一九年才陸續回到魁北克。

只是布魯爾無論如何都沒有想到，無意之中竟闖入了英國人在北美的殖民地——維吉尼亞。早在伊莉莎白時代，英國人就試圖在北美殖民，但一直沒成功。一六〇三年，詹姆士一世（James I）繼位後，緩和了與西班牙人的關係，讓西班牙人不再攻擊英國人在北美的據點。一六〇六年，英國政府特許成立「倫敦城維吉尼亞第一殖民地冒險家與殖民者公司」，簡稱「倫敦公司」或「維吉尼亞公司」，專門從事在北美的殖民活動。一六〇七年，維吉尼亞公司在北美建立第一個永久定居點，為了感念詹姆士一世，取名詹姆士城（Jamestown，即詹姆斯城）。詹姆士城的位置，正位於乞薩比克灣附近。很多人認為詹姆士城是美國歷史的開端，但如果從文化層面來說，十三年後的「五月花號」才是真正的開始。一六二〇年，一艘滿載著清教徒的三桅帆船從英國的普利茅斯悄悄出發，最後在北美的科德角登陸。上岸前，他們在船艙內簽署一份《五月花號公約》，核心內容是，他們要創立一個不同於歐洲的自治社會，在這個社會，管理者的權力來自人民，而不是某種權威。這種平等自由的精神為日後美國的建立打下基礎，也是美國文化的核心。詹姆士城中是舊大陸文化的延續，而由五月花號清教徒建立的平等自由才是一種前所未有的新文化。

英國人把在北美建立的第一個殖民地取名維吉尼亞，法國人布魯爾到來後，法屬加拿大和英屬維吉尼亞由此產生了聯繫。

一六二一年，尚普蘭派布魯爾去探察休倫湖一帶。布魯爾這次最大的發現是聖瑪麗河。聖瑪麗河是連接蘇必利爾湖與休倫湖的河，布魯爾在這裡盤桓考察七年之久。其間，尚普蘭已由新法蘭西司令升為總督。

七年之後（一六二八年），布魯爾沿聖瑪麗河而上，到達西經九十・五度、北緯四十八度時，發現蘇必利爾湖。蘇必利爾湖是世界上最大的淡水湖，布魯爾考察了東岸、北岸和南岸，但沒有把這一重大發現寫成詳細報告。

一六三二年，尚普蘭下令在聖羅倫斯河畔再建一城，位於魁北克和蒙特婁之間，取名三河城。第二年，不幸的消息傳來，得力幹將布魯爾死於休倫湖的印第安人之手。

一六三四年，尚普蘭派吉恩・尼科萊（Jean Nicolet）去尋找印第安人所說的「西部海」。尼科萊花費四年時間，先到休倫湖的聖瑪麗河口，然後往西南方向航行，穿過麥基諾水道，發現五大湖的最後一個——密西根湖。

所謂的五大湖，就是北美洲的蘇必利爾湖、密西根湖、休倫湖、伊利湖和安大略湖等五個相連湖泊的總稱，又稱「大湖」，有「北美地中海」之稱。五大湖總面積二四．五二萬平方公里，相當於五十多個青海湖的面積；總蓄水容量約二十二萬八千億立方公尺，約占全世界淡水湖總量的五分之一。在整個加拿大地區，最適宜人類居住的就是五大湖沿岸。如果拿整個北美洲來說，最適宜人類居住的地方就到五大湖為止，再往北，氣候太惡劣了。

從這裡可以看出，法國人正是透過聖羅倫斯河深入五大湖，從而繞過阿帕拉契山脈，最終進入北美的中部大平原，即後來的法屬路易斯安那殖民地；而英國人則主要在阿帕拉契山脈以東的沿海地帶活動，先後開發的十三個殖民地，即後來美國成立時的十三州。從今天的眼光看，北美中部大平原是一塊農耕寶地，但實際上，如果沒有科技支撐，特別是在人類的早期社會，這裡布滿沼澤和森林，不適合人類居住。否則印度安人不至於跑到中美洲和南美洲，在那裡發展出阿茲特克、馬雅、印加三大古文明，而北美的印度安人反而始終處於漁獵階段。

北美南部，即今美國所在地，與中國緯度相當，面積相當，甚至地形看起來與中國有點相似，因此很多人總喜歡拿美國的地理條件和中國相比。且不說美國的科技如何發達，單是美國的農業，做為傳統的農業大國，中國今天只能望其項背。美國是農業出口大國，而中國卻只能勉強養活自己。因此，有人得出結論，認為美國的地理條件比中國好，其實是個誤解。人類的發展歷史中，不管什麼民族，也不管曾經如何發達，始終要面臨兩個問題：吃飯和戰爭。我們判斷某個地方地理條件的好壞主要看兩個指標：物產和戰略縱深。物產主要指糧食產出，影響糧食產出的是地形和氣候，一是需要大平原，二是需

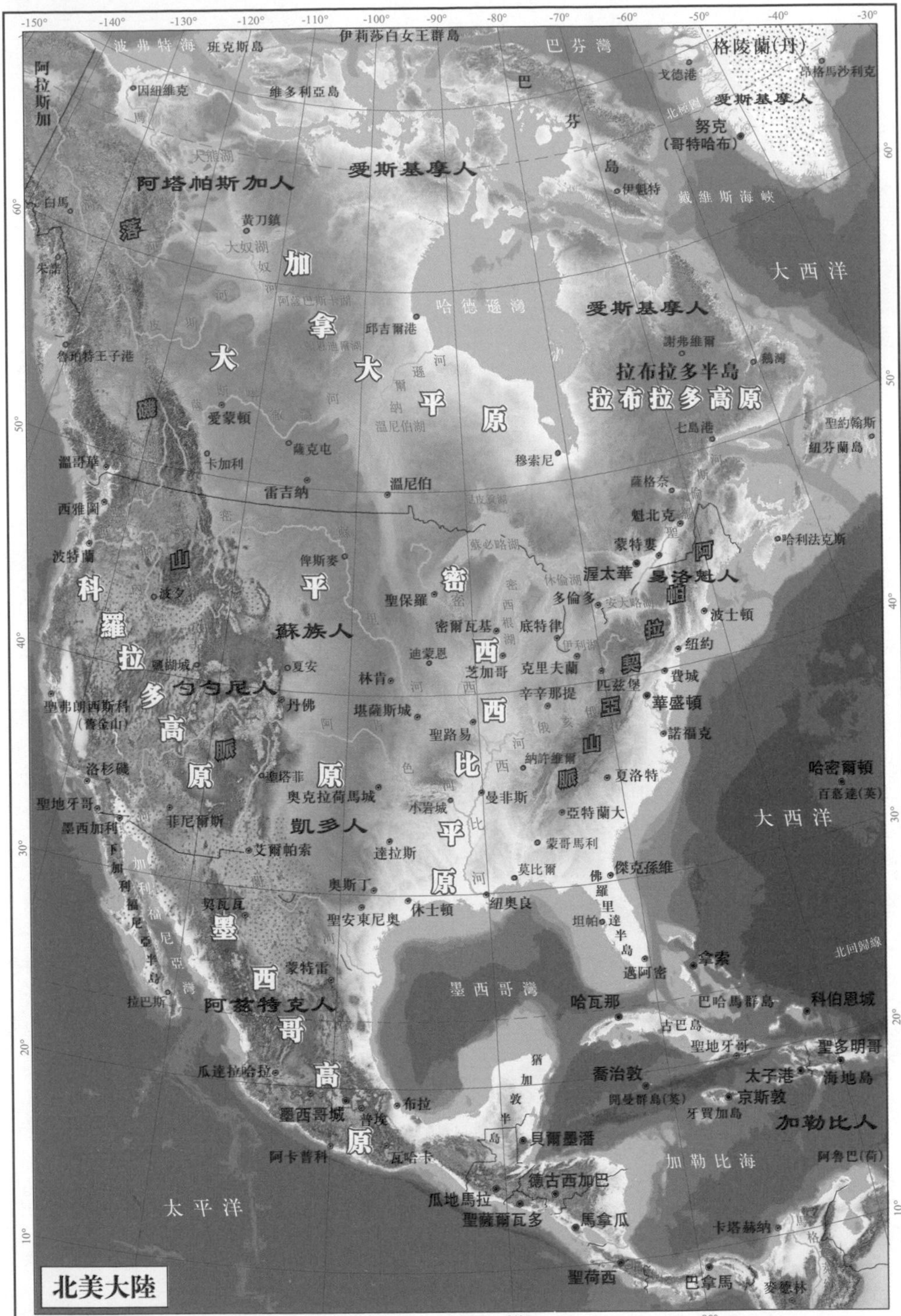
北美大陸
波弗特海
班克斯島
伊莉莎白女王群島
巴芬灣
格陵蘭(丹)
阿拉斯加
因紐維克
維多利亞島
戈德港
昂格馬沙利克
巴芬島
愛斯基摩人
努克
(哥特哈布)
阿塔帕斯加人
伊魁特
戴維斯海峽
白馬
黃刀鎮
大奴湖
朱諾
加拿大
大西洋
哈德遜灣
邱吉爾港
魯珀特王子港
大平原
拉布拉多半島
拉布拉多高原
謝弗維爾
七島港
愛蒙頓
薩克屯
溫尼伯湖
聖約翰斯
紐芬蘭島
溫哥華
卡加利
穆索尼
雷吉納
溫尼伯
薩格奈
西雅圖
魁北克
哈利法克斯
波特蘭
俾斯麥
蒙特婁
渥太華
易洛魁人
落磯山脈
蘇族人
多倫多
波士頓
波夕
聖保羅
密爾瓦基
底特律
紐約
科羅拉多高原
鹽湖城
夏安
迪蒙恩
芝加哥
克里夫蘭
匹茲堡
費城
ㄅㄅ尼人
林肯
華盛頓
聖弗朗西斯科
(舊金山)
丹佛
堪薩斯城
辛辛那提
阿帕拉契山脈
聖路易
諾福克
密西西比平原
洛杉磯
聖塔菲
納許維爾
夏洛特
哈密爾頓
奧克拉荷馬城
曼非斯
百慕達(英)
聖地牙哥
小岩城
亞特蘭大
菲尼爾斯
墨西加利
凱多人
蒙哥馬利
艾爾帕索
達拉斯
下加利福尼亞半島
加利福尼亞灣
莫比爾
傑克孫維
奧斯丁
紐奧良
佛羅里達半島
努瓦瓦
聖安東尼奧
休士頓
坦帕
北回歸線
蒙特雷
拿索
邁阿密
墨西哥灣
拉巴斯
阿茲特克人
墨西哥高原
哈瓦那
巴哈馬群島
科伯恩城
古巴島
聖地牙哥
聖多明哥
瓜達拉哈拉
猶加敦半島
喬治敦
太子港
海地島
開曼群島(英)
京斯敦
墨西哥城
布拉
牙買加島
加勒比人
普埃
貝爾墨潘
阿卡普科
瓦哈卡
加勒比海
阿魯巴(荷)
太平洋
德古西加巴
瓜地馬拉
聖薩爾瓦多
馬拿瓜
卡塔赫納
聖荷西
巴拿馬
麥德林

要雨熱同期。最典型的雨熱同期氣候是季風氣候，中國絕大部分農耕區都屬於季風氣候，美國大平原南部屬於季風氣候，而北部則類似於中國西北的溫帶大陸性氣候，氣溫較低，降水也少，對農業並不友好，但美國的平原面積比中國大，兩相抵消，不分伯仲。這裡有個問題，在沒有大山阻隔的情況下，為什麼美國的季風氣候只到北緯四十度（相當於北京的緯度），而中國的季風氣候一直覆蓋到東北平原？一是東部的阿帕拉契山脈阻擋了來自大西洋的暖溼氣流，二是美國北部沒有一條橫向的山脈，極地的乾冷空氣太容易南下了。縱觀整個美國的地形，就是兩山夾一平原，東邊是阿帕拉契山脈，西邊是洛磯山脈，中間是廣袤的平原。如果細分，中部平原又可以分為密西西比沖積平原和美國大平原，洛磯山脈裡又有鹽湖城一帶的科羅拉多高原，而南北兩個方向沒有任何山脈。這種地形極易形成「穿堂風」，不管是來自北極的寒潮，還是來自南方大西洋上的颶風，都可以暢通無阻，因此很容易出現極端天氣，這種天氣對農業是毀滅性的。反觀中國，西伯利亞的冷空氣雖然十分強勁，但在南下時，首先會被蒙古高原擋一道，再往南又會被陰山山脈和燕山山脈擋一道，如果還不行，秦嶺和大別山再擋一道，這樣一來，華北平原和長江中下游平原的農地都受到保護。在南方，如果有來自太平洋的颱風（和颶風一樣屬於熱帶氣旋，名字不同而已），中國東南沿海連綿不絕的丘陵山區就可以將其逐步消解，長江沿線的農地依舊安然無恙。

美國的兩大山脈縱向排列還造成另一個問題，美洲大陸遠比歐亞大陸小，按理說，美國兩邊都是大洋，全國應該都是氣候溫和溼潤的地區，但事實並非那樣，除了東南部雨水較多外，密西西比河上游降水不多，在美國西部，所謂的大平原，其實是草原，正是缺水而形成的，而到了科羅拉多高原一帶，甚至出現大片沙漠。

條件好不好，其實看看人口都往哪裡跑。今天美國絕大部分人都生活在東、西兩個海岸，中部人煙稀少。一方面是中部以農業為主，另一方面就是氣候，東、西兩岸背山靠海，氣候溫和，對不需要耕地的城裡人來說，是最宜居的地方。

再說戰略縱深，這個幾乎無需多言，美國的地形太單一，在強者手裡，可以四面出擊，又因為隔著大洋，別人無法靠近。但如果在弱者手裡，例如印第安人，那就是災難。因為靠著兩大洋，敵人可能從任何方向打過來。中部一馬平川，不利於防守。東部的阿帕拉契山脈不夠高，體積也小，難以形成有力的屏障。西部的洛磯山脈體積夠大，但本身自然條件惡劣，沒有一個可以供養人口的山中盆地，因而也無法成為防守反擊的基地，這種地形是北美印第安人面對殖民者入侵時毫無還手之力的原因之一。中美和南美的地形比北美複雜許多，殖民者如果搞種族清洗要付出更多代價，因此中美和南美倖存的印第安人數量遠多於北美。反觀中國，有山西、關中、巴蜀，甚至荊楚，每一個地理區域都可以成為防守反擊的基地。試想日本侵華時，如果中國和美國的地形相同，能堅持多久？又靠什麼扭轉戰局？再試想八國聯軍時，敵人從四面八方而來，結果更是不敢想像。美國的歷史還很短，不能因為現在是世界最強大的國家，就認為他的地理條件也是最好的，當然，和世界其他地方比，美國的地理條件是好的，但和中國比，還是略遜一籌，特別是戰略縱深這方面，毋庸置疑，中國的老祖宗打下的這片江山是全世界最好的，沒有之一。

總體來說，美國的農業發展是因為有現代科技加持。在人類早期，北美洲不適合農耕，這裡的印第安人比中美和南美更落後。否則就算美洲大陸和舊大陸隔離不通，北美印第安人也該發展出較高的文明，至少比中美和南美高級，而不至於仍處於石器時代。北美的印第安人不以農業為主，哪怕是像馬鈴薯和玉米這樣容易種植的農作物，他們也沒有太大興趣。因為北美本身的人口就少，而廣袤的中央大平原上生活著成群結隊的野牛，是北美印第安人的主要食物來源。

在北美，美國幾乎把所有的好地方都占了，而北面的加拿大除了五大湖地區外，幾乎全是冰天雪地的凍土，不適宜人類居住，今天加拿大絕大多數人也是居住在五大湖沿岸。試想，如果不是法國人率先進入五大湖，而是等英國人從大西洋沿海翻過阿帕拉契山脈而來，加拿大可能連五大湖都沒有了。

一六三五年，新法蘭西總督尚普蘭在魁北克病逝。直到今天，他依然被視為加拿大這個國家的奠基者。

第九章

為何澳洲的文明社會發展最慢？

和英國人對西北航道的執著不同，荷蘭人沒有在東北航道投入過多精力，很快就把視線轉移到葡萄牙的遠東航道上了。

一六〇二年，荷蘭東印度公司成立，第二年便在東南亞的爪哇島上建立商站，目標很明確，就是控制不遠處的摩鹿加群島。葡萄牙人當然不能看著荷蘭人從自己嘴裡奪食，於是兩國打起來了。一六〇五年爆發摩鹿加海戰，荷蘭人戰勝葡萄牙人，控制了安汶島。

一六一一年，荷蘭人開闢一條從好望角直接到爪哇島的航線。這條航線從好望角往東，航行八千公里，再往北到爪哇，這條曲折的航線看似繞遠路，不如等角航線近，實際上是充分利用季風和洋流，走得更快。更重要的是，這條航線為日後發現澳洲提供了有利的條件。

澳洲是文明社會尚未到達的最後一塊有人居住的大陸，本來這個功勞應該記在西班牙人身上。

自從西班牙開通從馬尼拉到阿卡普科的航線後，一條完整從亞洲到美洲的往返航線形成了。此後，東南亞的香料可以順利到達美洲，再到歐洲，歐洲的小商品也可以順利到達亞洲。但這還不是最賺錢的，最賺錢是的中國的絲綢，價格貴，質地輕，不像香料那樣容易受潮腐爛，很好保存。但中國人不缺歐洲人的小商品，歐洲人有的那些東西，中國基本上都有，或者有相似的替代品，因此西班牙人很難從絲綢貿易中賺錢。後來，西班牙發現中國人喜歡白銀，而西屬祕魯有很多銀礦，這下西班牙人的發財機會來了。他們把美洲的白銀運到馬尼拉，透過那裡的華商換取絲綢（包括一些瓷器和工藝品，茶葉到十七世紀中葉才受到歐洲人熱愛），然後把絲綢運回阿卡普科，從墨西哥轉運到歐洲，高價出售給歐洲貴族。這條貿易線是當時最賺錢的路線，也稱「絲銀貿易線」。從此以後，從美洲來的商船絡繹不絕地開往東南亞和馬尼拉。正是美洲白銀的大量湧入，白銀才真正成為中國的流通貨幣，一方面促進了中國民間貿易的發展，另一方面削弱了政府擷取民間財富的能力，明朝政府後期出現財政危機，與白銀的流通有直接的關係。

一五六八年，西班牙航海家門多納・德・內拉（Álvaro de Mendaña de Neira）從祕魯前往東南亞，途中發現居住著黑人的群島（其實是棕色人種，二十世紀初，棕色人種才從黑種人裡劃分出來），拋錨登岸，並在島上住了一些日子。當時他以為到達《舊約聖經》中索羅門王採買搬運黃金的俄斐國（書中俄斐國位於南非，黑人國），於是命名為索羅門群島。而且，他認為索羅門群島是「南大陸」的一部分。

所謂南大陸，是歐洲人早在古希臘、古羅馬時期就有的傳說，按已知的世界，絕大部分陸地都處於北半球，既然地球是圓的，那麼南方也必然存在一個大陸，就是南大陸。

一五九五年，內拉再次出海探險。因為身體不好，這次他的妻子伊莎貝爾・巴雷托（Isabel Barreto）也同行協助。

不久，他們在海上發現馬克薩斯群島。馬克薩斯群島位於普卡普卡島的北部，而普卡普卡島正是麥哲倫第一次橫渡太平洋時發現的第一個島嶼。由此可見，內拉走的航線還是麥哲倫開闢的那條航線。

他們在馬克薩斯群島登陸，與當地土著發生衝突，於是離開繼續西行。快到索羅門群島時，又發現聖克魯斯群島。這時，一些船員因爭權而內鬨，引起暴動，所幸很快被鎮壓下去。不久之後，內拉去世，妻子巴雷托接管，自封為女總督。

一五九六年二月，巴雷托率隊抵達菲律賓。

一五九八年十一月，經過四年多的探險，巴雷托回到墨西哥，去的時候四艘船，回來時只剩兩艘，巴雷托成為世界上第一個指揮船隊的女人。

巴雷托之後，一六〇五年十二月，西班牙航海家佩德羅．費爾南德斯．德．基羅斯（Pedro Fernandes de Queirós，本為葡萄牙人，後效力西班牙）率領三艘帆船從祕魯出發前往太平洋，尋找傳說中的「南大陸」。

探險隊有一百三十多人，其中傳教士六

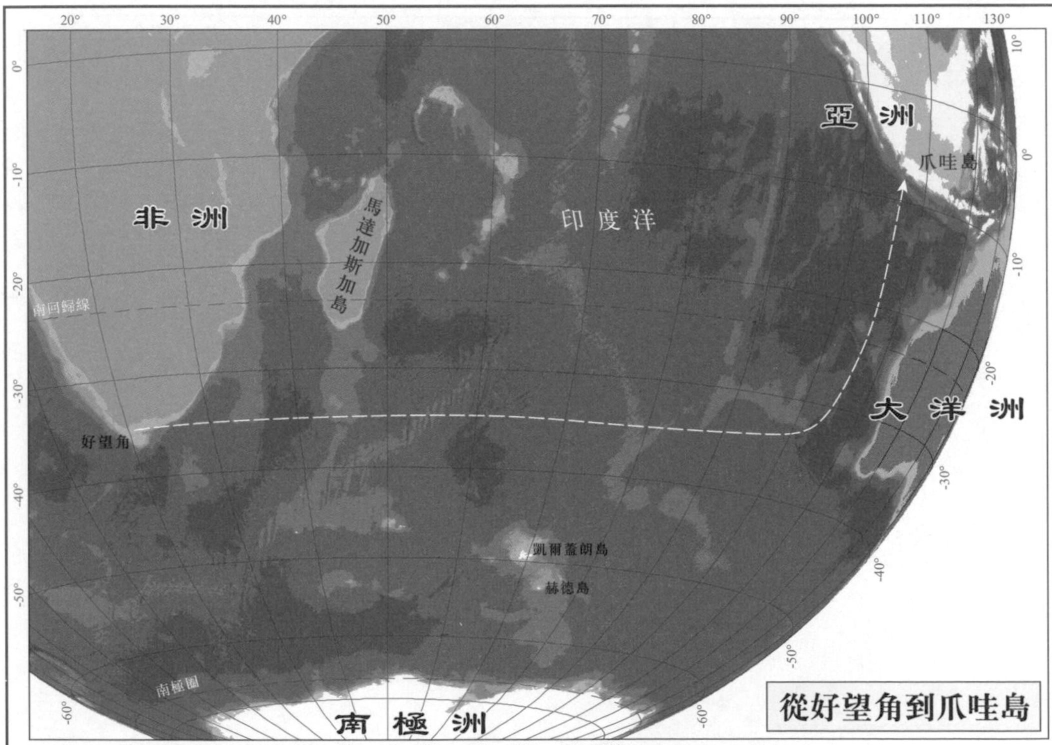

從好望角到爪哇島

人。他們一路往索羅門群島駛來，沿途發現一些小島，最終到達聖克魯斯群島中的達夫群島。登陸後，當地酋長告訴他，南邊還有一片大的陸地。基羅斯興奮地向南駛去，果然發現一片巨大的陸地，上面居住的也是黑人。基羅斯認為自己發現了「南大陸」，而且這片大陸一直延伸到南極，於是命名為「聖靈的澳洲」。他們在這裡豎起十字架，舉行占有儀式，還修建營地「新耶路撒冷城」。

五個星期後，基羅斯獨自悄悄地離開船隊，率旗艦搶先回到阿卡普科請功。可惜他高興得太早，船隊中一位船長路易斯・瓦斯・德・托雷斯（Luís Vaz de Torres）仔細考察了這塊新陸地，最終確認不是「南大陸」，而是一個群島的主島而已，即埃斯皮

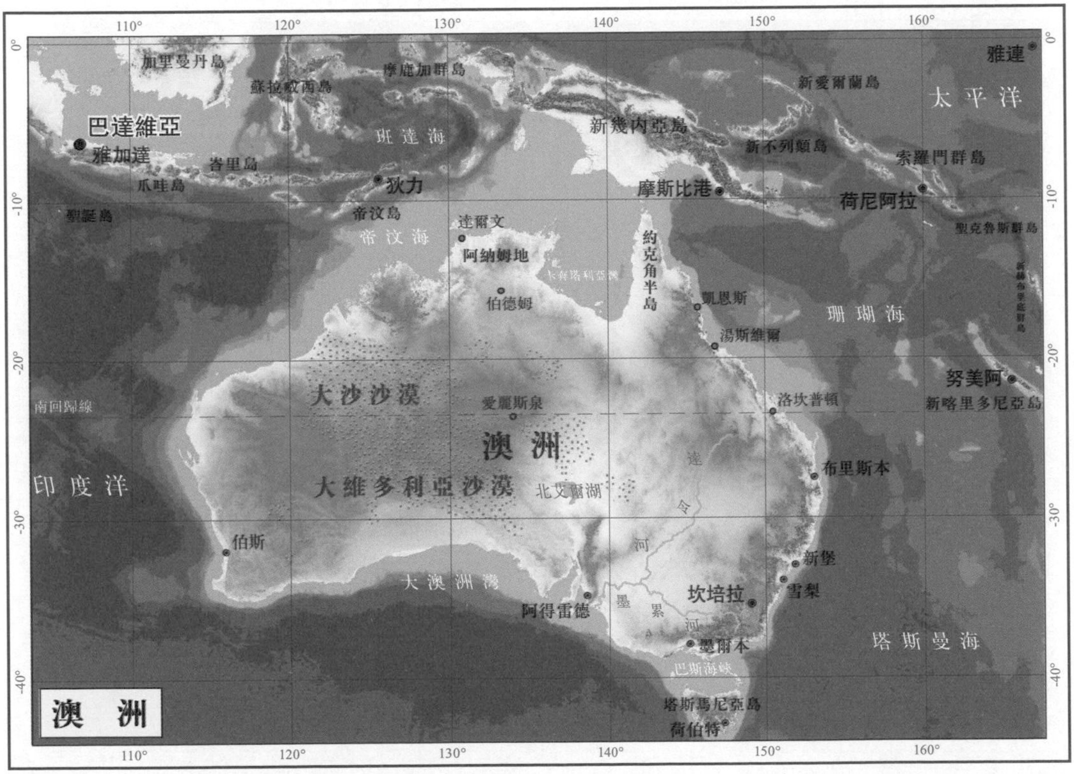

里圖桑托島。後來英國著名的庫克船長（James Cook）為這個群島命名為新赫布里底群島，即今瓦努阿圖群島。

接下來的日子裡，托雷斯發現了一條海峽，並從東往西穿過這條海峽。海峽的北岸是新幾內亞島，托雷斯在海岸看到處於原始社會的黑人；南岸看到了澳洲的約克角半島和阿納姆地海岸。托雷斯成為第一個看到澳洲大陸的人。後來，他向馬尼拉的西班牙總督提出公布這一發現成果，但政府為了壟斷這一發現，一直密而不宣。直到十八世紀中葉的七年戰爭期間，英國人攻占馬尼拉，才從西班牙的檔案裡發現這個祕密，於是公之於眾，並將托雷斯穿過的那條海峽命名為托雷斯海峽。

但托雷斯終究沒有登上澳洲大陸，西班牙在航海探險上也後繼無人，這一機遇就留給了荷蘭人。

一六〇六年，托雷斯看到澳洲大陸的同一年，荷蘭共和國的探險家威廉．揚松（Willem Janszoon）受東印度公司的委派，來這裡尋找「南大陸」。

揚松考察了新幾內亞南部三百多公里的海岸線，接著往南，穿過托雷斯海峽後，進入卡奔塔尼亞灣，考察約克角半島西部的海岸線。這樣一來，揚松成為第一個登上澳洲大陸的文明人。但是，當時他沒意識到這一點，以為這裡是新幾內亞的一部分。

如果說揚松登上澳洲大陸還是無心插柳，那麼自從布羅維開闢從好望角到爪哇島的航線後，澳洲大陸的神祕面紗就只等著荷蘭人去揭開了。

一六一六年，荷蘭航海家德克．哈托格（Dirk Hartog）沿著這條航線發現了澳洲西海岸。

一六一九年，荷蘭航海家弗雷德里克·德·豪特曼（Frederick de Houtman）和雅各布·德德爾（Jacob Dedel）在澳洲西海岸發現德德爾地和德德爾半島。就是這一年，荷蘭人在爪哇島上營造巴達維亞城（今雅加達）。這個地方以前就叫雅加達，只不過荷蘭人擴建時改了個名字，直到一九四五年印尼獨立時，才改回雅加達這個名字。

有了巴達維亞這個遠東基地，荷蘭人繞過好望角後，走布羅維航線就成為常態了。

一六二三年，荷蘭航海家卡斯滕斯和梅里茨率兩艘帆船到澳洲約克角半島探險，他們沿著半島的西海岸南下，到達南緯十七度八分的斯塔騰河口後登陸，立紀念木柱。

一六二七年，荷蘭航海家皮切爾·涅伊茨發現澳洲南部的大澳洲灣，以及這一帶的海岸和島嶼。第二年，又發現澳洲西北的一段海岸。

一六三六年，荷蘭航海家波爾和普捷爾斯到約克角半島一帶探險。波爾帶著幾個船員登陸時，被當地土著打死，普捷爾斯則發現了阿納姆地。

至此，除了東海岸外，荷蘭人幾乎能在地圖上把整個澳洲大陸的輪廓畫出來了。但當時荷蘭人沒有意識到這一點，他們把發現的澳洲陸地命名為「新荷蘭」，依然以為新荷蘭只是「南大陸」的一部分，「南大陸」應該很大，差不多要占整個南半球才合理。到一六六五年，荷蘭正式宣布將「新荷蘭」併入版圖。「新荷蘭」音譯就是「特拉」，「南方大陸」音譯即「澳大利亞」，所以「特拉·澳大利亞」這個名字存在很久，直到一八一七年，當時的英國殖民政府才正式定名為澳洲，意即「南大陸」。

但對此時的荷蘭人來說，發現澳洲沒帶來驚喜，反而是失望。這裡沒有他們想要的黃金、珠寶，當地土著也極其原始野蠻。

澳洲的土著是棕色人種，也叫澳洲人種，體型粗壯，皮膚呈棕黑色。一開始歐洲人認為他們和非洲人一樣是黑人，後來發現他們和非洲人的基因不同，外表更原始野性，才單獨劃分出棕色人種的概念。歐洲人到來時，他們還處於中石器時代，生產力比印第安人還落後，以採集和狩獵為生，沒有農業，更沒有冶金、紡織等手工業。工具和武器都是木頭或石頭做的，僅在北部約克角半島有人使用弓箭，當然箭頭也是石頭做的，也沒有馴化出任何一種植物，唯一馴化的動物是狗。

荷蘭人到來時，澳洲約有五百個部落，五百種語言，沒有文字。大部分處於母系氏族社會，沒有完備的部落制度，更沒有部落聯盟。總之，他們就像人類剛剛走出非洲時一樣，幾乎沒有進步。

如果從地理上看，澳洲確實不具備產生文明的條件。副熱帶高氣壓帶從大陸中部穿過，造成絕大部分地方乾旱少雨，再加上西海岸有寒流經過，使廣袤的平原淪為沙漠，不具備農業開發的條件，文明就無從談起。北部受副熱帶高壓影響較小，但緯度太低，屬於熱帶氣候，又缺少文明發展的動力。較適合人類居住的是東部沿海，處於亞熱帶季風區，這種氣候在很多文明社會裡都有，只是這裡孤懸海外，與世隔絕，與舊大陸沒有交流，幾萬年的時間裡，文明發展停滯不前。

一六四二年十月八日，荷蘭共和國東印度總督范・迪門（Anthony van Diemen）派遣航海家阿貝爾・塔斯曼（Abel Tasman）率領兩艘帆船，一百一十人，再去探索「新荷蘭」，希望能找到黃金等值錢的東西，無意中發現紐西蘭。

塔斯曼的船隊從非洲模里西斯啟航，由西向東貫穿印度洋。十一月二十四日，在澳洲南部發現一個大島，塔斯曼把它命名為「范迪門之地」。二百年後，改名為塔斯曼尼亞島。塔斯曼當時無法確定是個島嶼還是半島，直到一百五十年後，英國航海家喬治．巴斯（George Bass）發現巴斯海峽，這個問題才得以解決。十二月三日，船隊在塔斯曼尼亞島的亨利灣登陸，豎紀念標，插上奧蘭治親王旗，以示占領。十二月中旬，塔斯曼在南緯四十三度看見紐西蘭南島的南阿爾卑斯山西麓。沿海岸北行，駛入庫克海峽，以為是個海灣。在南緯四十．五度的黃金港，一度拋錨停泊。塔斯曼沒有意識到紐西蘭是兩個獨立的大島，以為是「南方大

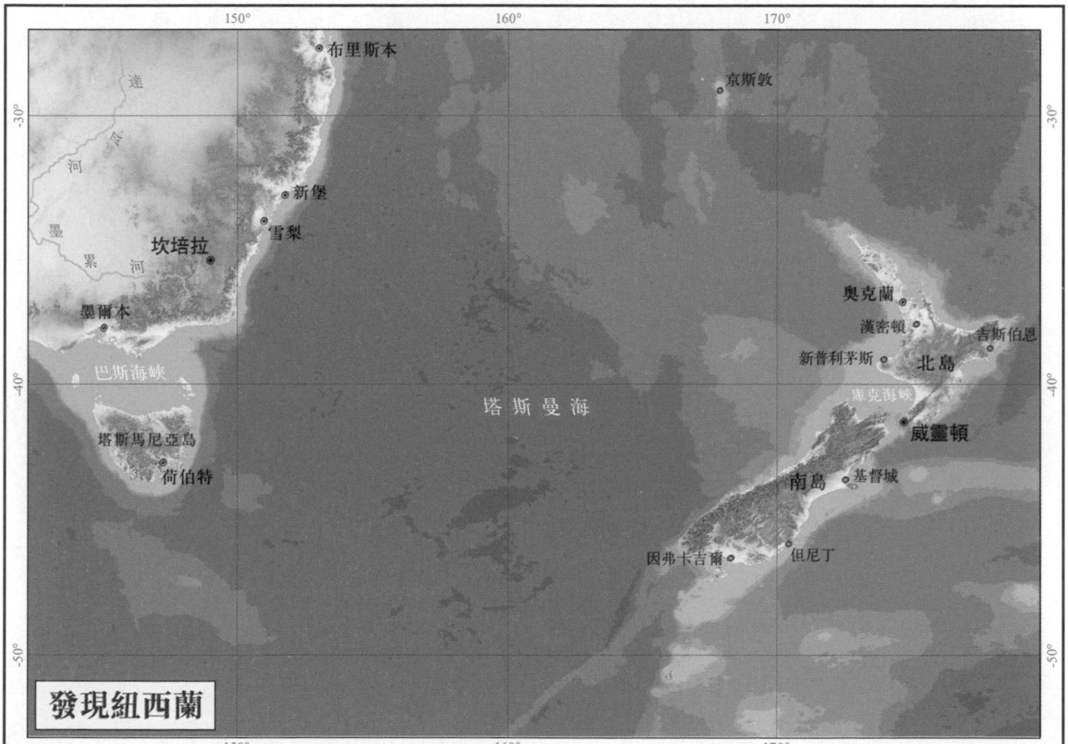

發現紐西蘭

陸」的一部分，並命名為「我國之地」，返航後，荷蘭政府把它更名為紐西蘭。同樣出於壟斷考慮，荷蘭政府對塔斯曼的發現密而不宣，直到後來的庫克船長才解了密。

塔斯曼一行人繼續沿海岸線北上，一六四三年一月到達紐西蘭北島的北部海角。試圖上岸尋找淡水時，遭到當地土著毛利人阻攔。荷蘭人雖然有火器，但看到對方居然有金屬武器，就沒有強行登陸。

毛利人和澳洲土著不同，他們屬於玻里尼西亞人。在太平洋上，特別是南太平洋上，星羅棋布著無數的島嶼，這些島嶼分屬不同的群島，但可以大致劃分為三個島群：玻里尼西亞、密克羅尼西亞和美拉尼西亞。

這三大島群上的居民主要來自馬來群島上，人類剛從非洲遷出時，最早到達這裡的是棕色人種，就是澳洲人；隨後是矮黑人。矮黑人和非洲的俾格米人很像，但沒有遺傳關係，唐朝時所說的崑崙奴，主要就是矮黑人。棕色人種和矮黑人原本是馬來群島的土著，但後來被馬來人取代。馬來人又從哪裡來呢？有一種說法認為馬來人原本生活在中國南部廣東沿海一帶，北方的華夏族興起後，擠壓南方的百越人，引起連鎖反應。百越人南遷再擠壓馬來人的生存空間，於是馬來人遷到中南半島，後來又受傣泰人、高棉人的擠壓，再遷到馬來群島。這樣一來，原本生活在馬來群島的棕色人種被迫遷徙，一部分到了澳洲（當時澳洲和新幾內亞島相連），一部分遠渡重洋，定居在太平洋上的各個島，還有一部分停留在新幾內亞島上。在遷徙的路途中，有的保持原始族群，有的與馬來人融合。矮黑人因身材矮小，戰鬥力更弱，部分鑽入叢林裡謀生，一部分逃離到一些小島上，還有一部分被馬來人融合。

進入南太平洋群島上的棕色人種，根據距離的遠近和混血程度的不同，可以大致劃分為三個族群，就是玻里尼西亞、密克羅尼西亞和美拉尼西亞。

離澳洲和新幾內亞最近的是美拉尼西亞。美拉（mela）是黑的意思，尼西亞（nesia）就是群島。從名字可以看出，這個族群是最黑的，他們是棕色人種的一支或旁支，和澳洲大陸的土著同種不同支。美拉尼西亞由俾斯麥群島、索羅門群島、瓦努阿圖群島、新喀里多尼亞島和斐濟群島等組成。除新幾內亞外，都說美拉尼西亞語。新幾內亞島是個特例，除沿海地帶外，內陸地區因為地形複雜，與外界幾乎沒有交流，所以他們的文化和語言沒受到馬來人的影響。

跑得最遠的是玻里尼西亞人，玻里（poly）是多的意思，這個族群覆蓋的島嶼最多。玻里尼西亞人外表介於棕色人種和黃種人之間，應該是二者的混血。玻里尼西亞人擅長航海，雖然造船技術不高，但會使用平稀器，可以應對海洋上的風浪，經常幾十艘船排成扇形出海探險，這樣更容易發現海上的小島。玻里尼西亞主要包括夏威夷群島、吐瓦魯群島、東加群島、社會群島、土布艾群島、土阿莫土群島、馬克薩斯群島、紐埃島、薩摩亞群島、托克勞群島、庫克群島、萊恩群島、鳳凰群島、強斯頓島、瓦利斯群島、富圖納群島、皮特肯群島、賈維斯島、迪西島、復活節島等。其中最遠的復活節島離南美洲只有三千公里，歐洲人到達這座小島時，發現島上種有印第安人特有的甘薯，說明他們曾到過南美大陸。歐洲的航海者作夢也沒有想到，這些仍處於石器時代的人竟能漂洋過海跑這麼遠。

處於二者之間的是密克羅尼西亞，密克羅（micro）是小的意思，說明這裡由一些小島組成。密克羅尼西亞人在體質特徵上為混合人種：西部與馬來人相近；愈往東愈接近玻里尼西亞類型，直髮或波狀髮，高身材，淺褐色皮膚；愈往南愈接近美拉里尼西亞類型，捲髮，矮個子，暗褐色皮膚；中部則為三者的混合，以加羅林人最為典型。密克羅尼西亞主要包括馬里亞納群島、加羅林群島、馬紹爾群島、諾魯島、吉爾伯特群島等。群島分列為兩弧，中間隔著馬里亞納海溝。

這三大族群都說著一種與馬來語近似的語言，統稱為南島語系。南島語系包括一千二百多種語言，四大語族：玻里尼西亞語、美拉尼西亞語、密克羅尼西亞、印尼語（馬來語）。關於南島語系的源頭，大多數學者認為來自臺灣，當然指的是臺灣原住民高山族的語言，不是漢語。

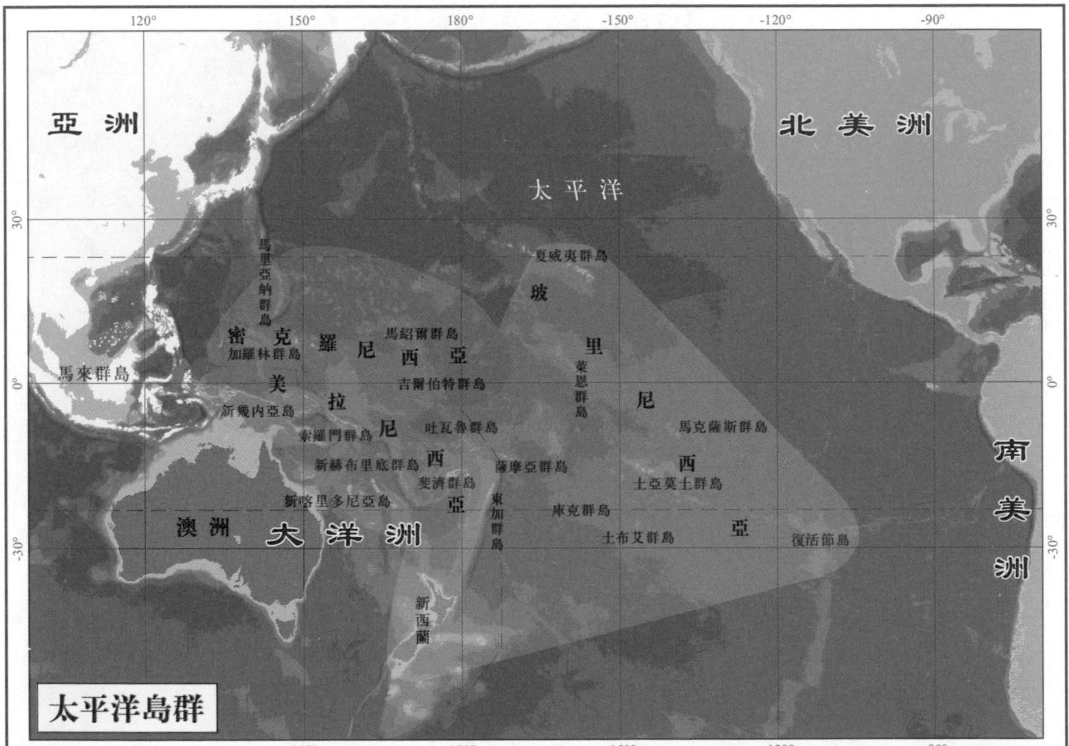

太平洋島群

紐西蘭雖然離澳洲很近，但他們的土著無論從外貌還是語言上完全不同。至於他們手上的金屬武器，應該是和馬來人的交易中得來，玻里尼西亞人本身不具備製造金屬工具的能力，還處於石器時代。

塔斯曼從紐西蘭北上，陸續發現東加群島、斐濟群島和索羅門群島的一些島嶼。在索羅門群島，他們用釘子換取土著人的椰子充饑。

一六四三年六月十五日，塔斯曼一行人回到巴達維亞。塔斯曼從澳洲大陸東部穿過，澳洲的範圍基本上可以確定，「南方大陸」並不大。

但東印度公司對塔斯曼這次探險仍不滿意，因為沒有發現金銀珠寶和香料。一六四四年一月，又派塔斯曼去「新荷蘭」探險。這次塔斯曼探索的成果有兩個：一是查清楚卡奔塔利亞灣是個海灣，而不是海峽；二是探明澳洲北部及西北部，一直到南回歸線的海岸線。雖然仍沒找到金銀、珠寶和香料，東印度公司的官員很失望，但仍授予塔斯曼指揮官的頭銜，以及巴達維亞司法委員會委員的身分。

荷蘭人最初占據巴達維亞的目的，一方面是想控制盛產香料的摩鹿加群島，另一方面就是瞄準中國，並將勢力侵入臺灣。

第十章

荷蘭用武力搶占臺灣？

今天的臺灣包括臺灣島、澎湖列島、金門島、馬祖，即常說的「臺澎金馬」，以及附近的蘭嶼、綠島、釣魚臺等附屬島嶼。但在古代，僅指臺灣島。

歷史上，臺灣有很多名字。春秋戰國時期稱為「島夷」；秦朝稱「瀛州」；三國時期稱「夷洲」；隋朝與唐朝時稱「流求」；宋朝時稱「流求」或「琉求」、「毗舍邪」（指屏東地區的少數民族）；元朝時名「琉求」或「瑠求」；明朝洪武年間稱「小琉球」。明朝中期以後民間對臺灣的稱呼很多，如「雞籠山」（指臺灣北部）、「北港」（臺灣西部沿海的統稱）、「大員」、「臺員」，而一五五八年明朝官方文書《明神宗實錄》稱臺灣為「東番」。鄭成功改稱「東都」，後鄭經改為「東寧」。清朝更名

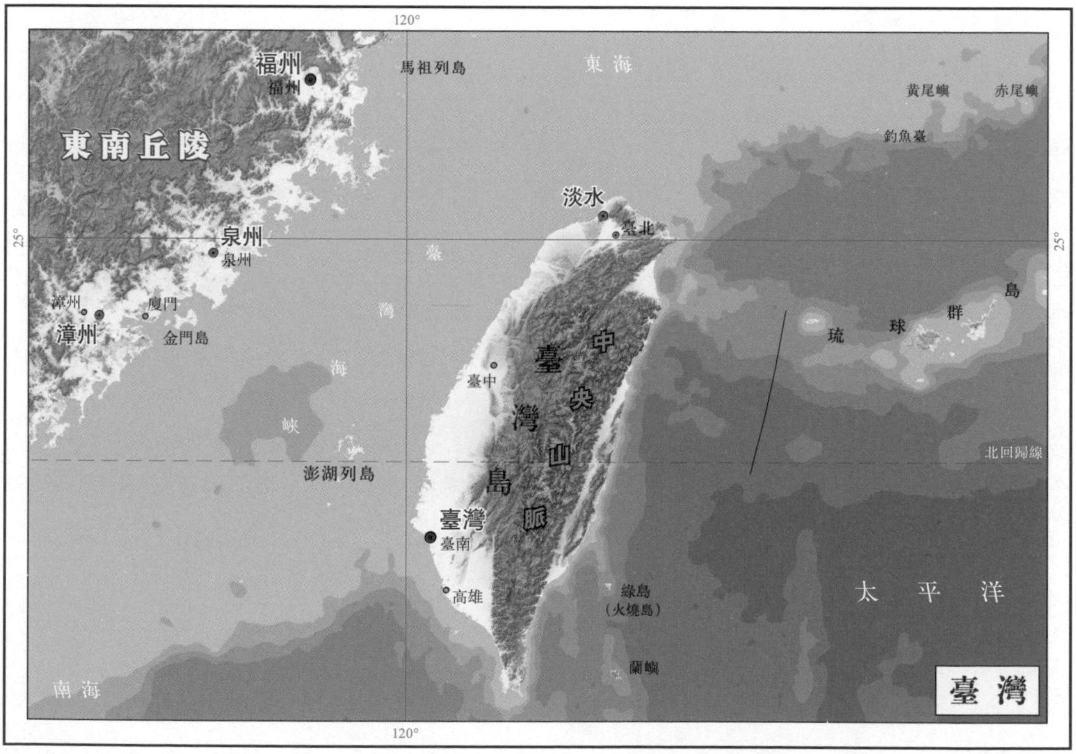

為「臺灣」，並設置臺灣府，隸屬於福建省，這是臺灣的正式定名。

遠古時期，臺灣島和中國大陸是連在一起的。後來地殼運動，才出現臺灣海峽，形成臺灣島，但在臺灣與中國大陸之間，仍然存在一條可以徒步通行的跨海通道，即所謂的「東山陸橋」。正是這時，一批跋山涉水的先民歷盡艱辛從中國大陸來到臺灣，原以為他們是這裡最早的居民，但後來的考古資料顯示，「長濱文化人」才是最早的臺灣人，很有可能是距今四萬年前，從非洲走出來的人向亞洲擴散，其中一部分沿著海路經由菲律賓、婆羅洲、東南亞等大陸邊緣遷徙，於距今約三萬年前來到臺灣東海岸。這裡暫不討論長濱文化人，先回到從東山陸橋過來的居民，這些人不是漢人，而是生活在閩、浙一帶的百越人。那時華夏族還是個雛形，生活在黃河一帶，還沒有進入南方。

秦始皇征服百越時，有大量越人避居海外，這個「海外」主要就是臺灣島。按照正常的邏輯，當臺灣島的人口足夠多時，為了拓展生存空間，會繼續向琉球群島擴散，成為那裡的先民。

順便說說琉球，不同於臺灣島屬於大陸島，琉球群島屬於火山島，火山島很容易形成天然良港，而琉球正好處於東北亞和東南亞之間，轉口貿易是其天然優勢，所以琉球開發得遠比臺灣早。早在宋朝時期，琉球人就建立了自己的政權。明朝時，琉球遣使納貢，受明朝皇帝冊封，成為中國的藩屬國。自此琉球開始以漢字為官方文字，且使用明朝年號，從制度和文化上全面學習中國。明朝滅亡後，琉球奉清朝為宗主國，使用清朝的年號，接受清朝皇帝的冊封。直到晚清，日本趁清朝自顧不暇，逐漸掌控琉球，直至廢棄琉球國號，改設沖繩縣，琉球國亡。

說回臺灣。

三國時期，孫權稱帝後，曾派衛溫、諸葛直率甲士萬人抵達臺灣，據《三國志》記載：「（黃龍）二年春正月，魏作合肥新城。詔立都講祭酒，以教學諸子。遣將軍衛溫、諸葛直將甲士萬人浮海求夷洲及亶洲。亶洲在海中，長老傳言秦始皇帝遣方士徐福將童男童女數千人入海，求蓬萊神山及仙藥，止此洲不還。世相承有數萬家，其上人民，時有至會稽貨布，會稽東縣人海行，亦有遭風流移至亶洲者。所在絕遠，卒不可得至，但得夷洲數千人還。」

黃龍是孫權稱帝的年號，黃龍二年即二三〇年。這一年，魏國建造合肥新城，讓東吳很難再兵臨城下。吳大帝孫權下詔，要設立都講祭酒的職位，教孩子們讀書。也是這一年，吳國派將軍衛溫和諸葛直乘浮海大船去尋找傳說中的夷洲和亶洲。出海的目的沒有明說，但下文特意解釋了亶洲，說是秦始皇尋找長生不老藥的所在，徐福曾帶數千童男童女出海，到了那裡後沒回來，世代繁衍，後代有幾萬戶。還說，從亶洲來的人有時會到會稽郡買布；會稽人出海時，也有隨風飄流到達亶洲的；亶洲很遠，無法輕易到達。

由此可見，孫權的主要目標是亶洲，目的和秦始皇一樣，尋找長生不老的仙藥，但秦始皇是暴君，吳大帝是明君，所以不能明說，只能含糊其辭。兩人帶著上萬兵甲沒找到亶洲，只到了夷洲，待了一年多，最後因水土不服，回來時只有幾千人，其中包括從夷洲帶回來的一些土著。最後，孫權因「違詔無功」而將二人誅殺。

亶洲在哪裡？普遍的觀點指日本。但日本當時很落後，沒有統一的政權，各個島上邦國、部族林立，所以亶洲具體指向哪裡不明確。

但夷洲的指向卻沒有什麼異議，就是臺灣島。同時期的丹陽太守沈瑩在《臨海水土志》中記載：

「夷洲在臨海郡東南，去郡二千里。土地無霜雪，草木不死。四面是山，眾山夷所居。山頂有越王射的，正白，乃是石也。此夷各號為王，分劃土地，人民各自別異，人皆髡頭，穿耳，女人不穿耳。作室居，種荊為蕃鄣。土地饒沃，既生五穀，又多魚肉。舅姑子父，男女臥息共一大床。交會之時，各不相避。能作細布，亦作斑文。布刻畫，其內有文章，好以為飾也。」

其他的都好理解，只有「山頂有越王射的，正白，乃是石也」比較難懂。「射的」就是射箭的箭靶，如果是畫布做的，就稱為「正」；如果是皮質的，就稱為「鵠」。這裡說山頂上越王的箭靶是白色的，但並非畫布做的，而是石頭。越王是指當地土著首領，當時東吳的轄區內還有很多尚未同化的越人（山越），沈瑩稱其首領為越王，更說明他們是古越人的一支。《臨海水土志》中還記載很多當地人的習俗，例如斷髮、紋身，春秋戰國時吳越人就有這種民俗，更說明他們之間有千絲萬縷的聯繫。

孫權雖然最終沒有找到長生不老藥，但從此拉近臺灣和中國的關係。此後，海峽兩岸的來往愈來愈多，但更多是民間來往，此後中原戰亂頻繁，很多人渡海來此謀生，這時來的就是漢人了。

漢人最先到達的是澎湖列島，宋、元時期才開始向臺灣島發展。到明、清時期，進入本島的漢人愈來愈多，朝廷在這裡設置官府。從這時開始，那些居住在平原地區的土著逐漸被漢化，而仍居住在深山的原住民，則保持原始民風。一九四五年抗日戰爭勝利後，政府對臺灣原住民進行民族劃分，把漢化的稱為平埔族，把仍在山地的稱為高山族。高山族其實是個統稱，包括泰雅、賽夏、布農、鄒族、魯凱、排灣、卑南、達悟、阿美等十幾個部族。這種籠統的稱呼源於不了解，現在臺灣基本上不用「高山族」這個稱呼，而稱為「原住民」。

也是從宋、元開始，官方才將澎湖列島納入管轄範圍，但對臺灣本島卻一直興趣缺缺，這又是為什麼呢？

首先不是技術問題，三國時孫權的軍隊能漂洋過海到達臺灣，航海技術已經不是問題。遠的不說，單說鄭和，最遠到過非洲，但在當時，大明政府沒有真正將臺灣島納入管轄範圍。從三國到明朝，中央政權對臺灣不是不了解，也不是不能納入版圖，而是不想。做為傳統的農耕民族，中國幾千年來在領地的拓展上，從黃河中游的一個小部落，發展到跨越幾萬里的大國，考慮的因素只有兩個，一是不是適合農耕，另一是不是有軍事價值。歸根結柢還是適不適合農耕，軍事上的考量也是為了保護農耕的安全。而臺灣島的地理和氣候，對農耕民族來說沒有吸引力。

整個臺灣島，絕大部分被山地覆蓋。這些山地，除了東部沿海的海岸山脈外，主體就是中央山脈，而中央山脈又可以細分為中央山、雪山、玉山、阿里山四條小山脈。山地占據東部，剩下的西部，北方以臺地和丘陵為主，南方才有平原，而平原地區大多處於熱帶（北回歸線以南）。中國傳統的農耕區位於溫帶，熱帶平原雖然可以種糧，但對於溫帶地區的農民來說，還是太熱了，疾病也多，很難吸引他們

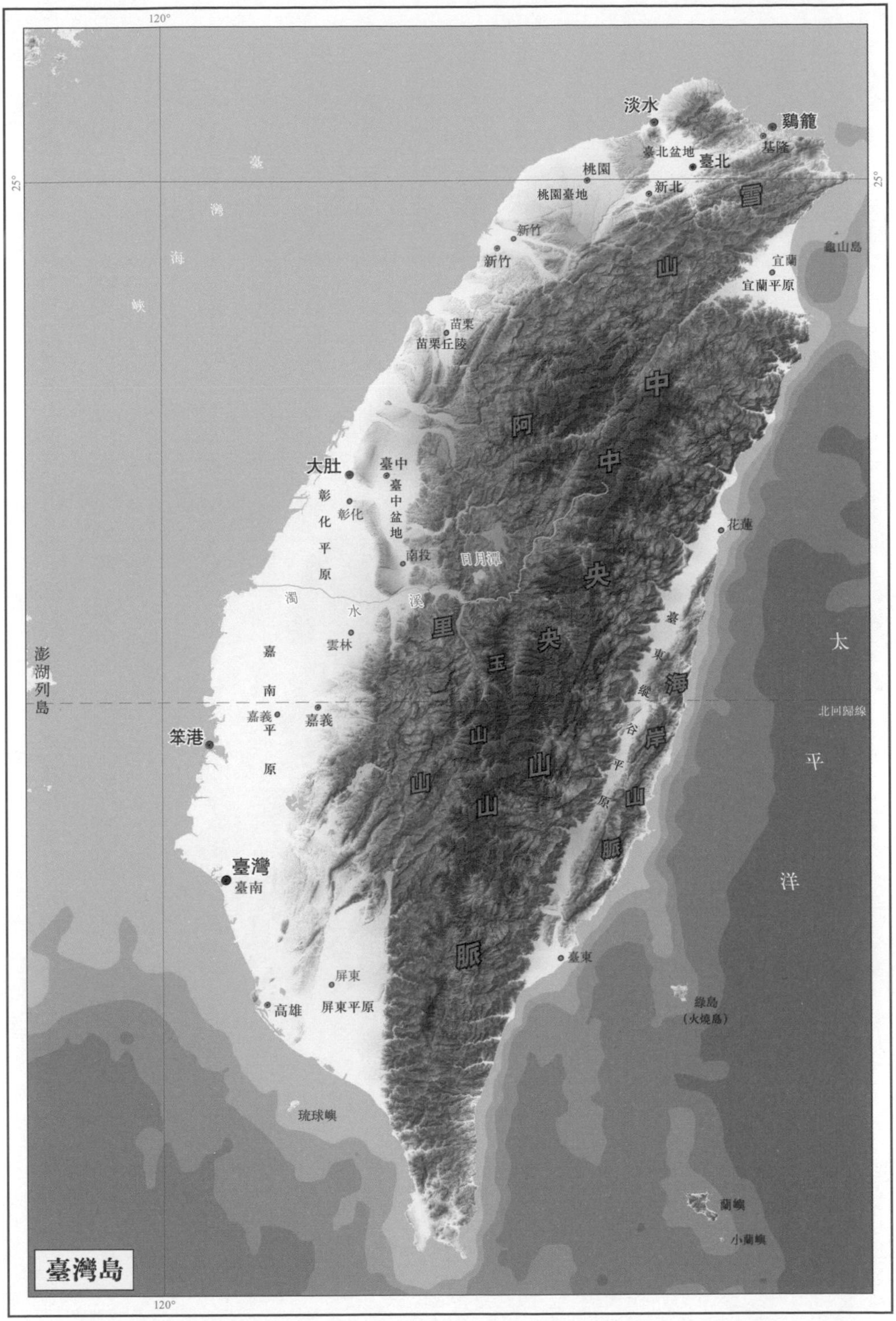

120°
25°
淡水
雞籠
臺北盆地
臺北
基隆
桃園
桃園臺地
新北
臺灣海峽
新竹
新竹
龜山島
宜蘭
宜蘭平原
雪山山脈
苗栗
苗栗丘陵
中央山脈
阿里山山脈
玉山山脈
海岸山脈
大肚
臺中
臺中盆地
彰化
彰化平原
南投
日月潭
濁水溪
花蓮
雲林
嘉南平原
澎湖列島
嘉義
嘉義
笨港
臺東縱谷平原
北回歸線
太平洋
臺灣
臺南
臺東
屏東
屏東平原
高雄
綠島
（火燒島）
琉球嶼
蘭嶼
小蘭嶼
臺灣島

到此開荒種地。中國的熱帶地區幾乎沒有平原，要嘛是深山，要嘛靠海，那裡的人不以耕種為生，而且清朝以前，東南丘陵地帶和沿海人口也少。長期以來，中國無論是官員還是百姓，居然都對這麼一個大島視若無睹，於是給了荷蘭人一個機會。

其實荷蘭人一開始的目標不是臺灣，而是葡萄牙人占據的澳門。此時西班牙還沒有正式承認荷蘭的獨立，而葡萄牙已經被西班牙吞併，西班牙鎮壓荷蘭人的經費很多來自葡萄牙的殖民地，所以打擊葡萄牙的殖民地，能有效緩解荷蘭國內來自西班牙的壓力。

當然，做為生意人，荷蘭人不想打仗，眼看葡萄牙人在澳門大發橫財，他們也想像葡萄牙人一樣，從明朝政府手裡租借一塊地做生意。和當年葡萄牙人碰到的問題一樣，明朝政府一概拒絕。與葡萄牙這種混入了柏柏爾人血統的歐洲人不同，荷蘭人算是比較純種的日耳曼人。南歐人黑髮居多，而日耳曼人金髮碧眼比例很高。當然，金髮碧眼也是概述，真正金黃色頭髮的人也不多，倒是偏黃棕或偏赤棕髮色的人比較多，中國人第一次見到這種怪異的髮色，不覺得美，稱他們為「紅毛」。又覺得他們不在朝貢國之列，不知道來自哪裡的蠻夷，所以稱為「紅毛夷」或「紅毛番」。就像葡萄牙人帶來的後裝加農炮被稱為「佛郎機炮」一樣，荷蘭人帶來的前裝加農炮自然就被稱為「紅夷大炮」。這種大炮的後膛呈紡錘形，能裝填更多火藥，因而能產生更大威力，後來被明軍大量仿製。清朝時，滿族人對「夷」字比較忌諱，於是改名為「紅衣大炮」。

明朝不肯租借，於是荷蘭人打算從葡萄牙人手中搶奪澳門。

一六〇一年，荷蘭人向澳門進攻，被葡萄牙擊退，還有數名荷蘭人被俘，隨後遭處死。

一六〇四年七月，不甘心的荷蘭人再次來到澳門。不巧的是，這時颳起颱風，把他們吹到澎湖列島。

荷蘭人一看澎湖列島也不錯，於是在這裡伐木造房，打算建個據點。但沒有想到的是，早在元朝時，中國就設立澎湖巡檢司，明朝繼承，中間雖然因為海禁政策一度廢除，但一五六三年（明嘉靖四十二年）已經恢復。也就是說，這裡是大明的地盤，不是什麼人想占就占的。當時駐守澎湖的將領沈有容，以集結在金門的武力做為後盾，逼退荷蘭艦隊。至今澎湖馬公鎮還存有刻著「沈有容諭退紅毛番韋麻郎等」的石碑，韋麻郎（Wybrand van Warwijck）是當時荷蘭艦隊的司令。

明朝看來不好惹，還是打葡萄牙人的主意吧！

一六二二年六月二十二日，荷蘭人再次從巴達維亞來到澳門。這次的艦隊由十二艘（其中兩艘是英國船）帆船組成，士兵有上千人，準備一舉拿下澳門。葡萄牙守軍只有五十人，加上城裡的居民才一百五十人，看來毫無懸念。結果雙方激戰三天，葡萄牙人一炮擊中荷蘭人的火藥桶，荷蘭人亂作一團，最終大敗。這一仗，荷蘭人約有一百三十名士兵陣亡，一百二十六名受傷，四十人被俘，可謂損失慘重。

看來葡萄牙人也不好對付，荷蘭人又想起了美麗的澎湖灣。於是他們不回巴達維亞了，拖著殘兵敗將直接來到澎湖列島。

荷蘭人一開始想走正規管道，請求地方政府開市貿易。但福建的官員比廣東的官員還保守，結果也是徒勞。於是他們強占澎湖島，封鎖漳州的出海口。就像歐洲人曾在非洲和美洲所做的那樣，任何從這裡過往的船隻都會受到攻擊。

他們還在島上建立要塞，打算永久居住。建要塞需要大量人力，他們用武力從中國沿海擄掠了大量人口來此當苦力。一六二三年，要塞宣告完成，近一千三百名從福建擄掠來的勞工因缺衣少食而死，剩下的數百人被送到巴達維亞當奴隸出售。這樣一來，福建地方官員再也不能無動於衷了。

同年，時任福建巡撫的南居益邀請荷蘭人到廈門談判。荷蘭人不知道這是「鴻門宴」，欣然前往，結果整個代表團全部被抓。明軍趁機燒毀沿海的荷蘭戰船。荷蘭人雖然只有九百多人，但依託在澎湖的要塞，沒有打算退卻。

一六二二年二月，南居益登臨金門，親自坐鎮。總兵俞諮皋、守備王夢熊率二百艘船、兵力一萬人出擊。荷蘭人的要塞其實是一座軍事城堡，這種城堡不同於中國古城那樣四面平整，呈五角形或六角形，敵人每攻其一角，就會進入另一角或兩角的射程範圍，非常利於防守。荷蘭本身是一片窪地，在軍事上沒有可利用的地形，於是發明了這種要塞戰法，讓敵人很難突破。

明朝方面，火器還是一百年前的佛郎機炮和鳥銃（火繩槍），而歐洲的火器一直改進，此時燧發槍已經問世，紅夷大炮也比佛郎機炮的射程遠、威力大。但荷蘭人只是一座孤城，食物和彈藥的補給都是問題。於是雙方形成了僵局：明朝水師仗著人多，將荷蘭人的要塞圍住，卻攻不下城堡；荷蘭人憑藉城堡堅守，卻無法突圍。

到了八月，雙方都撐不住了。首先是荷蘭這邊，沒有後勤支援，守城的人遲早餓死。而明朝這邊，動用的人員、船隻太多，曠日持久的圍城戰已經讓官府消耗了十七萬七千兩白銀。雙方都希望盡快結束這場戰爭，這需要一個居中調停的人，就是東南沿海的海盜頭子李旦。

李旦是泉州人，最早在菲律賓經商，後來與西班牙人不合，就去日本的九州，並定居，成為當地華僑領袖。在日本海盜的幫助下，李旦迅速崛起，成為中國大陸、臺灣、日本、東南亞一帶最大的海盜貿易集團頭子，據說德川家康統一日本時，就接受過李旦的資助。明朝政府請李旦出面調停正是看中他在各個勢力中的影響力。值得注意的是，當時李旦隨身還帶了一人，此人精通閩南語、南京官話、日語、荷蘭語、西班牙語、葡萄牙語。他的名字叫鄭芝龍，既是此行的翻譯，也是李旦的義子。

由李旦牽線搭橋，南居益和荷蘭人達成的結果是，讓他們去大員（今臺灣安平），那裡沒有朝廷派駐的官府，而且南居益還答應，明朝的商船可以到大員與荷蘭人進行交易，荷蘭人擔心的貨源（主要是生絲）問題也解決了。

大員，原指今臺南市安平區，是個海岸沙洲，後來泛指臺灣。就這樣，荷蘭人來到臺灣。明朝從這次海戰中看到紅夷大炮的威力，於是開始仿造。

此時的臺灣雖然沒有納入中央朝廷的管轄範圍，但並非是權力真空。十六世紀中期，就是葡萄牙進駐澳門時，臺灣原住民拍瀑拉族、巴布薩族、巴宰族和一部分洪雅族成立「跨族群準王國」，其實是個部落聯盟，共主稱為大肚王或大肚番王。領域包括今臺中縣、彰化縣和南投縣的一部分，就是臺西中部地區，這個王國直到清雍正時期才滅亡。

荷蘭人到臺灣一年後，李旦在日本平戶去世。他一直是荷蘭人的交易夥伴，沒有李旦，荷蘭拿不到中國的貨源，南居益的承諾顯然是緩兵之計，海禁政策不是一個地方官員能改動的。好在這時鄭芝龍漸漸崛起，於是荷蘭人轉而與鄭芝龍合作。

第十一章

從海盜變官軍——鄭芝龍的崛起

鄭芝龍出生於泉州南安，早年因生計艱難到澳門投靠舅父。舅父在澳門做生意，經常接觸葡萄牙人，鄭芝龍因此學會葡萄牙語。他還到過馬尼拉，為了方便做生意，加入天主教，和葡萄牙人、西班牙人打成一片。一六二三年，舅父派他去日本長崎，認識了李旦。此後，鄭芝龍便投靠在李旦門下，而後以父事之。憑著自身的能力，鄭芝龍很快獲得李旦的賞識，開始獨當一面。

當時李旦年事已高，處於半退隱狀態，鄭芝龍以華商首領的名義拜見前幕府將軍德川秀忠，獻上藥品。秀忠厚賞鄭芝龍，將他安排在長崎賓館。隨後，時任幕府將軍德川家光也召見了鄭芝龍，從此日本人對他刮目相看。

正是這時，有人介紹平戶藩家臣田川七左衛門的女兒田川松給他。

田川松嫁給鄭芝龍後，很快有了身孕，這個孩子就是鄭成功。鄭成功出生時，鄭芝龍不在身邊，他正和李旦幫荷蘭人向明朝政府談判。

同年，旅日僑領顏思齊不滿德川幕府的統治，密謀造反。德川幕府結束了日本的戰國時代，必然引起原諸多大小領主不滿，顏思齊雖然是華人，但在日本已被平戶當局任命為甲螺（頭目），也算是個小小的地方官，所以打算和日本人一起反抗德川家族。天啟四年農曆六月十五日（一六二四年七月二十九日，鄭芝龍去澎湖之前），顏思齊與楊天生、陳衷紀、鄭芝龍等二十八人結拜為兄弟，準備起事，眾人推舉顏思齊為盟主。結果事情敗露，顏思齊帶著大家分坐十三艘船倉皇出逃。到了九州西邊的洲仔尾，陳衷紀建議去琉球（臺灣），以此為基業，再圖將來。

天啟四年農曆八月二十三日（一六二四年十月五日，鄭芝龍已完成澎湖之戰的翻譯工作），顏思齊率眾抵達臺灣，在笨港（今北港）靠岸，率眾伐木，闢土築寨。與此同時，派楊天生到漳州、泉州一帶招募移民來拓荒，前後共計帶來三千多人。顏思齊將這些人分成十寨，發給銀兩和耕牛、農具，開荒種地。農耕從播種到產出畢竟需要時間，於是又組織人到海上捕魚，到山裡狩獵，以解決眼前的物資短缺問題。這當中，不可避免地會與當地土著發生衝突，顏思齊派人進行安撫，最終和土著商定疆界，互不侵擾。

顏思齊開始了臺灣最早的大規模墾荒活動，被人稱為「開臺王」。臺灣主要有三大族群：一種叫「原住民」，他們是百越人的後裔，語言為南島語系印尼語族；第二種叫「本省人」，就是從顏思齊開始，明、清時期移民臺灣的漢人，以福建人居多，說閩南語，還有一部分是客家人，是清朝康、乾時期從廣東移入，說客家話；第三種叫「外省人」，是一九四九年跟隨國民政府退守臺灣的軍隊和家屬（約二百萬人），他們來自中國各地，講國語。本省人占了絕大多數（共八四%，其中閩南人七〇%，客家人一四%），原住民最少（約二%到三%，因很多平埔族人被劃歸為漢人），外省人比例不多（一四%），但對臺灣現代的政治和文化產生了重大影響。

一六二五年十月，顏思齊因病去世，眾人推舉鄭芝龍為盟主，繼承顏思齊的事業。鄭芝龍開始招兵買馬，下設參謀、總監軍、督運監守、左右謀士等，建立初具規模的鄭氏地方統治政權。

同年，李旦去世，在臺灣的產業歸了鄭芝龍。

有了顏思齊在島上開拓的陸地產業，再加上李旦在海上的武裝貿易船隊，鄭芝龍想不發達都難，崛起是遲早的事，所以荷蘭人要找他合作。

幾乎同時，荷蘭人在大員開始對臺灣的開發。大員是漢人的音譯，因這裡居住著平埔族臺窩灣社（Teyowan）。平埔族是居住在平野地區的原住民，臺窩灣社是最早與外界聯繫的原住民，大陸沿海的漁民就用他們的族名代指地名，按閩南語，臺窩灣既可以翻譯成「大員」，也可以翻譯成「臺灣」，鄭成功占據後，就逐漸用「臺灣」取代「大員」這個名稱。

荷蘭人從澎湖退出後來到大員，在這裡修建城堡。一開始命名為「奧倫治城」，一六二七年改為「熱蘭遮城」。熱蘭是荷蘭的一個省名，也譯作澤蘭省。熱蘭遮城直到一六三二年才完成第一期工程，成為荷蘭人在臺灣的第一個據點。隨後，又在大員灣的東岸建造了普羅民遮城（赤崁城）。

如果看地圖就會發現，整個臺灣島東部都是山區，那裡生活著原始的土著人，以狩獵、採集為生，能開發的是西部不到三分之一的地方，而荷蘭人占據最好的一塊地方（今臺南），從這裡可以輻射到屏東平原和嘉南平原的南部；往上，就是鄭芝龍占據的笨港一帶；再往上，就是大肚國的勢力範圍。過了大肚國，就以臺地和丘陵為主了，不適宜開發。所以說，同樣是臺灣西部，南部比北部好。但自從荷蘭人在臺灣落腳，西班牙人就坐不住了，臺灣海峽控制著從日本和福建到馬尼拉的航線，如果任由荷蘭人在此發展，對馬尼拉的發展是個極大威脅。早在李旦去世之前，鄭芝龍就幫著荷蘭人截獲從閩、浙一帶駛往馬尼拉的商船，使馬尼拉的貿易遭受重創。於是西班牙人也把目光放在臺灣島上。既然南部被荷蘭人和鄭芝龍占據，只好往北尋找合適的地點了。

西班牙人找到的第一個據點是雞籠（後改為基隆）。一六二六年，他們在這裡發現一個港口，派軍侵占，並修建了一座城堡，名為「聖薩爾瓦多城」。兩年後，順著淡水河來到海邊，發現離大陸最近，是個建港口的絕好場所，於是又在這裡修建一座城堡，名為「聖多明哥城」。就這樣，西班牙人控制了臺灣島北部。

但北部的開發難度超出西班牙人的想像，南部氣候適宜，土地肥沃，多是平原，荷蘭人很容易從東南沿海招到大量漢人來種植開發。而北部多山地，漢人不願意去，基本上都是土著，這些人沒有受過文明洗禮，不管是用金錢還是武力，都很難馴服他們。退一步講，就算西班牙人沒打算在此開展種植業，僅維持一個普通港口的運轉，也需要修船的、做飯的、釀酒的、運送淡水的、搬運貨物的，甚至理髮的，僅是一些基本的服務業，土著都難以勝任。漢人不願意來，西班牙人的數量極其有限，所以，在北臺灣經營了十來年，發展仍是十分緩慢，對馬尼拉總督來說，這是一樁很不合算的買賣。

一六三七年，菲律賓總督下令拆除淡水的聖多明哥城。雞籠的港口條件較好，聖薩爾瓦多城是修在離岸不遠的和平島上，與陸地有一道海水做為屏障。而且和平島周邊不遠處，還有雞籠嶼，在雞籠嶼上修建炮臺，既可以做為雞籠港的前哨，還可以做為屏障。另外，淡水港在淡水的出海口，天長日久容易因泥沙堆積而擱淺，雞籠沒有這個困擾，這裡依山靠海，是天然的深水港。這樣的港口實在難得，西班牙人捨不得拆，只拆除了雞籠嶼上的一些防守堡壘，駐軍則縮減到一百多人。

荷蘭人得到這個消息後，認為將西班牙人趕出臺灣的時機已經成熟。一六四一年，荷蘭人重建淡水城，命名為「安東尼堡」，還招募漢人來此拓墾。因為漢人稱荷蘭人為「紅毛」，所以把這座新城稱為「紅毛城」。

一六四二年，荷蘭從巴達維亞派出增援部隊（雖然最終沒趕上），命大員的荷蘭人再次進攻雞籠。荷蘭派出的士兵有三百九十六人，還有一千名淡水原住民拿著弓箭助陣（雖然沒發揮什麼作用）。西班牙一百多人只抵抗六天就投降了，從此，西班牙人徹底撤出臺灣，菲律賓總督因此坐牢四年。

就這樣，荷蘭人在臺灣有了兩個據點，大員和淡水，雞籠暫時沒有外部勢力介入。但僅是據點而已，臺灣的實際控制權在鄭芝龍手上。

從一六二六年開始，鄭芝龍就以笨港為基地，在福建及廣東沿海劫掠，讓明朝水師疲於奔命又無可奈何，於是想到招安。鄭芝龍卻不為所動，縱橫臺灣，來去如風。一六二七年，鄭芝龍的武裝商船已有七百艘，無論是明朝官方，還是駐守臺灣的荷蘭人都望塵莫及。鄭芝龍雖身為海盜，但並非無惡不作。當時同安知縣寫給福建巡撫的信中說，鄭芝龍雖然到處劫掠，但對沿海百姓卻很好，不但不殺人，還經常救濟窮人，威望比官府還高，官府有什麼動靜，百姓都通風報信給鄭芝龍。

明朝朝廷意識到這支力量的可怕，起用蔡善繼任泉州巡海道，對鄭芝龍招撫。鄭芝龍率眾到泉州，見到蔡善繼。鄭芝龍的弟弟鄭芝虎、鄭芝豹認為朝廷沒有誠意，於是這次招安不了了之。

一六二八年，崇禎繼位。這一年閩南大旱，饑民甚眾。鄭芝龍在福建巡撫熊文燦的幫助下，再次招募漳州、泉州數萬災民到臺灣墾荒，每人給三兩白銀，三人給一頭牛。如果說顏思齊是開啟往臺灣移民的先河，鄭芝龍則是往臺灣大規模移民的開山始祖。

這次合作讓鄭芝龍感受到熊文燦的善意，年底熊文燦再度派人招撫時，鄭芝龍同意了。他給朝廷的承諾是「剪除夷寇，剿平諸盜」，為明朝朝廷守備海防。朝廷給他的頭銜是「海防游擊」、「五虎游擊將軍」。這時鄭芝龍的手下有三萬部眾，船千餘艘。名義上歸順朝廷，鄭芝龍吸取了汪直的教訓，始終沒有遠離自己的艦隊，牢牢把控舊部和勢力圍範。其實鄭芝龍的目的很簡單，就是想做海上貿易，打破明朝朝廷的海禁政策，招安前後所做的事沒變，只不過從此以後合法了，由海盜轉變成官軍。隨後，鄭芝龍就把大本營搬到泉州老家。

有了官方的金字招牌，鄭芝龍很快平定了李魁奇、鐘斌等其他海上武裝力量，聲望日隆。在這些戰鬥中，荷蘭人幫了鄭芝龍不少忙，但等他完全壟斷東亞海上貿易時，荷蘭人卻不高興了。

當年荷蘭人退出澎湖時，地方官員曾承諾，福建和大員之間可以直接貿易。荷蘭人顯然不了解中國國情，地方官員只是一時推諉，這種事情只有朝廷能作主。但荷蘭人卻當真了，在大員建立基地後，才發現他們的船隻只能停留在漳州灣的海上，不能靠港，如果想收貨，必須找人幫忙，其實就是走私。當然，荷蘭人也短暫地嘗過甜頭，就是許心素當福建把總時，他們能直接從官方拿到大量生絲，不需要經過民間二道販子。

許心素曾是李旦的拜把兄弟，當李旦在日本打拚時，許心素就在廈門（屬泉州府）一帶構建貨源網路，然後將李旦所需的絲綢等商品運到臺灣，再轉到李旦之手，許心素因此成為當時臺海貿易的大海商。荷蘭人從澎湖退往大員時，半信半疑，官府讓許心素當嚮導和人質，讓他帶著荷蘭人去大員。正是這次機會，讓許心素結識了荷蘭人，並建立信任關係。李旦死後，海上小海盜眾多，搶劫變得很隨意，航行不安全，許心素的生意一落千丈。

很多人可能不明白，李旦不也是海盜嗎？為什麼他在世時沒有搶劫？其實不是沒有搶劫，而是搶有搶的規矩。所謂盜亦有盜，像李旦這種大海盜，自身有一支武裝船隊，保護自己沒有問題，但一般小商販，養不起一支武裝艦隊，不如交點錢給李旦，插上李旦授權的旗子，一路上就沒人敢打劫了。這和官府收稅是同一個道理，你給我錢，我保證你的安全。對於不交錢的，當然可以打劫，打到他交錢為止，否則生意別做了。鄭芝龍後來也做同樣的事，他投降官府後，還是收稅，和以前收保護費沒什麼區別。從長遠來看，收保護費的效益比打劫更持久和穩定，試想，如果大海盜都靠打劫為生，就沒人敢做貿易了，最終無劫可打。這其實是一種維護貿易秩序的方式，打劫是涸澤而漁，收保護費是細水長流，有實力的海盜都會選擇後者。

李旦剛死時，鄭芝龍還沒有成長起來，海上群龍無首，一片混亂。為了保護自己的利益，許心素決定投身官府，以官府的力量保護自己。

成為官商後，許心素做為地方官府與荷蘭人的中間人，成為唯一獲得與荷蘭人貿易許可的商人。有了這塊金字招牌，許心素壟斷了荷蘭東印度公司與中國官方的全部生意，特別是生絲貿易。鄭芝龍崛起後，兩人成為競爭對手。不同於李旦把經營重心放在日本，鄭芝龍的重心在臺海兩岸，許心素壟斷大陸一端生絲的出口，鄭芝龍必除之而後快。許心素曾想聯合荷蘭人除掉鄭芝龍，荷蘭人不答應，於是雙方摩擦不斷。一六二八年，歸順朝廷前，鄭芝龍突然反擊，在廈門除掉許心素，完全壟斷臺海貿易。

為了和鄭芝龍搞好關係，荷蘭人還幫助他除掉李魁奇。但鄭芝龍對荷蘭人不像許心素那麼放在心上，荷蘭人能拿到多少貨完全看他的心情。其實不能怪鄭芝龍，他的業務範圍比許心素大得多，眼裡不僅是荷蘭人，就算有貨，也不能全給荷蘭人。荷蘭人卻不管這些，鄭芝龍給不了貨，他們就提出自由貿易的要求，這更不是鄭芝龍能決定的，他的官位僅是廈門游擊，國與國之間的貿易別說他不能決定，就連提建議的資格都沒有。

一六三〇年（崇禎三年）四月，新任福建巡撫鄒維璉對鄭芝龍無視禁海令的貿易行為很不滿，於是發布禁令：只許持有許可證的福建人下海，不許外國人到福建貿易。禁令發布後，第二年發放的許可證只有六張，大員的貿易頓時陷於停頓。

荷蘭人終於失去耐心，巴達維亞的決策者決定以武力逼迫中國答應他們的要求，戰爭一觸即發。

第十二章

鄭芝龍火燒荷蘭戰船——崇禎明荷海戰

明朝與荷蘭的戰爭發生在金門島附近海域，稱為崇禎明荷海戰。具體地點是金門島南部的料羅灣，因此又稱明荷料羅灣海戰。戰爭的主角是中國和荷蘭，鄭芝龍已經歸順明朝朝廷，代表明朝官軍，荷蘭方是東印度公司。東印度公司不是普通的公司，具有國家職能，可以自建軍隊、發行貨幣、與他國簽訂條約，實際上代表的是荷蘭政府。這場戰爭是國與國的戰爭，不是民間糾紛。

一六三三年（崇禎六年）六月二日，六艘荷蘭戰船從巴達維亞啟航，乘東南季風往中國進發，沿途不停有各地巡邏船加入。他們一路劫掠來到中國，與新任大員長官漢斯・普特曼斯（Hans Putmans）的艦隊在南澳會合。

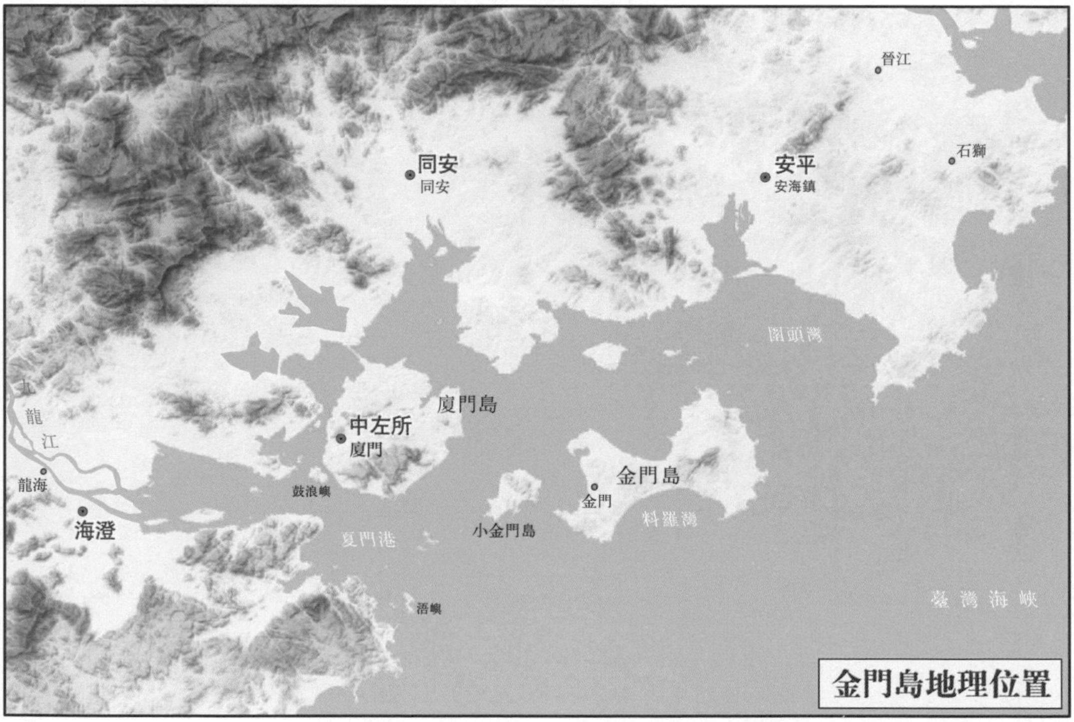

金門島地理位置

七月十二日，普特曼斯帶著荷蘭艦隊進入廈門港。廈門守軍毫無防備，當時港內停泊著幾十艘明朝朝廷和鄭芝龍的待修船隻。廈門守將張永產正在泉州操辦器械，鄭芝龍也忙著在寧德一帶剿匪。荷蘭人擊沉港內三十來艘大船和二十多艘小船。廈門的商人一時傻住了，傍晚才跑到荷蘭人的船上問怎麼回事。

荷蘭人開始在廈門一帶劫掠。除了搶奪食物外，還迫使廈門、金門、烈嶼（小金門島）、鼓浪嶼和附近的村落每週提供二十五隻豬、一百隻雞、二十五頭牛。隨後，他們封鎖附近的航道，威脅明朝朝廷開放貿易。

七月十四日，鄭芝龍得到消息後，寫了一封信給荷蘭人，要求釋放扣留的中國商人，並說明攻擊的原因。荷蘭人毫不理會，繼續在浯嶼一帶劫掠，連過往船隻也不放過。

七月二十四日，鄭芝龍派代表前往荷蘭艦隊，說只要荷蘭人撤回大員，他可以派商船到大員和荷蘭人貿易。二十六日，荷蘭人回覆了，提出的要求是：明朝立即停止和西班牙、葡萄牙等國的貿易，只能與荷蘭人貿易，否則將再度開戰。明朝的回覆是：荷蘭人先賠償戰爭損失，退回大員，才有談判的可能。

這種皮球踢來踢去，最終毫無結果，於是荷蘭人再度進攻廈門。這一回明朝不再毫無準備，游擊張永產和同安知縣熊汝霖迎擊，荷軍敗退，十餘名荷蘭士兵被殺。明軍乘勝追擊，到了深海，因風向不利就回來了。敗退的荷蘭人在海上游弋了二十多天，不敢再攻夏門，於是來到料羅灣，臨近海澄縣境。海澄知縣梁兆陽率兵夜渡浯嶼，攻破荷蘭艦隊，焚小船三艘，獲大船五艘。

荷蘭人沒想到連敗兩場，於是找了兩個盟友：一個是劉香，一個是李國助。劉香原是鄭芝龍的結拜兄弟，因拒絕降明與鄭芝龍決裂；李國助是李旦的兒子，因鄭芝龍侵占李旦在臺灣的資產而結仇。普特曼斯開給兩位海盜頭子的條件是：荷蘭人的大員、巴達維亞及其他要塞，他們可以在那裡停靠，自由貿易。兩人欣然應允，湊了五十艘船前來助陣。

荷蘭人信心十足，二十九日正式向大明遞交宣戰書，其中的要求有：

一、在漳州河（今九龍江）、安平、大員、巴達維亞自由貿易的權利；

二、在鼓浪嶼建立貿易據點；

三、可派遣代表至中國沿海城市收購商品，船隻能在福建沿海自由停泊；

四、不准任何中國船隻前往馬尼拉；

五、荷蘭人在中國享有與中國人同等的法律權利。

別說五條，就是其中任何一條，明朝朝廷都不會答應，反倒是利用這個機會積極備戰。八月三日，明軍開始動員，鄭芝龍更動用江湖規矩，在朝廷的賞賜外，另加賞格：凡參戰者每人賞銀二兩；若戰事延長，再額外加五兩；燒掉一艘荷蘭船隻賞銀二百兩；取得一個荷蘭人頭賞銀五十兩。當時七品官的月俸不過五兩，殺掉一個荷蘭人的賞賜相當於七品官一年的俸祿，可見這個賞格之高。荷蘭人聽到這個消息後，心驚膽戰。

此後，雙方集結兵力，互尋戰機，摩擦不斷，各有勝負。

十月二十二日黎明，明軍得到可靠消息，荷蘭人和劉香的聯合艦隊主力正停留在金門島南部的料羅灣，於是率主力悄悄進入。

開戰之前，先來了解雙方的軍力。

首先是荷蘭，有十三艘軍艦，其中十二艘是蓋倫船，一艘中國式帆船（西方人稱戎克船）。蓋倫船擁有兩層或多層甲板，排水量在一千噸左右，每船裝有二十～三十門加農炮（紅夷大炮）。

劉香的五十艘海盜船都是老舊中國式帆船，具體火力情況不明，但擁有十幾門紅夷大炮。

明軍方面，全是中國式帆船，總數一百五十艘，數量上絕對占優勢。船隻大小不一，其中一百艘為明朝海軍原有船隻，普遍較小，戰鬥力弱。剩下的五十艘是鄭芝龍當海盜時的戰艦，作戰能力較強，火力配備是：佛郎機六座，碗口銃三個、噴筒六十個、鳥嘴銃十個、煙罐一百個、弩箭五百支、粗火藥四百斤。

佛郎機的射程和精準度遠不及紅夷大炮，鄭芝龍想在船上加裝紅夷大炮，但因中國式帆船結構限制，只能在船頭和船尾各裝一門。但船頭和船尾不能同時朝一個方向作戰，五十艘船就相當於五十門炮（紅夷大炮），與荷蘭的二百多門側舷炮比還是差得遠。

在火力上，明朝不占優勢，但在數量上，占有絕對優勢。

戰術方面，荷蘭採用歐洲人常用的方式，將戰艦拉成一條縱線，依靠側舷炮的威力，繞著圈打擊敵人。而明朝方面，還是傳統作戰先將戰船與敵船靠近，然後跳上甲板，以肉搏取勝。葡萄牙人與印度、阿拉伯聯軍作戰時，因為阿拉伯船矮小，即使靠近也爬不上敵人的甲板，導致大敗。鄭芝龍長年和歐洲人打交道，船隻不斷改進，船體不小，不存在這個問題。但西班牙無敵艦隊與英國人作戰時，用的也是肉搏戰，但英國船隻根本不讓西班牙船靠近，靠著側舷炮大敗無敵艦隊。明朝方面要取勝，硬拚肯定行不通，必須採取策略。

戰鬥一開始，荷蘭人果然擺出一字長蛇陣，劉香的五十艘海盜船四散成圓圈，將荷蘭船護在其中。這時，如果鄭芝龍的明軍強行進攻，就會遇到劉香海

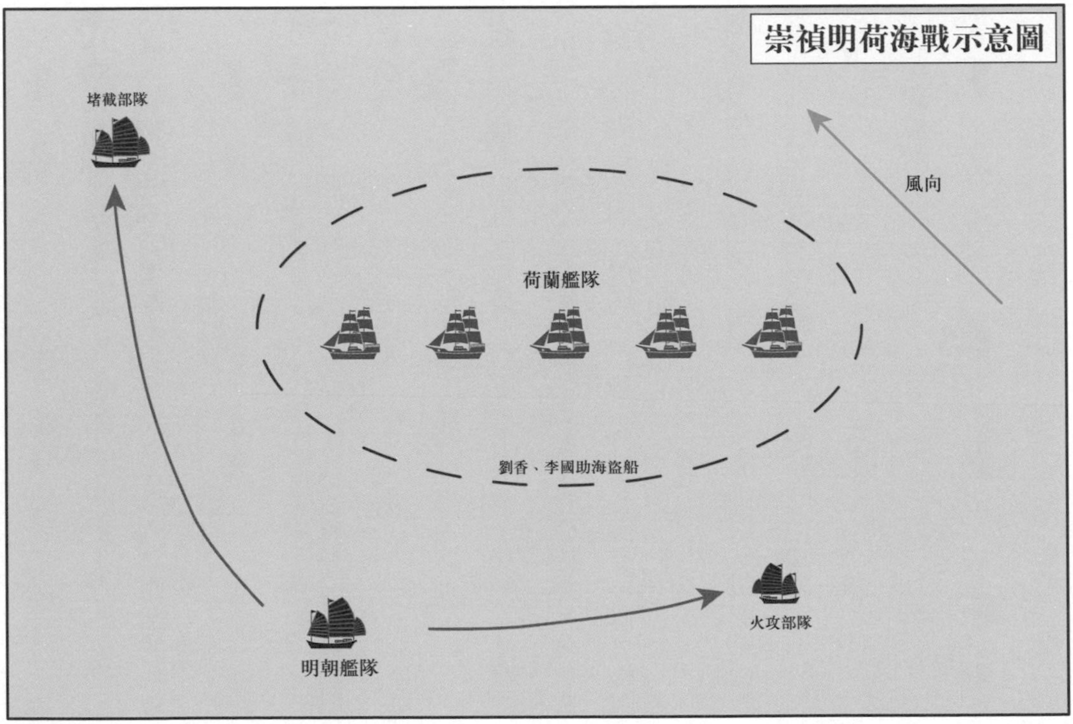

盜船的阻擊，同時遭受荷蘭戰艦紅夷大炮的遠端打擊，結果可想而知。

鄭芝龍可沒有那麼簡單，採用中西結合的戰術。他知道問題關鍵在荷蘭的十二艘蓋倫船，劉香不過是見利起意，完全不用放在心上。他早有準備，將一百艘小船改造成火船，另外五十艘加裝紅夷大炮，與荷蘭人周旋。

十月分（農曆九月），正是東南風盛行的季節。看到東南風，是不是想到赤壁之戰？是不是想到火攻？沒錯，鄭芝龍也是這麼想的。

傍晚，明軍開始進攻，鄭芝龍立即兵分兩路：一百艘火船搶占上風口從正面突擊，只留一部分戰船與劉香的海盜船糾纏，其餘的穿過劉香防線，迅速向荷蘭船靠近，借風放火；另一路是鄭芝龍的主力戰艦，順著東南風，藉著夜色，繞到荷蘭艦隊的側後方，用火炮攻擊荷蘭艦隊，荷蘭艦隊的側舷對著南方和北方，這個位置不會遭到荷蘭人的炮火攻擊。

荷蘭人從沒見過這種打法，一時顧此失彼，陣形大亂。沒多久，荷蘭艦隊的一艘蓋倫船被點燃，隨後沉沒。接著，另一艘被擊沉。鄭芝龍一看時機已到，留了一支小分隊攔截逃跑的敵船，其餘的戰船一擁而上，與敵人短兵相接。劉香、李國助一看荷蘭人不行了，立即逃離戰場。

戰鬥的結果是，荷蘭人除了四艘戰船逃離外，其餘全部被摧毀，一百人被俘。明朝最終取得勝利，但也付出了八十六人戰死、一百三十二人負傷的代價。

崇禎明荷海戰後，往返於東亞海洋的商船都掛鄭氏令旗，交保護費。鄭芝龍一時成為東亞海域的王者，通商範圍遍及大泥（馬來半島上一個城邦古國）、浡泥（加里曼丹島北部汶萊一帶的古國）、占城、呂宋、笨港、北港、大員、平戶、長崎、孟買、萬丹（位於爪哇島最西部）、舊港、巴達維亞、麻六甲、柬埔寨、暹羅。手下的兵力有漢人、日本人、朝鮮人、馬來人、臺灣原住民、非洲黑人等各色人種，共計二十萬，大小船隻三千多艘。

有了鄭芝龍的保駕護航和優厚條件，更多福建移民開始湧入臺灣。此時的福建移民基本上覆蓋了臺灣全島，僅大員的漢人就有好幾萬人。

一六四四年，中國政局發生巨變。李自成攻入北京，崇禎帝自縊煤山，吳三桂引清兵入關。一時城頭變幻大王旗，江山易主。清軍占領北京後，南京（明應天府，清江寧府）的文武大臣擁立福王朱由崧稱帝，改元弘光。史稱南明，此時南明還占有淮河以南的半壁江山。同年，弘光帝冊封鄭芝龍為南安伯、福建總鎮，負責福建全省的抗清軍務。但很快，清軍南下，攻破江南門戶揚州。不久後南京陷落，弘光帝被俘。第二年，鄭芝龍、鄭鴻逵兄弟在福州奉唐王朱聿鍵為帝，改元隆武，鄭芝龍被冊封為南安侯。隆武帝一改弘光帝「聯虜平寇」的方針，採取「聯寇抗清」的策略。這裡的「寇」指的是李自成、張獻忠領導的農民起義軍。事實上，這一政策絕非權宜之計那麼簡單，張獻忠的乾兒子李定國最終成為抗清的中流砥柱，就是這一政策產生的作用。

占領南京後，清軍繼續南下。一六四六年（清順治三年，隆武二年）六月，浙江魯王兵敗，逃亡海上。隨後，清軍兵分兩路由仙霞關、分水關進軍福建。鎮守仙霞關的鄭鴻逵聞風而逃，清兵占據仙霞嶺，隆武帝逃往汀州，後被俘，絕食而死。九月十九日，清軍占領福州。隨即向鄭芝龍招安，承諾讓他當閩粵總督。

做為海盜出身的鄭芝龍，骨子裡其實是個商人。商人做任何決定前，都是從利益出發。之前做海盜，賺得盆滿缽滿，但與投降明朝朝廷之後相比，只是九牛一毛。從這件事上，鄭芝龍體會到依靠官府的好處。另一方面，做為明朝招安的海盜，朝廷一開始沒有重用鄭芝龍的意思，只是剿滅不成才改變的折衷政策，目的是讓鄭芝龍和其他海盜黑吃黑，只是沒想到鄭芝龍愈吃愈大，還替朝廷打敗荷蘭人。而鄭芝龍呢？本意是利用官方的招牌賺更多錢，擴充自己的實力。本質上說，鄭芝龍投降明朝朝廷只是一種交易，並無忠心可言。清廷遞來招降書時，鄭芝龍就簽應了。在鄭芝龍的眼裡，明朝朝廷也好，清朝朝廷也罷，只要不妨礙他做生意賺錢就行。但他忘了自己擁立過隆武帝，這在政治上是一個大忌。

鄭成功的政治覺悟顯然比他父親高，他死命勸阻鄭芝龍別隨清軍北上。鄭芝龍不聽，鄭成功就說：

「若父親一去不回，孩兒將來自當為父報仇！」

第十三章

鄭成功犯的三個致命錯誤

鄭成功原名鄭森，日本人田川氏所生。田川松生下鄭森後一直待在日本，直到鄭森六歲，鄭芝龍被明朝朝廷招安後，母子倆才被接回泉州府安平鎮（今晉江市安海鎮），鄭森就在此讀書、應試，接受傳統的中國教育。

一六四五年，鄭芝龍把兒子引薦給隆武帝。一是對鄭森才華的欣賞，二是對鄭芝龍擁立的感激，隆武帝把當朝最尊貴的「朱」姓賜給鄭森，並把他的名字改為成功。從此，鄭森成了朱成功。朱是國姓，人們稱他為「國姓爺」。因為習慣，我們還是稱他為鄭成功吧！

一六四六年，鄭成功開始領兵，多次奉隆武帝之命在閩、贛一帶與清軍作戰，很受隆武帝器重。但他權力不大，領兵數量有限，真正大權掌握在鄭芝龍手上。事實上，仙霞關的守將施福（又名施天福，是施琅的同族叔叔）棄關而逃，就是鄭芝龍的授意。

鄭芝龍投降後，鄭成功勸阻不成，只好帶著部分士兵出走金門。鄭芝龍帶著其他幾個兒子到了福州後，被脅迫北上，清軍趁機出兵攻打鄭芝龍的故鄉南安。戰亂中，母親田川氏自縊身亡，鄭成功由此更加堅定抗清的決心。

隆武帝死後，桂王朱由榔在肇慶稱帝，改元永曆，並與大西軍餘部聯合，在西南一帶抗清。與此同時，鄭成功在東南沿海招兵買馬，收編鄭芝龍的舊部。一六四七年一月，他在小金門以「忠孝伯招討大將軍罪臣國姓」之名誓師反清。這一東一西，搞得清軍顧此失彼，反清活動一時進入高潮。

但對鄭成功來說，剛開始的反清活動並不順利。一六四七年，先攻打海澄縣失敗，後攻打泉州府，又失敗。

一六四八年，鄭成功一舉攻克同安。五月，圍攻泉州。七月，清軍以圍魏救趙計策，直接攻擊同安。同安守軍不敵，泉州援軍已到，鄭成功只好班師，退兵海上。同年，江西總兵起兵反清，廣東提督投誠永曆，反清聲勢一時大漲。但這幾股反清勢力都是各自為政，彼此沒有協同，於是清軍各個擊破。不久，江西和廣東的反清勢力都被打壓下去。

鄭成功看出問題所在，一六四九年奉永曆帝為正統。永曆帝隨即冊封他為延平王（郡王），從此亦有人稱他為「鄭延平」。這時的永曆帝名義上控制了雲南、貴州、廣東、廣西、湖南、江西、四川七省，還包括北方山西、陝西、甘肅三省一部分，再加上福建和浙江兩省的沿海島嶼，幾乎占據半壁江山。但實際上，真正有決心且有實力抗清的，就是西南的李定國和東南的鄭成功。

但這時的鄭成功實力還很不足，雖然能招回很多父親的舊部，但沒有一塊穩定的根據地，在福建的幾次戰鬥中，城池得而復失，最終沒有占據一城一府，於是他把目光放到離此不遠的潮州。潮州附近有塊小平原，可以產糧，而且山地環抱，比較好防守，可以做為根基。

一六五〇年六月，鄭成功進抵潮州府。潮州守將郝尚久原本打出反清的旗號，但實際上想擁兵自立，不但拒絕和鄭成功合作，還襲擊過鄭成功的手下施琅、鄭鴻逵等部。這次鄭成功兵臨潮州，揭陽、普寧、惠來等縣都已拿下，郝尚久退入府城堅守。不久，清軍攻入廣東，郝尚久再次降清，引清兵入潮州城一同抵抗。鄭成功圍城三月不克，士氣低落，糧草又不濟，只好退兵回閩南。

廈門其實更適合做為根據地，但廈門的實權掌握在族叔（一說族兄）鄭彩和鄭聯的手裡。鄭成功只是個二十六歲的後輩，早在他入仕之前，鄭家的產業就被同族的長輩們瓜分了。當年唐王在福建稱帝（隆武帝）時，魯王也在紹興監國，與隆武帝爭位。清廷占領南京後，入浙江，魯王逃亡海上，後至周山。隆武帝死後，鄭彩、鄭聯迎魯王到廈門，實際上是想學當年鄭芝龍擁立隆武帝一樣。但鄭成功一直忠於隆武帝，不接受魯王。這次取潮州不成，施琅獻計，可以趁機除掉二人，奪取廈門。於是鄭成功趁鄭彩離開廈門之際，前往拜訪鄭聯，藉機殺了鄭聯。鄭彩得知弟弟的死訊，又走投無路，回到廈門就交出兵權了。

鄭成功不但收編了鄭彩、鄭聯的大部分軍隊，而且有了廈門和金門做為根據地。同時，容納魯王在金門養老。魯王直到四年後才戀戀不捨地取消監國身分，終老於金門。

同年十一月，清平南王尚可喜、靖南王耿繼茂率數萬鐵騎攻入廣州，身在肇慶的永曆帝急召鄭成功南下勤王。鄭成功留叔父鄭芝莞留守廈門，十二月進抵廣東揭陽，與鄭鴻逵會合。鄭鴻逵是鄭成功的四叔，兩年前占據揭陽就駐紮在此，他在鄭芝龍投降清廷時幫助鄭成功逃離廈門。兩人一番商量，還是擔心廈門的防務，決定讓鄭鴻逵移師廈門協防，鄭成功繼續南下。

一六五一年正月，鄭成功抵達南澳。二月，艦隊在鹽州港附近遭遇暴風雨，鄭成功的旗艦險些解體，船上所有器物丟失一空。直到第二天下午，風雨才漸歇，鄭成功回到岸邊與主艦隊會合。三月，艦隊抵達廣東大星所（今惠東）。

不出所料，清軍得知鄭成功主力南下後，趁虛攻擊廈門。鄭芝莞未戰先怯，載滿金銀財寶逃亡。清軍輕鬆占領廈門，將鄭家劫掠一空。鄭成功的妻子董夫人和長子鄭經，慌亂之中只帶著祖宗牌位逃難於海上。清軍占領廈門，卻沒打算長駐，而是滿載戰利品返回陸地，正好趕上鄭鴻逵回防。鄭鴻逵將清軍圍困在海上，清軍拿鄭芝龍和他母親的性命威脅，鄭鴻逵只好放了他們。

鄭成功得知廈門的消息後，原本堅持南下勤王，無奈將士們因家鄉遭劫，歸心似箭，只好班師。回到廈門後，鄭成功將鄭芝莞斬首，放走清軍的鄭鴻逵被迫交出兵權，從此不再過問政事。

同年，施琅擅自處決鄭家舊部曾德，鄭成功拘捕施琅、他的父親和弟弟。結果施琅伺機跑回大陸，那裡是清廷的管轄範圍，鄭成功怒不可遏，處死了施琅的父親和弟弟。從此施琅對鄭家懷恨在心，一心投靠清廷。

接下來兩、三年，是鄭成功和清廷在廈門沿海的拉鋸戰。一六五一年下半年，鄭成功在小盈嶺、海澄一帶，攻克平和、漳浦、詔安、南靖等地。年底，定西候張名振等人來投靠。一六五二年正月，澄海投降。二月，攻占長泰，隨即圍攻漳州。漳州府的府城比一般縣城堅固，久攻不下。清軍使圍魏救趙之計，募集百艘戰船攻廈門。鄭成功派水師迎擊，大勝。九月，漳州仍未破，城中彈盡糧絕，餓死者不計其數，但仍負隅頑抗。清軍萬人大軍已到泉州府，鄭成功解漳州之圍以待敵軍，結果伏擊不成，反遭大敗。鄭成功退守廈門，保海澄，清軍趁機收復南靖、漳浦、平和、詔安四縣。一六五三年，清軍進犯海澄，以火炮開路，鄭軍損失慘重。五月，鄭成功得知清軍火藥不繼，於是誘敵深入，突襲致勝，海澄保全。

清廷沒想到鄭成功這麼難打，提議招降，封鄭成功為「海澄公」。鄭成功沒有接受封號，但藉議和的時機休整，同時籌措糧餉。年底，順治帝再度敕封，承諾把泉州府給鄭成功安置部屬，但他沒有接受。

一六五四年，投降過來的張名振見清軍兵力集中在福建，江蘇、浙江等地的防務必然空虛，於是向鄭成功請兵，率百艘戰艦北上，圖謀江南。張名振先沿海路到長江口，然後逆長江而上，一直打到金山寺，威逼南京城。可惜糧草不濟，只好回師。這次遠征雖沒成功，卻提供了一種思路給鄭成功，清軍在陸地上驍勇善戰，但在水上的戰鬥力卻不行。

二月，清廷再遣使與鄭成功議和，承諾把興化、泉州、漳州、潮州四個府的地方給鄭成功，他卻說兵馬太多，沒有幾個省放不下。明顯是拒絕，但清廷仍不死心，八月再派使者來商議，使團裡包括鄭成功的親弟弟鄭渡和鄭蔭。明顯是提醒鄭成功，別忘了他們手裡有人質。鄭成功說，清朝沒有誠意，只要他一天不受詔，父親在朝中反而榮耀一天。

同年，遠在大西南的李定國終於與鄭成功取得聯繫，希望從東、西兩個方向合力進攻廣東，將南明的勢力連成一片。此時廣東大部分已經被清廷占據，永曆帝被孫可望劫持到貴州，李定國正在反攻廣東，已經收復廉州（合浦）、雷州（海康）、高州，和鄭成功約定合力攻打廣州，再平定全廣。鄭成功派林察、周瑞領軍西進，但因故錯過約定日期，結果李定國孤軍奮戰，雖收復了肇慶，卻在廣州城外大敗而回。

還是這一年，漳州協守劉國軒向鄭成功投降，引鄭軍進入漳州府城，總鎮張世耀見大勢已去，只好投降。至此，鄭成功終於得了一個府城，隨即分兵進擊，拿下了同安、南安、惠安、安溪、永春、德化等縣。

一六五五年，因永曆帝與鄭成功相隔太遠，中間的廣東又被清廷占據，消息難通，於是特准鄭成功設置六官及察言、承宣、審理等官，方便施政；同時允許他委任官職，武官可達一品，文職可達六部主事。雖然如此，鄭成功每次拜封官員，都請寧靖王朱術桂等明朝宗室在旁觀禮，以示尊重。同時，鄭成功還將廈門（當時稱中左所）改名「思明州」，以示對明朝的忠心。

九月，清定遠大將軍、鄭親王世子愛新覺羅・濟度率三萬大軍入閩，會同駐閩清軍，準備進攻廈門。鄭成功一面鞏固廈門、金門的防務，一面分兵騷擾敵人後方：一路北上浙江，一路南下廣東。清軍頭尾受敵，一時難以集中軍力。一六五六年四月，濟度終於集結妥當各路水師，準備進攻廈門。鄭成功早有準備，在圍頭灣給予清軍迎頭痛擊，清軍大敗而歸。

李定國回雲貴後，把永曆帝接到昆明，禮遇有加。孫可望懷恨在心，投降於清廷，並獻出西南地區的地圖，將大西軍的布防全告訴清軍，於是清軍大舉進攻貴州，李定國大敗。鄭成功看到戰機，聯絡浙東的張煌言，大舉北伐。

兩人的分工是：張煌言走陸路，攻取清軍的府縣；鄭成功走水陸，從長江打到南京。一六五八年六月，張煌言等人開始攻打溫州府下的里安縣。鄭成功在溫州地區徵集糧草後隨即北上。清廷一面加強浙江防務，一面從河南、江西、山西、山東抽調兵馬馳援。

八月初九，鄭成功艦隊由舟山進抵洋山（今大洋山），突然遭遇一場暴風雨。鄭成功的六位妃嬪和第二、第三、第五個兒子都被淹死，兵將、船隻、器械損失巨大。軍中的北方士兵被這場暴風雨嚇壞了，紛紛逃走。

鄭成功回師舟山，稍作休整，由於島上太荒蕪，隨即南下。一面在途中攻克臺州、海門衛、黃岩縣、磐石衛、樂清縣等浙江沿海要地，一面整頓隊伍，製造器械，修補船艦，籌集糧餉，準備明年再戰。

一六五九年二月，鄭成功基本上完成了戰前的布署，於是召各路人馬到磐石衛聽令。

這一次，鄭成功改變策略，先集中兵力和張煌言一起，猛攻定海城，一為解除北伐的後顧之憂，二為給清軍製造一個假象，吸引江蘇和浙江的清軍來援。

四月底，聯軍奪下定海城，焚毀清軍水師戰船一百多艘。五月十九日，鄭成功艦隊抵達吳淞口，派人祕密聯絡清朝蘇松提督馬逢知，相約出兵；馬逢知卻按兵不動，心懷觀望。六月初一，鄭軍進至江陰，鄭成功接受諸將建議，以縣小不攻，繼續西進。十六日進攻長江上著名的渡口瓜洲（今揚州市邗江區），破敵數千，截斷清軍用鐵鍊和船隻連接的鎖江防線「滾江龍」，焚毀浮營三座，奪大炮數十門。至此，清軍苦心經營的長江防禦工事全部瓦解，瓜洲攻克。

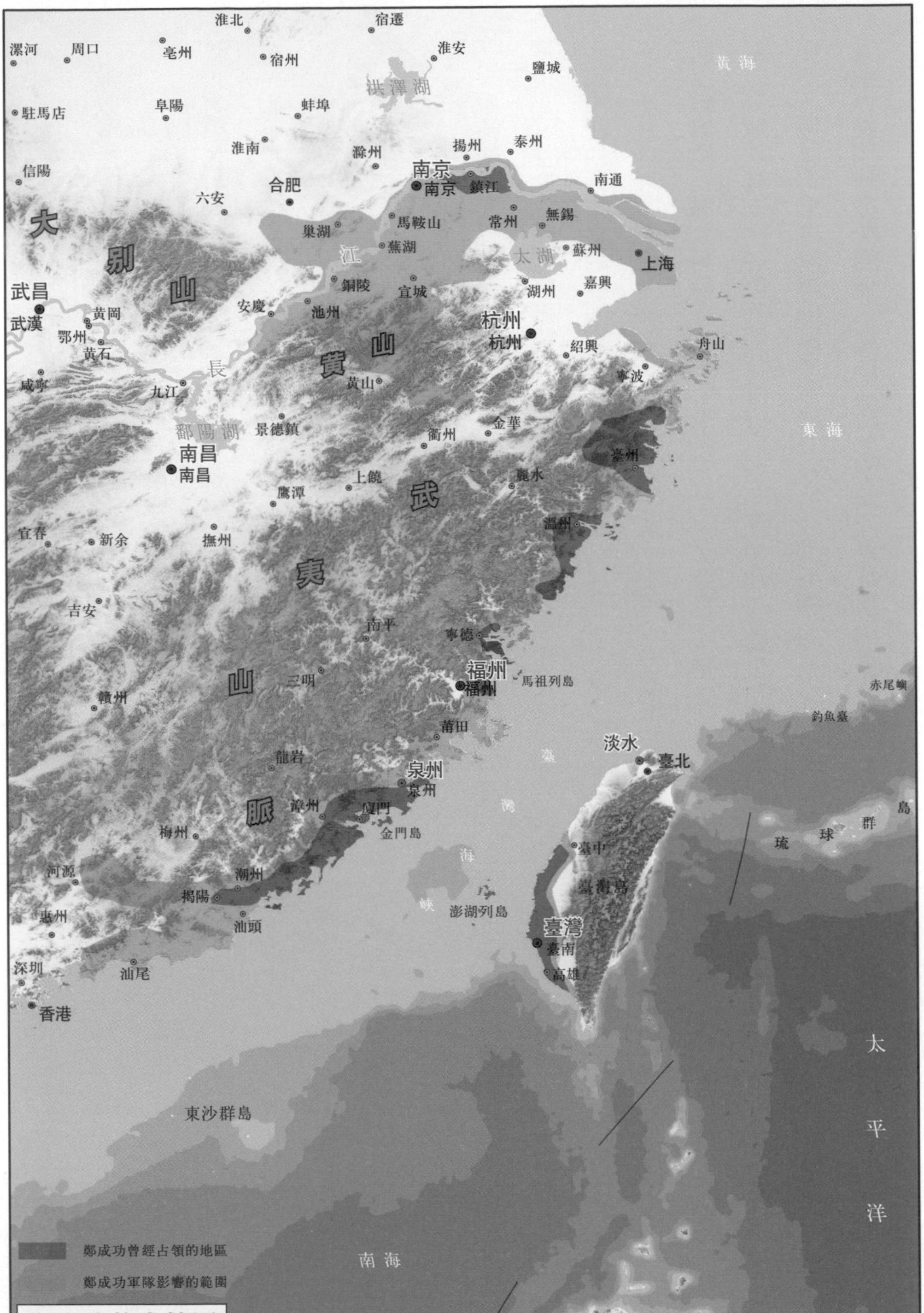
鄭成功勢力範圍
鄭成功曾經占領的地區
鄭成功軍隊影響的範圍
淮北
宿遷
漯河
周口
亳州
宿州
淮安
鹽城
黃海
洪澤湖
駐馬店
阜陽
蚌埠
淮南
滁州
揚州
泰州
信陽
南京
合肥
南京
鎮江
南通
六安
大
別
山
巢湖
馬鞍山
常州
無錫
江
蕪湖
太湖
蘇州
上海
武昌
銅陵
宣城
嘉興
湖州
安慶
池州
黃岡
武漢
杭州
杭州
鄂州
黃石
黃
山
紹興
舟山
長
寧波
咸寧
九江
黃山
鄱陽湖
景德鎮
金華
東海
衢州
南昌
臺州
南昌
上饒
麗水
鷹潭
武
溫州
宜春
新余
撫州
夷
吉安
南平
寧德
山
三明
福州
馬祖列島
福州
贛州
赤尾嶼
釣魚臺
莆田
淡水
龍岩
臺
臺北
泉州
泉州
灣
島
脈
漳州
廈門
群
金門島
琉
球
梅州
臺中
海
河源
潮州
臺灣島
揭陽
峽
澎湖列島
惠州
汕頭
臺灣
臺南
深圳
汕尾
高雄
香港
太
平
洋
東沙群島
南海
呂宋島

六月二十二日，在鎮江銀山大破江寧巡撫蔣國柱、提督管效忠派來的援兵，鎮江守將高謙、知府戴可進獻城投降，鄭成功調高謙的兵馬隨主力攻打南京。

六月二十六日，張煌言帶領一支為數不多的艦隊先行抵達南京城下。七月初七，鄭軍主力到達南京城北的觀音門外。初十，鄭軍大隊人馬上岸，在南京內外城池的觀音、金川、鐘阜、儀鳳、江東、神策、太平等門外紮營，共立八十三座營寨。各處營寨都安設大炮，準備雲梯、藤牌、竹筐、鐵鍬、鑿子等攻城器械。從圖上（一五七頁）可以看出，鄭成功把兵力都布署在南京城北部，離江水比較近的地方，符合鄭軍擅長水戰的特點，不能離水太遠，但接下來的十幾天，鄭成功沒有下令攻城，這是他犯的第一個錯誤。

順治帝立即派遣安南將軍達素、固山額真索洪、護軍統領賴塔等人率八旗軍由北京南下，前往南京增援。又任命江西提督楊捷為隨征江南左路總兵官、寧夏總兵劉芳名為隨征江南右路總兵官，各率手下人馬由江西、寧夏趕赴南京。

本來南京城裡的清軍萬分緊張，百姓家家閉戶，不敢出門。八旗指揮官喀喀木擔心城中百姓為鄭成功充當內應，想大開殺戒，以絕後患，經兩江總督郎廷佐勸阻，才打消這個瘋狂的念頭。後來看到鄭軍沒有立即攻城，一邊焦急地等待援兵，一邊加緊防務。郎廷佐下令把城外靠近城牆的房屋燒毀，掃清視野；把近城十里之內的居民全部遷入城中，以免資敵；貼出安民告示，穩定人心；強令商家出售糧食，以免百姓因缺糧而餓死。與此同時，還允許百姓進出水西門和旱西門兩座城門，購買生活所需，另一方面嚴密查訪，以防內應等。這樣一來，百姓不緊張了，官方抓緊時間儲備糧草，置辦武器，蒐集船隻，為應戰做準備。

七月中旬，清軍援兵陸續到達南京。鄭成功的兵力都布署在北部的城門，援兵輕易就從南部的城門（例如正陽門）進城了，這是鄭成功犯的第二個錯誤。我們可以理解鄭成功的兵力不夠，不足以將南京城團團圍住，但封鎖通往南京城的各個要道是可以的，或者圍城打援也可以，但這些都沒有。於是看到一個奇怪的現象，鄭成功陳兵南京城下，「圍」而不攻，而清軍的援兵卻源源不斷地從南門進城，先是江蘇的，隨後是浙江的，然後附近長江上下游的援兵也來了，雙方的力量對比開始逆轉。

七月下旬，鄭軍「圍」而不戰，士氣低落。有的士兵竟然閒到去江邊捕魚。二十日晚，清軍認為時機已到，由漢人綠營兵打頭陣，梁化鳳率騎兵出儀鳳門、管效忠領兵出鐘阜門，對鄭軍營帳發起突襲。鄭軍人不及甲，馬不及鞍，一敗塗地。清軍初戰告捷，出城紮營。

鄭成功只好重新布署兵力，將部隊集結在觀音山一帶，準備與清軍決戰：四支兵馬屯於山上；兩支兵馬埋伏在山谷；還有兩支列於山下迎敵；自己帶了兩支兵馬在觀音門策應。這是鄭成功犯的第三個錯誤，本來是水戰，後變成攻城戰，現在又變成陣地戰。水戰鄭軍有優勢，攻城戰不擅長，陣地戰則完全不是八旗兵的對手了。

二十四日晨，清軍從觀音山後方分兵直取山上的四支鄭軍。四支陸師雖奮力抵抗，終因兵力不敵全線崩潰，觀音山頂被清軍占據。鄭成功立即派手下的兩支兵馬前往支援，但為時已晚。清軍居高臨下，

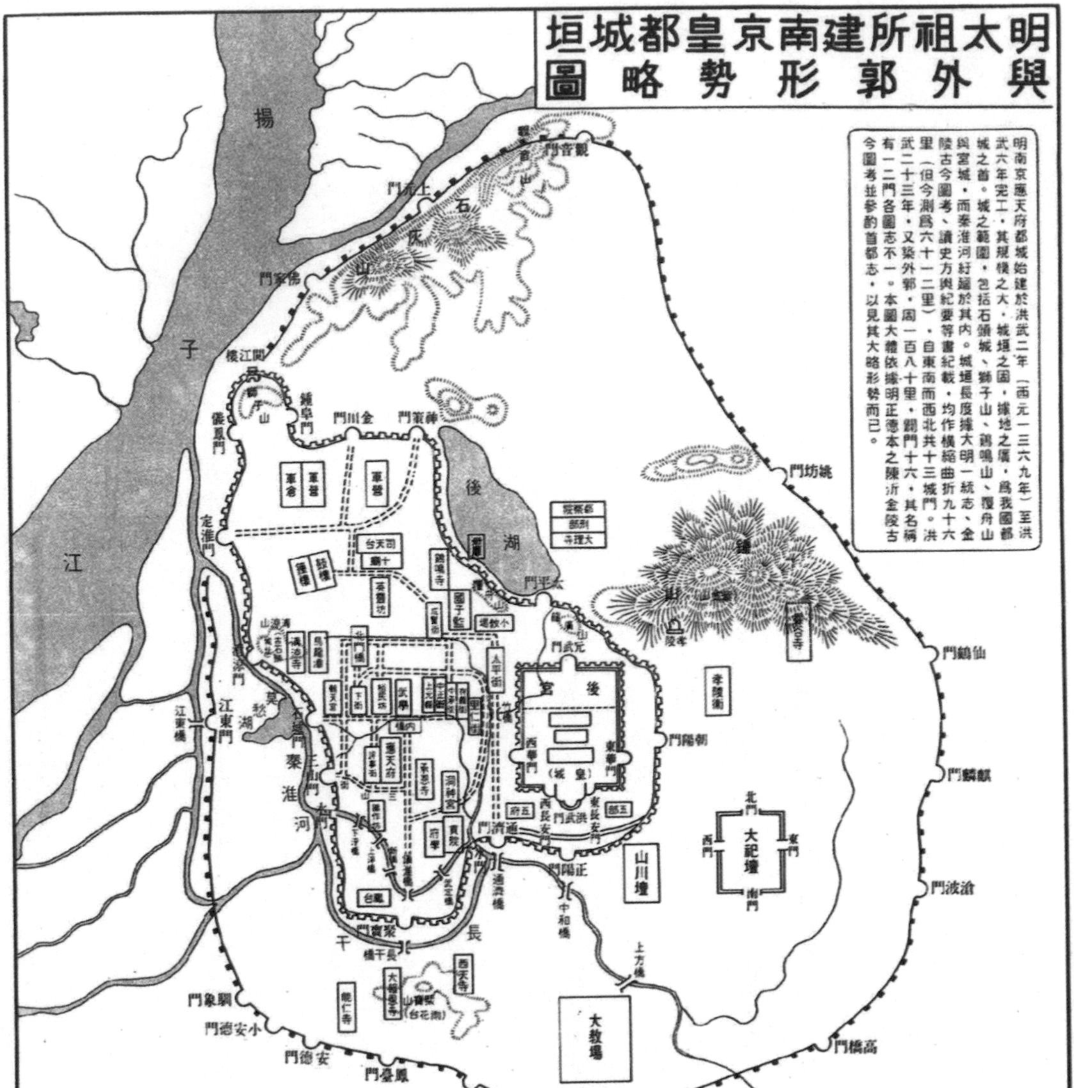
明太祖所建南京皇都城垣與外郭形勢略圖
明南京應天府都城始建於洪武二年（西元一三六九年）至洪武六年完工。其規模之大，城垣之固，據地之廣，爲我國都城之首。城之範圍，包括石頭城、獅子山、鷄鳴山、覆舟山與宮城。而秦淮河紆繞於其內。城垣長度據大明一統志、金陵古今圖考、讀史方輿紀要等書紀載，均作橫縮曲折九十六里（但今測爲六十一二里），自東南而西北共十三城門。洪武二十三年，又築外郭，周一百八十里，闢門十六，其名稱有一二門各圖志不一。本圖大體依據明正德本之陳沂金陵古今圖考並參酌首都志，以見其大略形勢而已。
揚
子
江
觀音門
上元門
石灰山
佛寧門
儀鳳門
金川門
神策門
後湖
鍾山
孝陵衛
姚坊門
仙鶴門
朝陽門
麒麟門
滄波門
大祀壇
山川壇
正陽門
通濟門
聚寶門
大教場
高橋門
上方門
夾岡門
雙橋門
鳳臺門
安德門
小安德門
馴象門
江東門
江東橋
定淮門
莫愁湖
秦淮河
長干橋

一覽無餘，立即撲向山谷中的兩支伏兵，兩支鄭軍被團團圍住，死的死，俘的俘。而此時，列於山下的兩支鄭軍全軍覆沒，其他各處的守軍也遭遇慘敗。

鄭成功見陸軍全線崩潰，率親隨到江邊調水師。但大勢已去，水師既要保護隨軍家屬，還要為撤退留下本錢，不能拚盡全力。

敗局已定，鄭成功只好收拾殘兵撤退，不得不放棄原先占據的瓜洲、儀征、鎮江等地。清軍一開始還在後面追趕，但終因缺乏戰船，也就放棄了。

八月初八，鄭軍艦隊到達崇明島附近，鄭成功決定先奪取崇明縣城做為根據地，再派人去廈門調兵，以圖再攻南京。初九，鄭軍千餘艘戰船上的士兵，分二十路登岸。守城的清軍只有綠營三千人，用火炮、弓箭還擊，鄭軍傷亡慘重；清軍又主動出擊，搶走多門紅夷大炮。鄭成功眼看士氣低落，只好撤軍，沿海路南下，九月初七回到廈門。

南京兵敗，鄭軍的損失至少在二萬人以上，還失去多位提督、鎮將等高級將領。這場失敗讓鄭成功意識到自己在陸戰方面的短處，此後，他不再把大陸視為進軍的主要方向。而恰在此時，一個叫何斌的人從大員投奔而來，告訴鄭成功可以攻打臺灣。

第十四章

鄭成功攻取臺灣

何斌是鄭芝龍的舊部，也是同鄉，早年隨鄭芝龍到臺灣拓荒。鄭芝龍歸降明朝後移居大陸，何斌和幾位好友去福建投奔，結果遭遇海盜李魁襲擊，同行者都戰死，只有何斌逃脫，只好返回臺灣，做了荷蘭人的通事。

一六五五年，鄭成功禁止大陸沿海港口和過往的外國商船與荷蘭人通商。大員港口一時門前冷落，貨物奇缺，物價高漲，第二年荷蘭總督派何斌來找鄭成功。

何斌來到廈門問鄭成功禁航的原因，他說想在臺灣徵收關稅。何斌又回去臺灣一趟，荷蘭人說如果關稅不損害荷蘭東印度公司利益，他們沒有異議。一番討價還價後，荷蘭人答應每年繳納白銀五千兩給鄭成功，箭十萬支，硫磺千擔，這些金錢和物資成為鄭成功抗清的資本。

談完公事，鄭成功招待何斌吃飯，順便了解臺灣的情形。自從鄭芝龍移居大陸後，臺灣完全被荷蘭人把控，何斌對荷蘭人任意欺負、屠殺臺灣同胞早就不滿，他把臺灣各方面的情況，包括荷蘭人的兵力布署情況，統統告訴鄭成功，還勸他出兵攻取臺灣。那時鄭成功的重心還在大陸，這件事就沒放在行程表上。

一六五九年，何斌被告勾結鄭氏集團，私自徵稅，遭荷蘭人撤職，還罰了一大筆錢，走投無路，再次來到大陸。這又是怎麼回事呢？原來何斌耍了個心眼，或者說兩頭騙，其中還牽扯到主權問題。一直以來，鄭氏集團認為臺灣是自己的，收稅就是行使主權的象徵，荷蘭人不過是一些蠻夷，到這裡做點生意，給他們幾個據點是暫時的。早在鄭芝龍時代，鄭氏集團就在臺灣收稅，只是後來忙於大陸事務，碰上改朝換代，沒人管這件事，但收稅是自己的權利，不收是自己的恩情，不等於不要這塊地了。荷蘭人卻認為臺灣是他們的，有權在臺灣徵稅。荷蘭在臺灣的人手有限，收稅方式是承包，何斌就是一個大承包商，名下有人頭稅、稻米稅、烏魚稅等。荷蘭人的稅種花樣繁多，不同物資徵收的稅率不一樣。例如烏魚稅，就是向捕烏魚的漁夫徵收的一種稅，原來占了近一半，後來降到二〇%；人頭稅和稻米稅都是一〇%。還有進出口稅、房屋交易稅、檳榔稅等，只要荷蘭人想得出來，萬物皆可稅；相反的，鄭成功收的稅就少很多，某種程度上只是象徵意義。何斌滿口答應，說這是荷蘭人稱臣納貢的表示，但他也知道荷蘭人不會答應這些條件，更不明白什麼叫稱臣納貢，就瞞著荷蘭人私

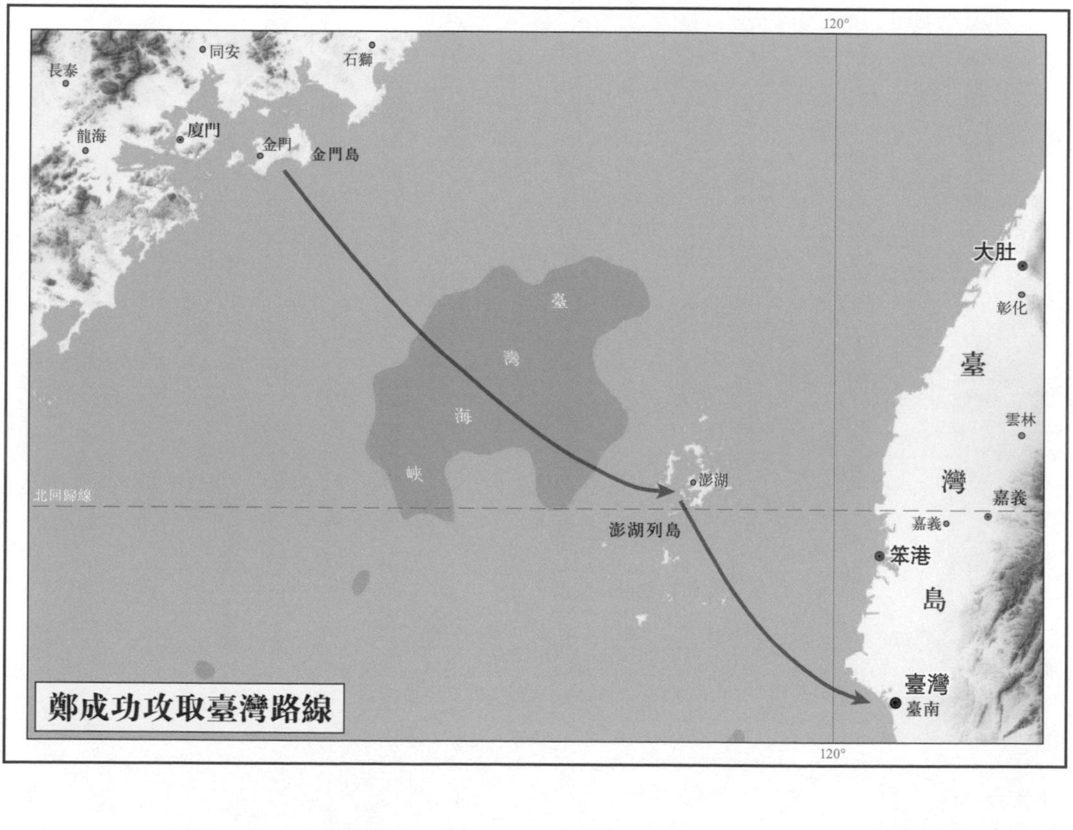

鄭成功攻取臺灣路線

自徵稅，再轉交給鄭成功。這樣一來，有人要交兩份稅，時間一久，就被人告發了。

何斌從腰纏萬貫一下子變得負債累累，在臺灣難以立足，於是逃到廈門投奔鄭成功，再次勸鄭成功攻取臺灣。

這時鄭成功剛在南京吃了敗仗，正感覺前途黯淡，何斌的到來無疑讓他眼前一亮。自從一六四七年在小金門起兵抗清以來，鄭成功轉戰浙、閩、粵等省分，多次幫助明朝宗室、百姓渡海定居臺灣和東南亞各地，還讓華商領取鄭府權杖和「國姓爺」旗號，以保證海路的安全，但十多年來，鄭軍一直沒有一塊較大的根據地，幾萬大軍要嘛擠在一個小島上，要嘛漂在海上，難以施展拳腳，再加上這次北伐南京失敗，元氣大傷，士氣低落，糧草也成問題，何斌的出現彷彿是上天安排，有意給他指出一條明路，如果有臺灣做為基地，這些問題都好解決了。據說，何斌逃離臺灣前曾暗中派人測量進入大員灣的鹿耳門水道，到達廈門後獻上一份祕密地圖給鄭成功，又自告奮勇充當嚮導，讓鄭成功攻臺又多了幾分把握。

何斌於一六六〇年到達廈門，在他的勸說下，鄭成功下定決心攻臺，傳令各營大修船隻。誰料此時清軍又來攻取廈門，鄭成功將清軍引至海上，大敗清軍。料定清軍短時間內不會再興兵，於是將攻臺計畫提上日程。

一六六一年正月，鄭成功開始戰前準備，召眾將議事。當時有人反對，主要是擔心水土不服，怕染上熱帶病，但這些理由已經不能阻止鄭成功攻臺的決心。

從地圖上可以看出，荷蘭人聚集在大員，而大員在廈門的東南方，如果要攻臺，最好就是趁西北季風出發，順風順水，而且得立即動身，一旦晚了，東南風起，逆風逆水，攻臺就變得困難。到了二月分，正是季風變換的時節（南方比北方早），鄭成功立即率領眾將士在金門「祭天」、「禮地」、「祭江」，舉行隆重的誓師儀式。一切準備就緒，船艦集結於料羅灣，只等哪一天西北風起，就率眾出發。

三月二十三日，西北風起，鄭成功率將士二萬五千人、戰船三百艘從料羅灣出發，向東南駛去。一天後，部隊陸續到達澎湖列島。鄭成功在島上巡視一番，覺得澎湖的戰略位置很重要，於是留了四位將領把守，親率大軍繼續東征。從澎湖到大員雖然只有九十多公里，但此時已是三月底（農曆），唐詩有云：「二月春風似剪刀。」此時如果颳起東南風，前進就變得十分困難。二十七日，艦隊駛抵柑橘嶼（今東吉嶼、西吉嶼）時，海面突然颳起暴風，只好返回澎湖。一連幾天，大風不止，鄭軍攜帶的糧食已經所剩無幾。如果就此等下去，動搖軍心是一方面，更關鍵的是不能按預期抵達鹿耳門。

荷蘭方面，自從何斌逃往廈門後，大員地區便盛傳國姓爺要來打臺灣的風聲。隨後荷蘭人又發現，當地華商陸續將財產轉移到大陸，同時前來大員貿易的華商船隻急劇減少，各方打聽，最後斷定鄭成功將在三月底出兵。

時任大員長官揆一（Frederick Coyett）緊急備戰，一方面加強各處偵察與武裝，一方面禁止華人在赤崁樓買賣糧食，把所有華人頭家和士紳軟禁在臺灣城中以免通敵。不僅如此，荷蘭人還把田間的稻穀，不管有熟沒熟，一律焚毀。同時，向巴達維亞總督報告，請求援軍。

巴達維亞總督派范德蘭（Jan van der Laan）率十二艘船，共一千四百五十三人前往大員增援。總督還指示，如果鄭成功沒有攻打大員，不能白跑一趟，必須攻打澳門找回點損失。范德蘭抵達臺灣後不久就要去打澳門，他認為鄭成功不會打來，於是與大員的官員發生爭執。為此，大員方面派使者到廈門會見鄭成功，想一探虛實。使者帶回來一封鄭成功的信，信中言辭懇切，否認即將攻臺。大員的官員表示不信，范德蘭大為惱火，第二年就帶著兩艘船和所有軍官返回巴達維亞，其餘的船大多被分派到其他地方，只在大員留下四艘船和不到六百名士兵，連個軍官都沒有。這時，荷蘭在大員的總兵力是一千五百人。

荷蘭人在大員的兵力雖不多，卻有一套堪稱完美的防禦體系。滄海桑田，從今臺南的衛星圖上，我們很難看到當年古戰場的樣子，但好在荷蘭人當時繪製了地圖，我們得以一窺原貌。

三百年前，今臺南的西邊有一個潟湖，稱為臺江內海，簡稱臺江，就是俗稱的大員灣。臺江內海是由一堆離岸沙洲圍成，其中最大的兩個沙洲是北線尾島和大員島。大員島最早稱大鯤身，鯤是大魚，大鯤身的意思是露出水面的魚背。從大鯤身往南，有七個小島相連，依次稱為大鯤身（或一鯤身）、二鯤身、三鯤身、四鯤身、五鯤身、六鯤身、七鯤身。這七個小島在退潮時連成一片，漲潮時又分開，狀如串連的珍珠。後來，隨著泥沙增多，七個小島終連成一片，就用大鯤身指代整個島嶼，就是大員島，也是大員（或臺灣）最早的來源。所謂潟湖，就是在大海的邊緣地區，由於海水受到不完全隔離或週期性隔絕，引起水質的鹹化或淡化，從而形成不同水體性質的湖。這裡產生隔離作用的是一群沙洲，沙洲是由泥沙堆積而成的，泥沙則來自流入此處的淡水河。臺南一帶的平原本是由來自阿里山的河流沖積而

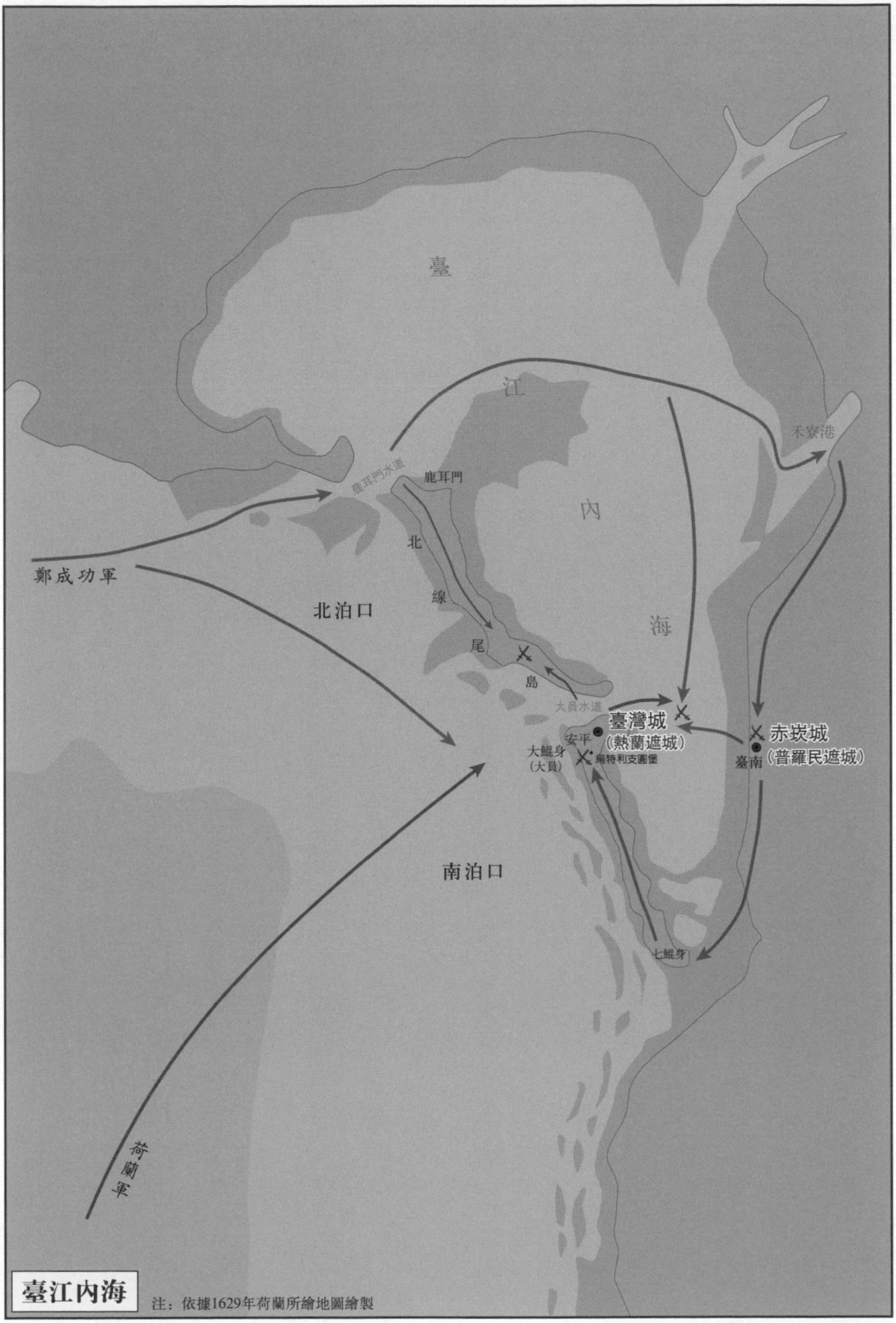

臺江內海
注：依據1629年荷蘭所繪地圖繪製

成，這些河流在流入大海時攜帶大量泥沙。這些泥沙形成臺江內海、北線尾島和大員島，以及周圍許多淺灘。日後這些泥沙終於把臺江內海填平，以致於今天臺江內海不復存在。

荷蘭的殖民者，最早建立的第一個據點是熱蘭遮城，漢人稱為臺灣城（或大員城，都是閩南語的音譯）。臺灣城位於大鯤身的中心位置，扼守大員水道，三面環水，易守難攻。隨後，又在臺灣城以東的陸地建了普羅民遮城，漢人稱為赤崁城。赤崁城與內陸交通方便，是人員、物資的集散地，包括建立在孤島上的臺灣城的物資也需要由赤崁城提供。荷蘭人修建赤崁城的目的主要是從商業價值考慮，而臺灣城則是軍事需要。沙洲不是修建港口的理想場所，因為附近海水淺，而且隨著時間，海岸線會往外推移，使原本的港口變成內陸城鎮。理想的港口是建立在岩石或火山島上，穩固而水深，例如雞籠港。但考慮到與中國大陸的距離，以及附近土地的耕種條件，在臺灣島西部還找不到一個比大員更好的地方。荷蘭殖民者到這裡建立據點，既有商業考慮，又有軍事考量，而臺江內海的存在恰好滿足了這兩個要求。

假設鄭成功從中國大陸過來直攻臺灣城，臺灣城出於軍事目的修建，城牆很堅固，城樓有炮臺，附近的港口有軍艦支援，最後的結果可能是陷入膠著戰，不分勝負。而此時，赤崁城會源源不斷地替臺灣城提供物資，時間一長，遠道而來的鄭成功只能無功而返。所以，鄭成功想拿下臺灣城，最好先拿下防守薄弱的赤崁城，切斷臺灣城的物資來源，臺灣城就陷於孤立無援的境地，投降是遲早的事。

想拿下赤崁城，就要進入臺江內海。而進入臺江內海的通道有兩個，一個是位於大員島和北線尾島之間的大員水道，另一個是位於北線尾島北端的鹿耳門水道。大員水道深，是主要通道，鹿耳門水道淺，只能走一些小船。荷蘭人修建臺灣城正是為了扼守大員水道，除了臺灣城，水道兩岸還修建了炮臺。荷蘭人原本於一六二七年在北線尾島北端也修建了堡壘，後來發現沒什麼用，一六五六年堡壘坍塌後就廢棄了，不再派人把守。一般武裝帆船船體較大，吃水深，走大員水道成為唯一的選擇。從經濟上考量，精明的荷蘭人覺得沒必要再花錢守衛鹿耳門水道了。

但是，何斌發現其中的漏洞，每逢初一和十六，海水漲潮，鹿耳門水道可以通行大船。荷蘭人把防守的重心都放在臺灣城，而鹿耳門沒有派兵防守，如果趁漲潮時，完全可以從這裡進入臺江內海。

一六六一年三月底，鄭成功被暴風雨困在澎湖，心急如焚，正是想趕在四月初一這天到達鹿耳門，趁漲潮時從鹿耳門水道進入臺江內海，如果錯過，又要等半個月。為了不貽誤戰機，他當機立斷，強行渡海。

三月三十日，鄭軍冒著暴風雨，和風浪搏鬥，終於在四月初一拂曉到達鹿耳門水道海外。

鄭成功先換上小船，親自登上北線尾島察看地形，同時派出潛水精兵進入臺江內海偵察。

中午，果然潮水大漲，鄭軍立即進入鹿耳門水道，然後兵分兩路：一路進入臺江內海，一路登陸北線尾島。進入臺江的艦隊是主力，搶占北線尾島既是為了控制鹿耳門水道，也是為了保障主力後方的安全。

荷蘭人對鄭軍的到來並非一無所知，如前所述，他們以為鄭成功必然會從大員水道進入，將火力全部集中在大員水道兩岸，沒想到鄭成功出其不意，打了個措手不及。

進入臺江內海的艦隊兵分兩路：一路往南，切斷臺灣城和赤崁城的聯繫；一路往東，在禾寮港搶灘登陸。

附近的漢人和原住民聽說國姓爺來收拾荷蘭人，爭先恐後地出來迎接，幫助鄭軍登陸。據荷蘭方面的記載，大約有二萬五千名壯勞參與協助。

在禾寮港登陸的鄭軍立即南下，目標是包圍赤崁城。

駐守在赤崁城的荷軍士兵只有四百人，另一千一百人在大員長官揆一的帶領下駐守臺灣城。荷蘭人的四艘船是兩艘戰艦和兩艘小艇，都在臺灣城附近海域。荷軍兵力雖少，但毫不示弱，分三路迎敵：一路是戰艦，向臺江南下的鄭軍艦隊進攻；一路是陸軍，由湯瑪士・佩德爾上尉（Thomas Pedel）率二百四十人進入北線尾島南端，目標是奪回北線尾島；還有一路也是陸軍，由瓊・范・阿爾多普上尉（Joan van Aeldorp）率二百人增援赤崁城。

先說佩德爾這一路，此時歐洲軍隊已經開始普及燧發槍，效率比火繩槍高很多，不受天氣影響，但裝填彈藥的方式沒變，依然很慢，他們一般是三排一組，輪流射擊，這樣火力不會間斷。通常拿弓箭的對手看到火槍的威力時，先從心理上被震懾了，因為火槍可以穿透任何盔甲，雖然準度差了點。佩德爾上島後，將荷軍十二人一排，分成二十排，輪番向鄭軍射擊。他以為只要打死前面衝鋒的幾排人，後面的人就會嚇跑。但鄭軍不是沒見過火槍的人，他們常年在海上，和各色人等打交道，不僅見過，而且經常使用，也知道火器的短處在哪裡。佩德爾一邊放槍，一邊逼近鄭軍，沒想到對面的鄭軍不但沒退卻，反而積極迎戰，從側面包抄，然後，他們看到鄭軍的羽箭像雨點一樣落了下來，連天空都變黑了，佩德爾全軍覆沒。

再說阿爾多普這一支，任務是援助赤崁城。鄭成功發現後，出動「鐵人軍」（鐵甲兵），二百名荷蘭士兵只有六十人爬上岸，其餘都被消滅。

最有可能扳回一局的是海軍，但偏偏數量太少，只有兩艘戰艦和兩艘小艇。荷蘭戰艦都屬於蓋倫型帆船，船體大，一艘船能裝幾十門火炮，威力大。鄭成功不敢掉以輕心，以六十艘大、小戰船將荷蘭艦隊包圍其中，然後展開炮戰。一艘荷蘭戰艦被擊沉，其他的戰艦準備逃跑，鄭軍團團圍住不放。但炮戰不是鄭軍的優勢，於是組織部分大船貼近，登上甲板打肉搏戰。一艘戰艦和一艘小艇重創逃脫，另一艘小艇跑回巴達維亞報信。

至此，荷蘭人在海上的火力被清除，臺灣城和赤崁城成了兩座孤城。下一步就是完成對赤崁城的包圍，逼降荷軍。

駐守赤崁城的荷蘭司令官貓難實叮（Jacobus Valentyn）手下只有四百人，雖然不足為懼，但赤崁城不容易打。這座城周長四十五丈，高三丈六尺，城牆上有四座炮樓，鄭軍不擅攻城，如果強攻必會損兵折將。四月初三，鄭軍在城外抓到貓難實叮的弟弟和弟媳，鄭成功對他們曉以利害，讓他們回去勸降。接著，又派人向荷蘭人承諾他們的生命安全，表示可以帶走自己的私產。四月初四，臺灣人切斷赤崁城的水源。貓難實叮眼見救兵無望，掛白旗投降。

登陸第四天，鄭成功攻占了赤崁城。有了赤崁城為基地，等於給遠渡重洋的鄭軍吃了顆定心丸。剩下的臺灣城，就是時間問題了。

臺灣城雖然沒有赤崁城高大，但是專為軍事目的修建，所以更難打。為避免損失，鄭成功讓貓難實叮去勸降，結果遭到揆一的嚴辭拒絕。鄭成功覺得不給荷蘭人點顏色看看，很難讓他們認輸伏降。

臺灣城上有數十尊大炮，又站得高，射得遠，單靠戰船很難靠近。鄭成功派人從大員島南端（七鯤身）登陸。荷軍得知消息後，擔心鄭軍主力登島，派兵出城清剿。到了七鯤身，還沒來得及列陣，被鄭軍伏擊，死傷過半，餘者退回城中。鄭軍在七鯤身立柵欄、設炮臺，以此做為攻打臺灣城的據點。

四月底，鄭軍調集二十八門大炮猛擊臺灣城，城牆遍體鱗傷。荷軍立於城頭集中火力還擊，還出動軍隊搶奪鄭軍的大炮，但被鄭軍的弓箭手擊退。

臺灣城實在太堅固，荷軍又負隅頑抗。鄭成功知道如果強攻必然造成大量傷亡，乾脆打持久戰，敵人彈盡糧絕後自然投降。他一面派兵分駐各地屯墾，一面到原住民四大社（新港、目加溜灣、肖壠、麻豆）巡視，拜訪各部族首領。

五月二日，鄭軍六千援兵從廈門到達臺灣，還帶來補給。從五月五日開始，所有通向臺灣城的道路都築起柵欄，挖了壕溝，斷絕一切與外界的聯繫，以此圍困荷軍。此外，鄭成功還三番五次寫信給揆一，讓他投降。揆一始終在等待巴達維亞的援兵，拒絕投降。

五月二十八日，巴達維亞總督得知臺灣的消息後，匆忙拼湊了七百名士兵、十艘戰艦，經過三十八天航行，七月十八日到達臺灣。

這支荷蘭援軍到達臺灣附近海面後，一看鄭軍的架勢，躊躇不前，在海上停留近一個月後，才有五艘戰艦敢靠近停泊，其中一艘慌亂之中觸礁沉沒，船員被鄭軍俘虜。鄭成功從俘虜口中得知荷軍的兵力後，覺得是個圍城打援的好機會。

七月二十一日，荷軍決定反攻，分水、陸兩軍向鄭軍發起進攻。水路，荷蘭艦隊企圖迂回到鄭軍側後，結果反被包圍。鄭軍戰船隱藏在岸邊，只等敵艦進入埋伏圈，然後萬炮齊發。一個小時後，鄭軍擊毀荷蘭戰艦兩艘，俘獲小艇三艘，其餘戰艦跑回巴達維亞；陸上，荷軍往七鯤身反擊也失敗。

至此，荷軍士兵低落到極限，不願再戰。

十月，揆一仍不死心，想聯絡清軍夾擊鄭軍。荷蘭使者到達福建後，清軍要求荷蘭人先幫他們打下廈門，才能幫荷蘭人解臺灣之圍。揆一沒辦法，還有五艘戰艦漂泊在海上，就派他們去幫清軍打廈門。但領隊的已經被鄭軍打怕了，中途跑了，先到暹羅，後回巴達維亞，這個計畫泡湯了。駐守在臺灣城的一些士兵看不到希望，就出城投降了。

勾結清軍可真是讓鄭成功嚇出一身冷汗，當他從這些投降的荷蘭士兵口中得知消息後，決定馬上進攻臺灣城，又修建三座炮臺，挖了許多壕溝，務必盡快拿下臺灣城。

臺灣城的南方不遠處有一個小山包，也是大鯤身的至高點，荷蘭人在上面修建了烏特勒支碉堡，如果先拿下這裡，居高臨下，臺灣城就不在話下了。

鄭成功下令，集中火力炮轟烏特勒支碉堡。兩個小時內，鄭軍發射二千五百發炮彈，終於打開一個缺口，當天占領了這個堡壘。鄭軍立即在此改建炮臺，居高臨下，向臺灣城猛烈攻擊。揆一在城上督戰，看到城防已被突破，手足無措。此時鄭成功再派通事李仲入城勸降。李仲對揆一說：

「此地非爾所有，乃前太師練兵之所。今藩主前來，是復其故土。此處離爾國遙遠，安能久乎？藩主動柔遠之念，不忍加害，開爾一面：凡倉庫不許擅用；其餘爾等珍寶珠銀私積，悉聽載歸。如若執迷不悟，明日環山海，悉有油薪磺柴積壘齊攻。船毀城破，悔之莫及。」

前太師是指鄭芝龍，藩主是指鄭成功。大意是：這個地方不是你們的，以前就是我們的，今天不過是收回來而已。我們藩主仁慈，不想要你們的命，你們可以把私人的東西帶走，但公家的東西不許動。如果還不同意，改天我們就放火燒城，到時後悔都來不及。

此時臺灣城已經被圍困近九個月，彈盡糧絕，疾病流行，荷軍死傷一千六百人，能戰鬥的僅剩六百人，荷蘭殖民評議會因此召開緊急會議，覺得這樣下去沒好果子吃，揆一別無選擇，只好出城投降。

一六六二年（順治十八年，南明永曆十五年）二月六日，荷蘭東印度公司駐臺灣長官揆一簽字投降。荷軍交出所有城堡、武器和物資。然後，揆一帶著剩下的九百名荷蘭人（包括傷病人員），乘船離開臺灣。

鄭成功攻取臺灣後，建立第一個漢人政權，大量漢人從東南沿海慕名而來，在這裡拓荒、生產、貿易。以臺灣為基地，鄭成功原本可以和清廷好好較量一番，但接二連三的壞消息讓他憂憤成疾。

第一件，「遷海令」（遷界令）。清廷下令從山東到廣東沿海所有居民內遷五十里，五十里以內的房屋全部焚毀，田園廢棄，舟船也付之一炬，片板不得下海。鄭成功的主要經濟來源就是海上貿易，清廷這一招無異於釜底抽薪，如果把這件事放在整個大航海時代的背景下看，清廷不是積極備戰，發展水師，而是反其道而行之，且不說為沿海的百姓帶來多少災難，單是造船、航海技術，又不知倒退了多少年，所以二百年後英國人來的時候，清廷毫無還手之力就不足為奇了。

第二件，鄭芝龍之死。清廷本想拿鄭芝龍這枚棋子脅迫鄭成功投降，沒想到鄭成功的抗清決心這麼堅毅，這枚棋子就沒什麼價值了，留著還是個麻煩。終於，一六六一年十一月二十四日，清廷在菜市口將鄭芝龍和幾個兒子斬殺。

第三件，長子鄭經太不正經。鄭成功攻打臺灣時，讓鄭經鎮守廈門，調度沿海各島。這段時間裡，鄭經和四子鄭睿的乳母陳氏（昭娘）私通，還生了個兒子，取名鄭克臧。雖然兩人沒有血緣關係，但從尊卑名分上講，無疑是亂倫。

沒有經濟來源，父親和兄弟慘死，兒子不成器，一連串的打擊讓鄭成功心力交瘁，於一六六二年（清康熙元年，永曆十六年）五月初八急病而亡，死前大喊：「我無面目見先帝於地下。」一年僅三十九歲。

第十五章

英國三戰荷蘭

丟掉臺灣不算太大的損失，對荷蘭人來說，只是他們衰落的開始，更大的威脅是英國人。

十七世紀上半葉是海上馬車夫荷蘭人最風光的時刻，他們征戰四海，全面開花，不僅將勢力伸入東南亞、中國，還在一六二二年進入美洲，在哈德遜河口建立一個殖民據點——新阿姆斯特丹。

這個位置正是今紐約所在地，以長島為依託，有天然的港灣，北可到科德角，南至詹姆士城。科德角是五月花號的登陸地，詹姆士城是英國在北美建立的第一個據點，荷蘭人無疑是在英國的北美殖民地之間插入了一顆釘子，此舉讓英國人很不爽。

一六二三年，荷蘭進入巴西，搶占葡萄牙人殖民地。葡萄牙在一六四〇年脫離西

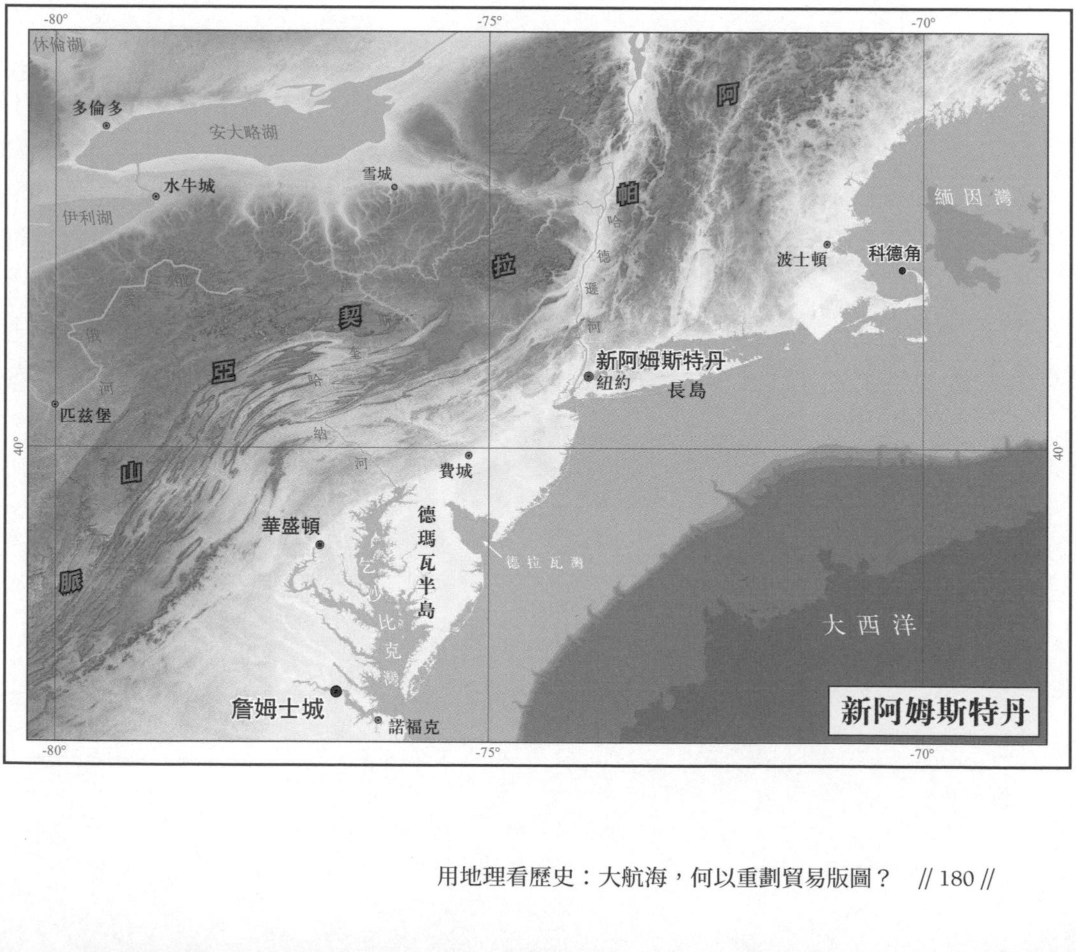

班牙後，直到一六六一年才把荷蘭人趕出巴西。

一六四八年，西班牙終於認清現實，正式承認荷蘭獨立。同年，荷蘭人把葡萄牙人在好望角一帶的勢力趕了出去，因為太妨礙他們去東方了。四年後，他們在這裡建立一個殖民地「海角之村」，後來發展成「海角之城」（Cape Town），音譯就是開普敦。

這樣一來，從非洲到亞洲，再到美洲，都有荷蘭人的殖民地，荷蘭人的足跡遍布世界各地，一時成為海洋霸主。正當荷蘭人風頭正強時，英國人看不下去了。

荷蘭在爭取獨立的過程中，英國幫了不少忙。不是英國有多喜歡荷蘭，只是出於島國安全的考量，凡是大陸上誰想當老大，英國都會想辦法破壞。當時西班牙太強大了，

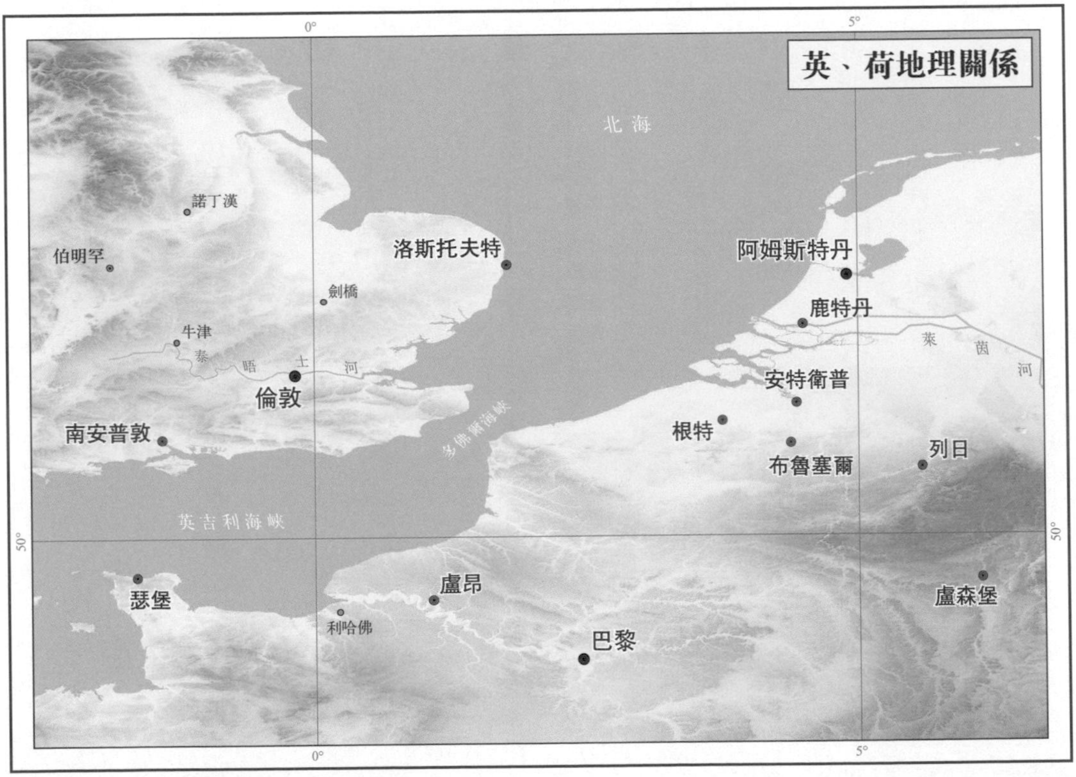

幫荷蘭獨立就是削弱西班牙的實力，目的還是免除西班牙對英國的威脅。但荷蘭逐漸強大後，英國發現荷蘭也是個威脅，於是將矛頭轉向荷蘭。

一六五〇年，英國事實上已經征服了蘇格蘭和愛爾蘭，免除陸地上的後顧之憂後，公然拋出了《航海條例》，具體內容如下：

一、只有英國或其殖民的船隻可以運載英國殖民地的貨物。

二、某些殖民地的產品只能販運到英國本土或英國殖民地，包括菸草、糖、棉花、靛青、毛皮等。

三、其他國家的產品必須經由英國本土，而不能直接運銷殖民地。

四、殖民地不得生產與英國本土競爭的產品，如紡織品等。

這個條例毫無疑問就是針對荷蘭，荷蘭的主要經濟來源是靠做中間商賺差價。荷蘭人斷然拒絕，要求英國廢除這個條例。雙方劍拔弩張，戰爭一觸即發。

一六五二年五月，一支英國艦隊在多佛海峽巡邏，與一支荷蘭艦隊不期而遇。多佛海峽位於英吉利海峽的東北端，是英國與歐洲大陸距離最近的地方。自從十三世紀以來，英國人要求凡是經過這裡的他國船隻，必須向相遇的英國軍艦行禮，以示承認英國的主權，其他國家都照做。但這一次，荷蘭人正在氣頭上，拒絕行禮，英國艦隊開炮轟擊，荷蘭人反擊。雙方互射四個多小時，荷蘭人損失兩艘戰艦，英國艦隊的旗艦被打了七十多個窟窿。第一次英荷戰爭拉開序幕，七月二十八日，雙方正式宣戰。

第一次英荷戰爭的戰區主要有兩個，一是多佛海峽，另一是地中海。英國的戰略是打擊荷蘭的經濟，荷蘭靠外貿生存，一旦切斷其外貿航線，荷蘭終將失敗。英國先集中強大的艦隊，攔截一切往返多佛海峽的船隻，然後派出幾支艦隊，分別到蘇格蘭北部襲擊荷蘭的運銀船，到北海打擊荷蘭的漁船，甚至進入波羅的海破壞荷蘭和北歐、東歐的海上貿易。多佛海峽幾乎是荷蘭船隻通往世界的必經之地，可以說是經濟命脈。荷蘭無奈之下，用艦隊護送商船，強行通過多佛海峽，為此和英國多次交火。靠軍艦護送終歸不是常態，荷蘭的貿易量急劇下滑，經濟大受影響，導致惡性循環，眼看要撐不住了，但在地中海兩場戰爭的勝利，讓荷蘭人有了談判籌碼。

為了保護本國貿易，英國和荷蘭都在地中海布署了一支規模不大的艦隊。荷蘭透過厄爾巴島海戰、里窩那之戰的勝利，使英國在地中海的貿易完全陷入癱瘓。英國人承受不起這種損失，最終同意和荷蘭和談。

一六五四年四月十五日，英、荷兩國簽訂《西敏斯特和約》。根據和約，荷蘭承認英國在東印度群島擁有與自己同等的貿易權，同意支付二十七萬英鎊的賠款，同意在英國水域向英國船隻敬禮，並割讓大西洋上的聖赫拿那島。

至此，第一次英荷戰爭以荷蘭的失敗告終，但並非是兩國矛盾的終結，相反的，只是個開端。英國的最終目的是取代荷蘭在海上的霸權地位，而荷蘭也不甘心失敗，正磨刀霍霍準備第二次戰爭。

第一次戰爭中，荷蘭的船艦數量不比英國少，但最終荷蘭人發現，英國的船艦速度快，火炮威力大，戰鬥時列成一條縱線，他們稱這種船艦為「戰艦」。

戰艦是因用法而非船型命名的軍艦，這次戰鬥中，英國海軍首次對海上作戰的艦隊隊型有了明確的規範和規定。根據這些規定，作戰時所有戰艦以一定間隔排成縱隊；戰鬥開始，第一艘戰艦用側舷炮向敵人射擊，其餘各艦準備；第一艘艦射擊完畢後，第二艘艦接著射擊，第一艘趁機裝填彈藥，以此類推。這種打法可以讓一支艦隊保持連續的火力，沒有間斷。這些採用縱列隊形進行作戰的主力船艦開始被稱為戰艦。這時還是風帆時代，準確地說法是風帆戰艦，它是後世鐵甲艦的鼻祖。

風帆戰艦實際上還是以蓋倫船為主，只不過在原有基礎上做些改良，船更狹長，速度更快，火炮更多，威力更猛。傳統的蓋倫船以貿易為主，兼顧海戰，而戰艦是專為戰鬥而生，裝載貨物的能力大大降低。

第一次英荷戰爭失敗後，荷蘭加緊製造戰艦。而這時的英國內亂不止，給了荷蘭大好的時機。

這期間，駐守臺灣的荷蘭人被鄭成功驅逐。當然，駐臺的荷軍艦船和人數都很少，不能代表整個荷蘭的實力。負責臺灣事務的是駐守巴達維亞的東印度公司，能動員的力量有限，荷蘭的主力都在歐洲，隨時面對英國人挑戰。但荷蘭人沒有就此對臺灣死心，一六六三年，他們幫助清軍打下廈門和金門，使鄭家孤守海島。隨後，荷蘭人進駐西班牙人棄守的雞籠港。但因為清廷更嚴厲的海禁政策，雞籠港入不敷出，只好放棄。當時的臺灣和荷蘭一樣，既沒有產品，也沒有市場，主要靠轉口貿易生存。也就是說，把中國的貨物運到臺灣，再轉運到日本或南洋，或者把日本的貨物運到臺灣，再轉運到中國或南洋，中國商品豐富，又有質輕價高的絲綢，是主要的產品出口地，當這個貨源地沒有了，臺灣的貿易就一落千丈。

荷蘭人在本土面臨同樣的問題，英國產羊毛、紡織品，英國在北美的殖民地產菸草、糖、棉花，荷蘭本地也產紡織品，但如果沒有英國的羊毛和綿花，紡織業就成為無米之炊。另外，荷蘭國土狹小，多是窪地，人口少，市場也小，如果不做轉口貿易，將難以生存。據說在英國封鎖荷蘭船隻的幾年，阿姆斯特丹的街道上雜草叢生，遍地乞丐，近一千五百所房屋無人居住。所以，荷蘭不可能真心接受英國的《航海條例》。不僅如此，英國在一六六〇年對《航海條例》進行更新，條件更為苛刻，這是要把荷蘭逼上絕路，荷蘭只能絕地反擊。

一六六四年，荷蘭海軍已擁有一百零三艘大型戰艦，火炮四千八百六十九門，官兵二萬一千六百三十一人。這個數量已與英國海軍不相上下，反擊指日可待。

四月，一支英國遠征隊占領新阿姆斯特丹，並將其改名為紐約，給了荷蘭一個很好的出兵藉口。

一六六五年二月二十二日，荷蘭正式向英國宣戰，第二次英荷戰爭爆發。只是當時是冬季，不適合海戰，一直到春季，兩國才真正開打。

和上次一樣，英國先派出艦隊封鎖英吉利海峽和北海，使荷蘭的貿易陷入停頓。但英國僅堅持了兩週，因補給不足，艦隊退回泰晤士河口，荷蘭因此得以整軍備戰。

一六六五年六月十三日，兩國的艦隊在洛斯托夫特東部的海面上相遇。英國艦隊占據上風位（海戰中占據上風位猶如陸戰中占據高地），荷蘭艦隊大敗，損失十七艘軍艦和五千名士兵。

然後，英國艦隊北上，企圖俘虜停泊在挪威卑爾根港的七十艘荷蘭商船，卻被荷蘭人擊退。靠著海軍護衛，荷蘭恢復部分海上貿易。

隨即，冬季再度來臨，雙方再次休戰，等待來年春季再戰。但讓英國萬萬沒想到的是，曾經肆虐於十四～十五世紀的黑死病再度來襲。倫敦城中四分之一的人口、約十萬人死於這場災難，英國立即陷入一片混亂。

荷蘭從一六六一年開始，先後聯絡法國和丹麥結成反英同盟。法、丹兩國當然不願意看到英國稱霸海上，提供各種援助給荷蘭。英國稱霸和荷蘭不同，荷蘭只做中間貿易，不會損害別國利益，而且不是靠武力稱霸；英國靠的是武力，又把控著原料產地和市場，為別國帶來極大的威脅。

荷蘭開始反擊，雙方連續展開五次海戰，各有勝負，戰鬥空前激烈，英國逐漸處於下風。

一六六六年六月一日，荷蘭派遣八十四艘戰艦、四千六百門大炮和二萬二千名官兵的主力艦隊出戰。英國出動七十八艘戰艦、四千五百門火炮、二萬一千官兵的艦隊迎戰。本來英國戰艦的數量比荷蘭多，但因為情報錯誤，以為法國人要來幫忙，於是派出二十艘軍艦去攔截，結果反而比荷蘭少了。雙方激戰三天，英國損失十七艘艦船（包括三艘旗艦），陣亡和被俘官兵達到八千名（一說陣亡八千名，被俘三千人），其中有兩名將軍和十二名艦長陣亡。荷蘭僅損失六艘戰艦，傷亡二千五百名官兵（一說二千名），其中包括三名將領。此役是第二次英荷戰爭中規模最大的一次海戰，也是英國皇家海軍歷史上少有的幾次敗仗之一。

七月，憑藉著強大的工業能力，英國艦隊又出現在海洋上。雙方激戰兩天，英國損失十艘軍艦，死傷一千七百多人，被俘二千餘人，荷蘭則損失很小。

八月，荷蘭組建一支海軍陸戰隊（世界上第一支海軍陸戰隊），由十艘福祿特船和二千七百名海軍陸戰隊員組成，企圖一舉摧毀英國梅德韋地區正在整修的艦隊，但關鍵時刻法國人出包，原本答應配合，結果沒來，天氣也不利於登陸，任務失敗。

八月四日，兩國艦隊在多佛海峽相遇。雙方兵力相當，最後英國取勝，雙方傷亡都不大。八月八日，英國艦隊的一支小分隊突襲荷蘭的弗利蘭島，無意間發現大量藏身其中的荷蘭商船。小分隊隨即放了一把火，燒毀一百五十多艘荷蘭商船，這是整個戰爭期間，英國給荷蘭造成的最大損失，但不是軍艦，而是商船。

九月二日，可能是巧合，倫敦一家麵包鋪失火。一陣大風將火吹到大街上，接著吹到泰晤士河北邊的倉庫。很快，大火蔓延到整個城市，連續燒了四天，包括八十七間教堂、四十四家公司和一萬三千間民房盡被燒毀，倫敦城毀掉三分之二。大火消滅了黑死病，也讓英國損失慘重（八百萬～一千萬鎊，已經超過兩次與荷蘭戰爭的費用），英國開始不斷派人與荷蘭人接洽，要求和談。

荷蘭人對和談的意願沒有那麼強烈，對英國人焚燒商船的事耿耿於懷，於是一邊虛與委蛇，一邊暗中準備，試圖一招致敵。

一六六七年六月十九日，一支荷蘭艦隊（二十四艘戰艦、二十艘小型船、十五艘縱火船）趁夜色來到泰晤士河口。趁海水漲潮（戰艦體積大，需要利用潮水才能駛入內河，不然容易擱淺）進入泰晤士河，一路炮擊，很快占領希爾內斯炮臺，奪取儲存在此的四、五噸黃金和大量木材、樹脂等物資，然後一路尋找戰艦出擊，一些較好的戰艦被荷蘭人拉回國內當作戰利品。二十二日，荷蘭艦隊長驅直入到達查塔姆船塢，這裡停泊著十八艘千噸級以上的巨艦。荷蘭艦隊先攻擊岸上的炮臺，然後登陸縱火，英國六艘巨艦被毀。荷蘭人在倫敦城裡橫行三天三夜後，封鎖泰晤士河口長達數月。英國已無力再戰，只好投降。

一六六七年七月三十一日，兩國簽訂《布雷達條約》，英國歸還戰爭期間搶占荷蘭在南美的殖民地蘇利南，荷蘭割讓包括新阿姆斯特丹在內的北美殖民地給英國，並承認西印度群島為英國的勢力範圍；而英國修改航海法，讓出部分商貿利益給荷蘭，放棄荷屬東印度群島的權益。這個條約實際上是英、荷雙方重新劃分勢力範圍：東印度群島歸荷蘭，西印度群島歸英國。當然，這只是暫時的，最後還是要用實力說話。

除此之外，英國還被迫和荷蘭、瑞典結成三國同盟，共同向剛興起的法國施壓，要求法王路易十四（Louis XIV）退還大批領土給西班牙（一六六七年～一六六八年法國在產權轉移戰爭中打敗西班牙）。

正是這個附加條件，又引發第三次英荷戰爭。法國一直想稱霸歐洲大陸，最大的一塊嘴邊肉就是荷蘭，上次假意參戰但最終沒有出兵也是這個原因。英國的氣焰被打壓後，法國開始圖謀吞併荷蘭。為了拉英國做幫手，據說法王路易十四給了表哥英王查理二世（Charles II）四十萬鎊的賄賂。查理二世本來就想找荷蘭人報仇，於是在沒有經過國會的同意下私自答應法國的請求。

一六七二年，法國對荷蘭宣戰，英國立即退出三國同盟，援助法國對荷蘭作戰。同年，英國在沒有宣戰的情況突襲一支荷蘭商隊，第三次英荷戰爭爆發。

法國從陸地出兵，很快占領荷蘭六〇%的領土。英國從海上出兵，攻擊荷蘭艦隊。萬分緊急之下，荷蘭人的愛國熱情被點燃，一面從陸地阻擊法國人的進攻，一面派艦隊拒英國人於海上。在四次海戰中，荷蘭人連連獲勝。荷蘭先與西班牙、奧地利、普魯士等國結盟，迫使法國人在陸地上舉步維艱，再重金遊說英國國會，迫使英國從海上撤兵。原來英王接受法王賄賂時，曾答應讓英國人重回天主教，荷蘭人正是利用這個製造輿論，激發英國人對天主教和法國的恐懼。一時之間，英國國內反法情緒高漲，國會也反對與法國結盟，並停止撥款，查理二世本來就理虧，只好罷兵。

一六七四年，英國退出戰爭，保持中立。荷蘭繼續在陸地上和法國對壘、作戰，而且有愈來愈多歐洲國家捲入這場戰爭，戰爭從海上延伸到陸地。一六七四年五月二十八日，德意志諸邦逐漸對法宣戰，奧地利緊跟其後。丹麥看到瑞典倒向法國後，匆忙與德意志合作，派出一萬五千人的軍隊。在德意志諸邦中只有巴伐利亞、漢諾威和符騰堡仍與法國保持同盟關係。這樣一來，幾乎所有歐洲國家都參與了這場戰爭。

但在海洋上，英國透過三次戰爭，大大損耗了荷蘭的海上貿易和海軍實力，世界海洋的霸權逐漸從荷蘭人手裡轉移到英國人手中，英國終將成為真正的「日不落帝國」，世界由此出現了第一個全球性霸權國家。

第十六章

戰鬥民族的開端——基輔羅斯

最後我們來看看東北通道，之所以說通道而不是航道，是自從哈德遜探索東北航道中途折返美洲後，歐洲人基本上放棄了從東北方尋找通往中國的海上通道，而俄羅斯卻從陸地上到達中國。嚴格來說，俄羅斯在遠東的擴張不屬於大航海，但這件事是在歐洲各國海洋擴張的背景下產生，而且和中國息息相關。

首先要澄清一個誤解，俄羅斯是現今世界上國土面積最大的國家，因為與中國相鄰，總是不自覺地和中國比較。從世界地圖上看，俄羅斯的面積巨大，彷彿是中國的三、四倍，但實際上，俄羅斯的陸地面積是一千七百零九萬平方公里，中國的陸地面積是九百六十萬平方公里，相差不到一倍。之所以造成這種錯覺，是世界地圖常用圓柱投影，或者像一些常用多圓錐投影的世界地圖。無論是哪種投影，在世界地圖上，兩極被拉成一條線，而實際上極地只是一個點，造成愈靠近極地的面積變形愈大，從視覺上看，靠近極地的國家面積看起來比實際上大很多。製作中國地圖時，通常使用圓錐投影，這種投影最適合表示中緯度地區的國家版圖，能讓各方面的變形達到均衡。當然，像俄羅斯這種國家的地圖可以用圓錐投影表示，但因為緯度太高，而且東、西跨度太大，在圓錐投影的地圖上，東、西兩端在方向感上容易產生錯覺。如果用圓錐投影把俄羅斯和中國繪製在一張地圖上，由於中國的緯度跨度大，我們會發現中國和俄羅斯的面積相差無幾了，這也是一種失真。比較兩國國土面積時，要採用方位投影，把投影的中心點放在中、俄之間的北緯四十五度、東經一百度之處，這樣雙方的變形比例相當，得出的平面地圖更接近二者的真實比例。但同時也看到，在這張地圖上，離中心點愈遠的地方，變形愈大。為了兼顧

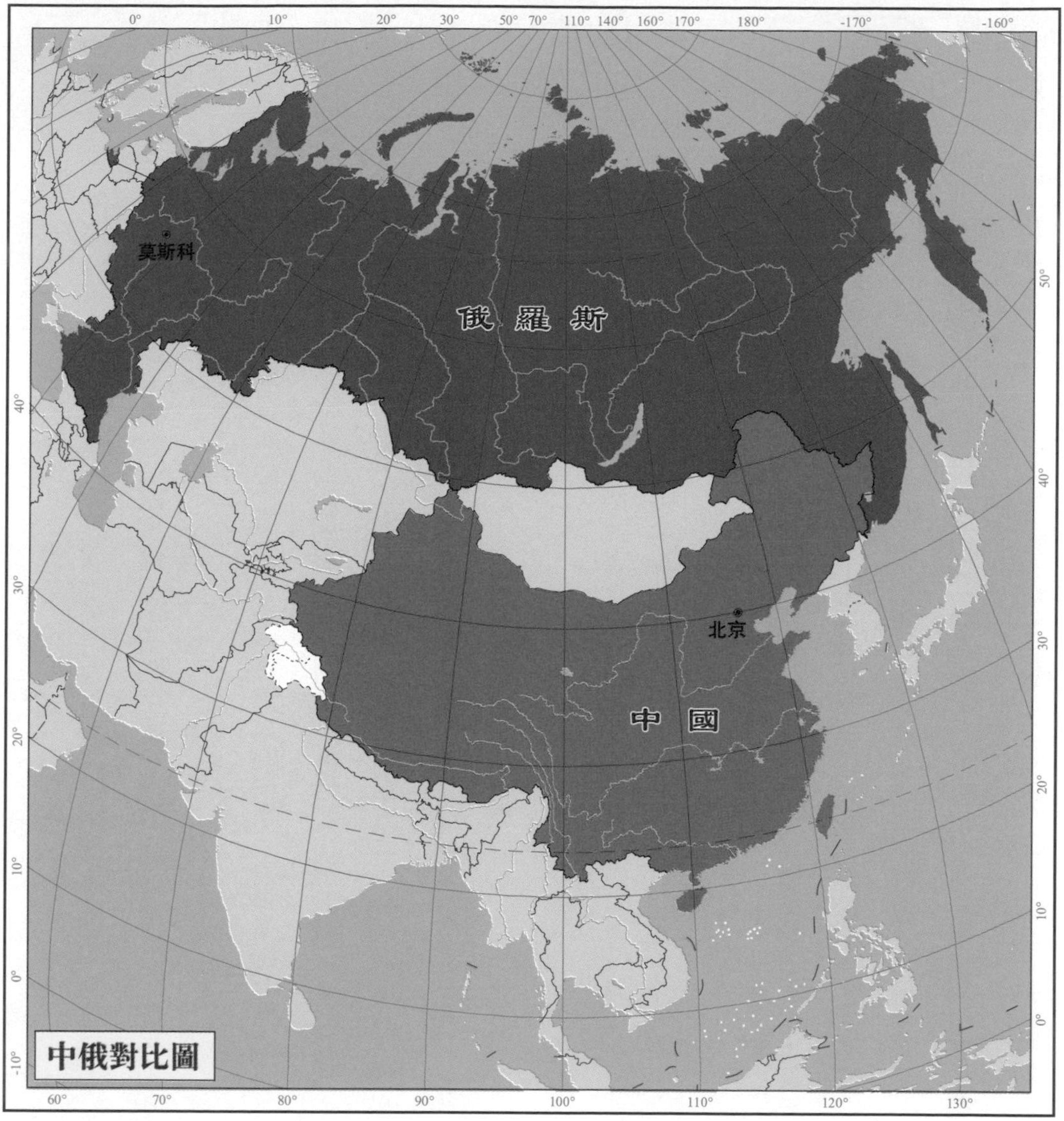
中俄對比圖
俄羅斯
莫斯科
中國
北京

各個地理板塊之間的關係，也為了讓大家在看地圖時容易把握方向感，下面的講述中，仍以圓柱投影為主，需要提醒大家的是，俄羅斯屬於高緯度國家，本書下文所涉及的地方，在地圖上看起來是存在變形的，面積上是誇大的。

和中國比起來，俄羅斯的歷史非常短，短到中國都進入明朝了，俄羅斯做為一個獨立的國家還不存在。但俄羅斯民族的歷史並不短，北部歐洲很早就生活著三大蠻族：凱爾特人、日耳曼人和斯拉夫人。按後來的分法，斯拉夫人又分為三支：生活在中歐地區的西斯拉夫人，包括波蘭人、捷克人、斯洛伐克人、索布人；生活在東歐地區的東斯拉夫人，俄羅斯人就是其中一支，還包括白俄羅斯人、烏克蘭人、盧森尼亞人；還有一支生活在東南歐和巴爾幹半島一帶的南斯拉夫人，包括塞爾維亞人、蒙特內哥羅人、克羅埃西亞人、斯洛維尼亞人、馬其頓人（現代馬其頓人，古馬其頓人屬於古希臘人）、波士尼亞人、保加利亞人。除保加利亞外，這幾個民族曾在一戰後建立一個貌合神離的國家——南斯拉夫。一九九二年南斯拉夫解體，二〇〇六年蒙特內哥羅獨立，原來的南斯拉夫最終成為分裂成六個國家：塞爾維亞、蒙特內哥羅、克羅埃西亞、斯洛維尼亞、北馬其頓、波士尼亞與赫塞哥維納。

斯拉夫人最早生活在今波蘭一帶，後逐漸向東南和東北方擴散。四世紀，匈奴人從草原進入歐洲，引起連鎖反應，歐洲的游牧民族開始大遷徙。正是這時，斯拉夫人分為三支。六世紀，南斯拉夫人開始侵入東羅馬帝國的屬地巴爾幹半島。七世紀，西斯拉夫人在今捷克地區建立最早的國家，號稱薩摩公國。隨後，南斯拉夫人在巴爾幹地區建立保加利亞王國。九世紀初，西斯拉夫人建立大摩拉維亞國（亦稱大摩拉維亞波希米亞公國），這是薩摩公國的升級版。東斯拉夫人最落後，直到九世紀末期才開始建立國家，但不是東斯拉夫人自己建的，而是維京人建的。

維京人來自斯堪地那維亞半島，嚴寒的氣候造就他們強壯的體魄。但這裡的土地實在太貧瘠，幾乎沒有出產任何東西，於是維京人划著船四處劫掠。在古英語中，vikinger 是「在海灣中的人」，而 wicing 代表「海盜」，冰島土語中的 vikingar 是「海上冒險」的意思，「維京」二字等同於北歐海盜。維京人以挪威、瑞典和丹麥為基地，逐漸控制波羅的海的大部分海岸，然後四處出擊。向西，他們進入大西洋，侵入英國和法國的諾曼第；再往南，進入地中海，侵入西西里島、義大利半島南部；再往東，侵入東岸的巴勒斯坦地區。如果論地理發現，維京人最早發現冰島，而且在那裡定居。然後，發現格陵蘭島，並在那裡殖民。還有證據表明，維京人早在十世紀就到達過紐芬蘭島，並踏上過北美的土地，比哥倫布早了五百年。

維京人基本上不從事生產，以劫掠為生，在歐洲文明人眼裡，他們是野蠻、冷血的代名詞。一開始，維京主要搶奪牲口和穀物，如果有金銀財寶當然也不會放過，殺人越貨是他們的看家本領。隨著維京人遊走各地，到達的地方愈來愈多，有時需要銷贓，有時需要購物，慢慢的，他們發現做貿易的收成遠比搶掠來得穩當，而且可持續發展。於是有些維京人開始定居，有些開始經商。

從波羅的海沿岸的北歐出發，如果要選一個貿易終點站，東羅馬帝國的君士坦丁堡無疑是不二之選。北歐人可以拿著他們狩獵的副產品——動物毛皮，到拜占庭換取食鹽等生活必須品。但從北歐到君

斯拉夫人和基輔羅斯
亨墨菲斯
瓦爾德
巴倫支海
挪威海
納爾維克
莫曼斯克
博德
科拉半島
北極圈
呂勒奧
奧盧
白海
斯堪地那維亞半島
于默奧
阿爾漢格爾斯克
特隆赫姆
厄斯特松德
瓦薩
庫奧皮奧
彼得羅扎沃茨克
奧涅加湖
挪威
耶夫勒
土庫
赫爾辛基
拉多加湖
奧斯陸
斯德哥爾摩
芬蘭灣
聖彼得堡
德拉門
塔林
沃洛格達
維納恩湖
諾夫哥羅德
伊爾門湖
瑞典
波羅的海
奧爾堡
哥特堡
特維爾
雅羅斯拉夫爾
里加
維京人
丹麥
哥本哈根
馬爾摩
波洛次克
莫斯科
加里寧格勒
維爾紐斯
明斯克
斯摩倫斯克
梁贊
圖拉
格但斯克
漢堡
柏林
波茲南
華沙
布列斯特
基輔羅斯
萊比錫
西斯拉夫人
車尼戈夫
沃羅涅日
東斯拉夫人
法蘭克福
布拉格
基輔
克拉科夫
卡爾可夫
加洛林帝國
利維夫
大摩拉維亞公國
慕尼黑
頓內次克
布拉提斯拉瓦
維也納
瓦杜茲
布達佩斯
基希涅夫
羅斯托夫
克盧日－納波卡
盧比安納
敖得薩
米蘭
札格雷布
克里米亞半島
威尼斯
布加勒斯特
貝爾格勒
康斯坦察
塞拉耶佛
保加利亞王國
黑海
義大利半島
波德里查
索菲亞
羅馬
史高比耶
南斯拉夫人
君士坦丁堡
巴統
伊斯坦堡
拿坡里
地拉那
塞薩洛尼基
布爾薩
安卡拉
愛琴海
埃斯基謝希爾
錫瓦斯
艾斯倫
薩丁尼亞島
拜占庭帝國
小亞細亞半島
巴勒摩
馬拉蒂亞
突尼西亞
西西里島
地中海
雅典
科尼亞
梅爾辛

士坦丁堡並不近，如果走傳統海路，需要經北海，過英吉利海峽、渡比斯開灣，從直布羅陀海峽入地中海，再穿越漫長的地中海，才能到達君士坦丁堡，全程約八千公里，且不論路途中的風險，單是路途遙遠，對經商的人來說，成本太高，無利可圖。但如果仔細觀察地圖就會發現，君士坦丁堡的經度與波羅的海的東海岸經度相當，如果從這裡開拓一條商路，就會近很多。事實上維京人就是這麼做的，他們從芬蘭灣往東，通過涅瓦河進入拉多加湖，然後經沃爾霍夫河一直南下，中間經過一小段陸路轉運後進入聶伯河，直達黑海，進入拜占庭。這條路線只有二千多公里，不到海路的三分之一，既節約成本，同時大大促進沿線城鎮的發展，諾夫哥羅德就是在這種情形下發展起來。

諾夫是新的意思，哥羅德是城池的意思，這是一個因商貿而新興的城市，主體是東斯拉夫人，維京人不過是過客。但東斯拉夫人很不團結，內部部族林立，誰都不服誰，於是在九世紀，他們請了名叫留里克（Rurik）的維京人來主持公道，留里克就成為這裡的最高統治者。

「維京」是盎格魯－撒克遜人對他們稱呼，在拉丁語中，這支活躍在東歐平原上的維京人被稱為羅斯人（也有人認為羅斯一詞源於芬蘭語），留里克建立的國家就被稱為羅斯王國。當然，稱王國有些誇大其辭，實際上這個初創小國連個公國都不算，頂多算是部落聯盟。羅斯王國的主體是東斯拉夫人，羅斯人雖然占據統治地位，但人數少，後來逐漸被斯拉夫人同化。但當地的斯拉夫人對羅斯人還有另一個稱呼，就是瓦良格人。一九九九年，中國從烏克蘭購買的航空母艦「瓦良格」號的名稱正是來源於此（後改名為遼寧號）。瓦良格（Varangian）和維京（Viking）是近音，都是指這支來自斯堪地那維亞半島或商或盜的北歐人。前面說的那條商路就叫「瓦希商路」，意思是瓦良格到希臘的路；或者說，來往於這條路上的商人主要是瓦良格人和希臘人。可以說，正是這條商路孕育了後來的俄羅斯。一旦商貿繁榮起來，經營的就不僅是生活必須品了，北歐的羊毛織品、琥珀、羽絨，還有奴隸，羅斯人本地所產的毛皮、松脂等，都可以運到君士坦丁堡賣個好價錢，而君士坦丁堡除了生活必須品外，還有繪畫、玻璃球、刀具等手工藝品，如果出得起價錢，還可以買到來自東方的香料和絲綢。

東斯拉夫人生活的地方布滿森林、沼澤、湖泊，其間又有河道縱橫交錯，地理上的碎片化使東斯拉夫人變成一盤散沙，但羅斯人卻靠著統一的貿易市場逐步將東斯拉夫人整合起來。

八七九年，羅斯人開始沿著瓦希商路南征，先後占領斯摩倫斯克和波拉次克兩大戰略要地。斯摩倫斯克扼守著聶伯河南下的咽喉，而波拉次克既是洛瓦季河南下的中轉站，也是經西德維納河西入波羅的海的必經之地。八八二年，他們占領聶伯河中游的重鎮——基輔城。

基輔地處東歐平原、草原、森林的交會地帶，扼守著聶伯河這條大動脈，戰略位置不言而喻。占領後，羅斯人就把首都遷到基輔。從這時起，我們就稱其為基輔羅斯。

隨後的一個世紀裡，基輔羅斯征服了周圍眾多的東斯拉夫人公國和部落，版圖幾乎囊括所有東斯拉夫人居住的地區。這時羅斯人這個概念也變了，含義包括東斯拉夫人，因為瓦良格人已經完全被同化了。

基輔羅斯的版圖從波羅的海一直延伸到黑海，如何統治這麼一大片國土，單靠武力是不行的，還得有統一的信仰，羅斯人反覆比較基督教、伊斯蘭教、猶太教等眾多大宗教，最後選定東正教。九八八年，基輔羅斯的弗拉基米爾一世（Vladimir Sviatoslavich）迎娶拜占庭帝國的安娜公主（Anna Porphyrogenita）為妻，隨後立即宣布東正教為國教，強令全體國民接受東正教的洗禮。東正教和西歐的基督教一直在爭奪基督教的正統地位，這也是後來俄羅斯一直不容於西方社會的原因之一。

宗教促進羅斯統一民族的形成，但不能解決權力的分配問題。十一世紀，基輔羅斯陷入封建割據時代，最終分裂為基輔、斯摩倫斯克、切爾尼戈夫、梁贊、諾夫哥羅德、弗拉基米爾等十多個小公國。各公國彼此征伐，混戰不休，再也沒有人能將他們統一起來。直到十三世紀，蒙古人來了，羅斯諸國的歷史被徹底改變。

一二四〇年，成吉思汗的孫子拔都率部西征，滅掉基輔羅斯，其餘的羅斯公國望風而降。一二四二年，拔都建立金帳汗國。金帳汗國的都城一開始在窩瓦河下游的薩萊城（今阿斯特拉罕），後遷至新薩萊城（今伏爾加格勒），這一帶被稱為欽察草原，原本有個欽察國，生活著許多欽察人，所以人們把蒙古人建立的汗國稱為欽察汗國。又因為拔都的帳篷是金色的，附近的王公前來述職或上貢都在金帳裡參拜這位蒙古可汗，所以他們把蒙古汗國稱為金帳汗國。鼎盛時期，金帳汗國西起諸羅斯，南至裏海和黑海，北到北極圈附近，東達阿爾泰山山腳下。

金帳汗國對羅斯諸國採取的是一種鬆散的統治，主要是徵稅，對原有的羅斯統治結構沒有改變，原有的王公貴族都有保留，只不過多數成了傀儡，實際上成為蒙古的稅收代理人。

一二六三年，金帳汗國指定的代理人、羅斯諸公國的實際統治者、諾夫哥羅德大公亞歷山大．涅夫斯基（Alexander Nevsky）將兩歲的小兒子丹尼爾．亞歷山德羅維奇（Daniel of Moscow）封為莫斯科大公。一二七六年，十五歲的亞歷山德羅維奇到莫斯科就藩，建立莫斯科公國。在基輔羅斯時期，莫斯科只是弗拉基米爾公國的一座小城。莫斯科公國建立後，幾任莫斯科大公勵精圖治，擴充勢力，羅斯諸公國的經濟、政治中心逐漸從基輔轉移到莫斯科。基輔地處草原的邊緣地帶，蒙古的騎兵隨時可以來往，在蒙古的鐵蹄統治之下，基輔難有抬頭之日；相反的，莫斯科已進入森林地帶，蒙古騎兵要來往這裡沒那麼容易，所以，羅斯人開始把重點放在莫斯科。

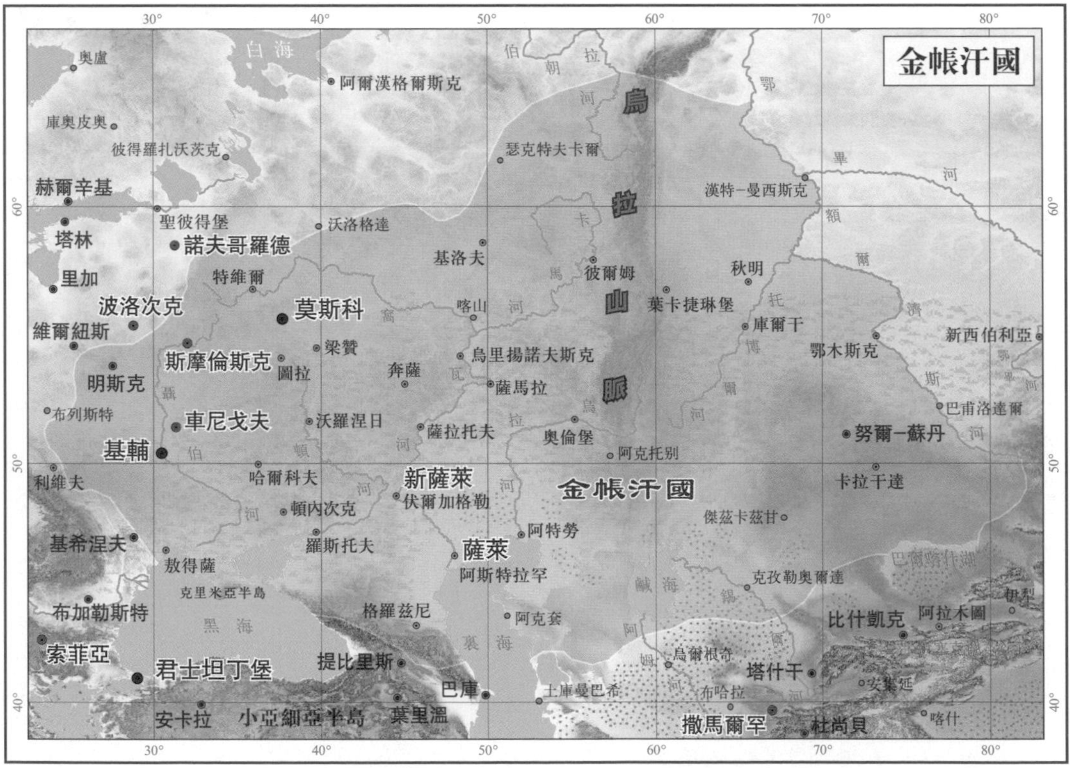

在金帳汗國的衝擊下，原羅斯人逐漸分化成三部分。在西南邊境，一些公國倖免於難，沒有淪為蒙古人的奴役，這些地區被稱為「烏克蘭」。羅斯語中，「烏克蘭」就是「邊界地區」的意思。西北地方，離歐亞草原太遠，蒙古人勢力難以企及，這部分被併入立陶宛大公國（波羅的海人），後來獨立出來就是白俄羅斯人。而被蒙古人統治的占絕大多數，他們自認為代表著羅斯人的正統，仍自稱羅斯人。蒙古語裡，由於發音習慣，輔音前必須加母音，所以把羅斯（Rus）稱為俄羅斯（Orus）。漢語裡的俄羅斯正是根據蒙古語轉譯過來，元代一般翻譯為「斡羅思」；明代是直譯，稱為「羅剎」；清代又以蒙古語為媒介，譯成「俄羅斯」，延續至今。

二〇一八年三月，白俄羅斯駐華大使館宣布，將他們國家的中文譯名改為「白羅斯」。這種說法有沒有道理呢？當然有。白俄羅斯人認為他們是直接傳承自基輔羅斯，而白代表純潔的意思，所以應該稱為「白羅斯」，而白俄羅斯看起來似乎是俄羅斯的一個分支，容易讓人誤解。但這一提議沒有得到中國官方的響應，因為在中文語意裡，「俄羅斯」等同於「羅斯」，「白俄羅斯」就是「白羅斯」，如果「白俄羅斯」改為「白羅斯」，「俄羅斯」是不是應該改為「羅斯」？就像俄語把中國稱為「契丹」一樣，雖不準確，但流傳太久，已約定俗成，和其本意關係不大了。

按白俄羅斯的理由，「白」字的意思是「獨立的，自由的，不屬於韃靼蒙古的桎梏」。背後的意思就是他們沒有被蒙古人混過血，是純種的羅斯人。歷史上的確如此，在二百多年統治裡，為了更好融入當地，蒙古的王公貴族不停地與俄羅斯的貴族結親，所以西方有句諺語：「剝開一個俄國人的皮，就會看到皮下蒙古人的血脈。」這是俄羅斯不被西方世界接受的另一個原因。俄羅斯人的面貌已經和西歐的白種人有所區別，多少都留下蒙古人的影子，例如列寧（Vladimir Lenin）就有四分之一的蒙古血統。當然，從整體上講，俄羅斯人的蒙古血統比例不高，畢竟當初西征的蒙古人數量有限。比血統更重要的是文化，俄羅斯的文化深受蒙古人影響，他們好鬥，喜歡擴張，被世人稱為戰鬥民族，更是源自蒙古人的天性。

金帳汗國是蒙古四大汗國之一，另外三個是察合臺汗國、窩闊臺汗國、伊兒汗國。中國元朝是四大汗國的宗主國，元朝加四大汗國合稱蒙古帝國。在元朝和四大汗國之間，只是名義的宗藩關係，沒有實際的上下級差別。除了元朝外，四大汗國採用的是蒙古人傳統的君主封建制。這種制度不會改變當地的文化和政治結構，可以快速擴張土地。但這種制度有一個問題，原有的貴族勢力仍在發展，總有一天會反叛。另外，征戰過程中新晉的貴族會在戰後受封一部分土地，而且世襲罔替，又會削弱國家的實力。還有，擴張的過程中，征服中央集權制的國家比較容易，只要把皇帝拉下馬，老百姓不太關心誰來當新皇帝，反正在誰統治下生活都差不多；而在封建制的國家，幾乎每個城邦都是獨立自主的，要一個一個征服太難，最好的辦法就是讓他們的首領稱巨納貢，交稅就可以。經過二百多年後，俄羅斯的王公貴族不但沒有消失，反而在金帳汗國的羽翼下發展壯大，而汗國內部的一些貴族也學當地人的樣子，發展成事實上獨立的公國。

一三一二年至一三四〇年是金帳汗國的鼎盛時期，一度建立中央集權（相對而言，不同於元朝的中央集權）。十四世紀末，金帳汗國開始衰落，花剌子模、克里米亞、保加爾人慢慢獨立出去，南面新起的帖木兒帝國還在不停襲擾。到十五世紀時，金帳汗國先後分裂出西伯利亞汗國、喀山汗國、克里米亞汗國、阿斯特拉罕汗國等獨立國，中央只剩下有限的疆土，金帳汗國變成一個小國，蒙古人的光環不再，從此被人稱為大帳汗國。

而與此同時，莫斯科公國在一三二八年成為蒙古人的稅收代理人後，依靠著財政大權和蒙古人的政策支持，開始兼併周圍的小公國，逐漸成為諸羅斯公國的領袖。

更關鍵的，莫斯科一轉身，突然發現原先龐大的金帳汗國已經瘦小到不如自己，於是拒絕再向蒙古人納稅。

第十七章

擺脫金帳汗國的陰影——莫斯科公國的崛起

一四七二年，莫斯科大公伊凡三世（Ivan III of Russia）迎娶東羅馬帝國末代皇帝的侄女索菲婭・帕列奧羅格（Sophia Palaiologina）為妻。東羅馬帝國已於一四五三年被鄂圖曼帝國滅亡，伊凡三世此舉的目的就是認為從此莫斯科繼承羅馬帝國的正統。本來歐洲人（主要是西部歐洲人）不願意承認東羅馬帝國是羅馬帝國的繼承者，所以一直稱他們為拜占庭帝國，但無奈拜占庭帝國和羅馬帝國是一脈相承的，有拜占庭帝國的存在，位於羅馬城的教廷總覺得自己來路不正，現在倒好，斯拉夫人不僅接過東正教的大旗，還號稱是羅馬帝國的繼承者，這是西歐社會最不能容忍的事情。東正教和基督教不一樣，要服從羅馬皇帝管理，西歐社會沒有皇帝，教宗至高無尚，各世俗權力只能稱王。以日耳曼人為主體的西方社會曾試圖恢復羅馬帝國的榮光，即「神聖羅馬帝國」，但最終只是一個有名無實的鬆散聯盟，既不神聖，也和羅馬沒關係。

一四七六年，剛平息內亂的金帳汗國派來使者，要求莫斯科公國像過去一樣繳納稅賦。伊凡三世做事一向謹慎，但這次斷然拒絕蒙古人的要求。使者很生氣，說莫斯科公國是金帳汗國的奴才，怎麼能拒絕主人的要求呢？伊凡三世大怒，撕毀國書，斬殺使者。

一四七八年，莫斯科公國正式吞併諾夫哥羅德共和國。諾夫哥羅德是羅斯人形成的源頭，而且諾夫哥羅德雖然也有王公，但實際是共和制，權力掌握在貴族議會，這也是為什麼當初他們會請瓦良格人來當執政官的原因。多年來，諾夫哥羅德是東斯拉夫人的精神家園，現在莫斯科人將其吞併，代表俄羅斯人開始由分散聯邦走向中央集權。在蒙古人的統治下，普通的羅斯人遭殃，但貴族卻憑著充當蒙古人的打手，從中獲取不少好處，包括從蒙古人那裡學會政治、軍事的組織方式。

一四八〇年，在忐忑不安中等待的莫斯科人終於得到消息，金帳汗國的阿黑麻汗親領大軍正向莫斯科奔殺而來，伊凡三世只好出城迎敵。從一二四〇年開始，整整二百四十年的統治，俄羅斯人對蒙古人的恐懼已經深深地刻在基因裡，戰爭一開始，莫斯科軍隊連連敗退。更氣人的是，伊凡三世居然帶著少量隨從跑回莫斯科。阿黑麻汗的軍隊因此殺到離莫斯科不到二百公里的奧卡河南岸，與莫斯科大軍隔河對峙。

為避開鋒芒，阿黑麻汗移師西進，繞到烏格拉河南岸，結果發現對岸又有莫斯科大軍防守。蒙古人以騎兵為主，沒有渡河工具，阿黑麻汗就地紮營，一面等待河水結冰，一面派人向盟友立陶宛大公國請求援兵夾擊莫斯科。

十月二十六日，烏格拉河終於結冰了。但立陶宛公國的援軍卻沒有到，他們被克里米亞汗國的軍隊纏住了，脫不開身。但對岸的莫斯科軍隊還是很害怕，後撤三十公里，準備決戰。十一月十一日，立陶宛的援軍還是沒到，阿黑麻汗躊躇再三，他很明白自己的軍隊數量遠少於對方，強攻的後果不堪設想，於是長嘆一聲後，下令撤兵。

這場戰役就這麼虎頭蛇尾地結束了，代表金帳汗國對羅斯諸公國長達二百四十年的統治結束了。

阿黑麻汗從烏格拉河撤退後，返回金帳汗國的途中，無意中遭到西伯利亞汗國軍隊的阻擊，戰敗被殺。金帳汗國不久內鬥分裂成幾個小國，已經奄奄一息。二十年後（一五〇二年），克里米亞汗國攻占

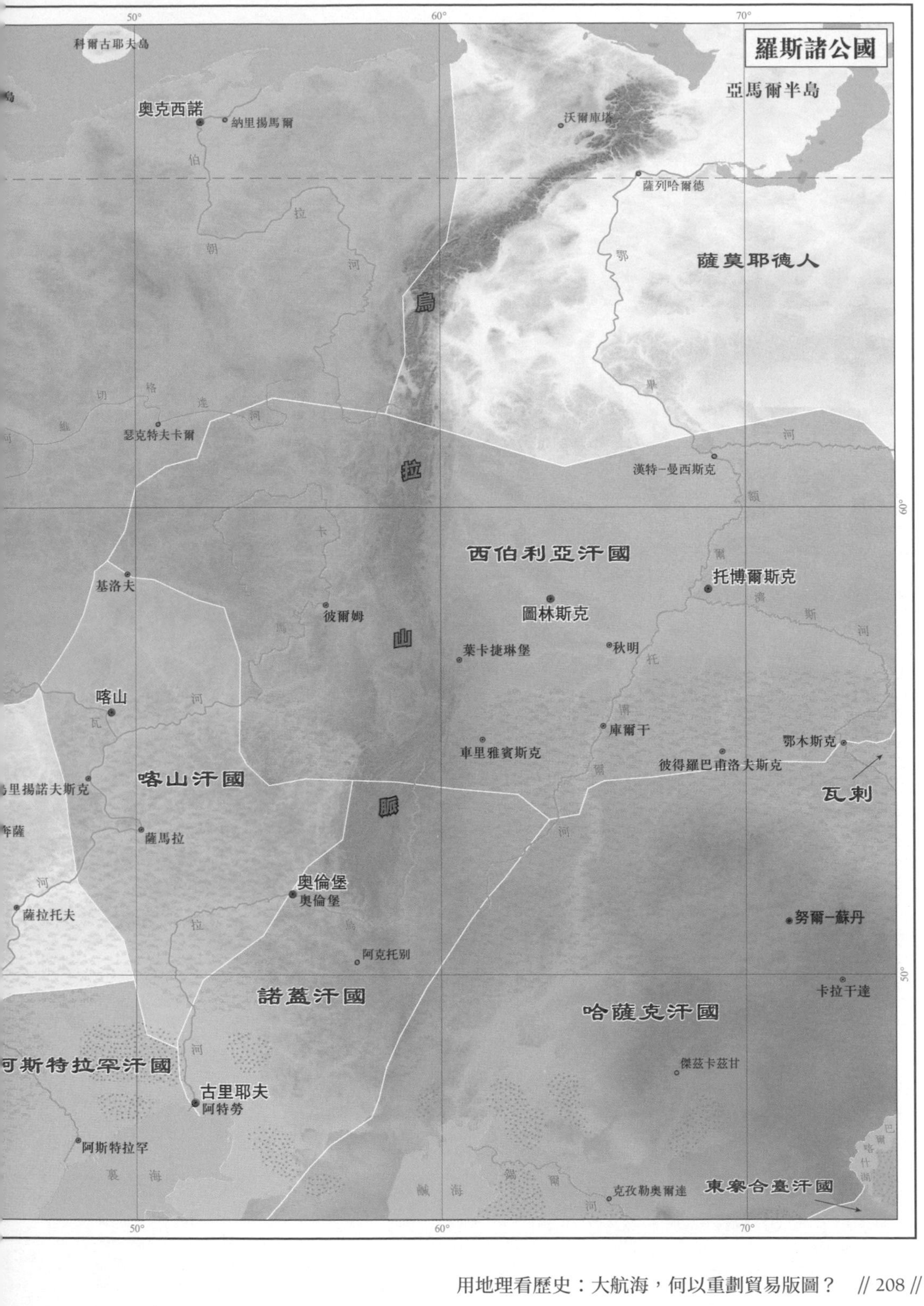
羅斯諸公國
科爾古耶夫島
亞馬爾半島
奧克西諾
納里揚馬爾
沃爾庫塔
薩列哈爾德
伯
朝
拉
河
鄂
畢
河
薩莫耶德人
烏
拉
山
脈
切
格
維
迭
河
瑟克特夫卡爾
漢特—曼西斯克
額
爾
齊
斯
河
西伯利亞汗國
托博爾斯克
基洛夫
彼爾姆
圖林斯克
卡
馬
葉卡捷琳堡
秋明
托
博
爾
河
喀山
瓦
河
庫爾干
車里雅賓斯克
鄂木斯克
彼得羅巴甫洛夫斯克
瓦剌
喀山汗國
里揚諾夫斯克
薩馬拉
薩
河
薩拉托夫
奧倫堡
奧倫堡
烏
拉
阿克托別
努爾—蘇丹
卡拉干達
諸蓋汗國
哈薩克汗國
阿斯特拉罕汗國
河
古里耶夫
阿特勞
傑茲卡茲甘
阿斯特拉罕
裏
海
鹹
海
錫
爾
河
克孜勒奧爾達
東察合臺汗國
巴
爾
喀
什
湖
50°
60°
70°
60°
50°

巴倫支海
莫曼斯克
納爾維克
薩米人
科拉半島
北極圈
呂勒奧
白海
奧盧
阿爾漢格爾斯克
斯堪地那維亞半島
于默奧
北德維
瓦薩
庫奧皮奧
卡爾馬聯盟
彼得羅扎沃茨克
奧涅加湖
拉多加湖
耶夫勒
土庫
赫爾辛基
克克斯霍爾姆
斯維里河
涅瓦河
納
芬蘭灣
聖彼得堡
瑞典
斯德哥爾摩
塔林
沃爾霍夫河
蘇霍
沃洛格達
利沃尼亞聯邦
諾夫哥羅德
伊爾門湖
羅斯諸公國
普斯科夫共和國
普斯科夫
洛瓦季河
雅羅斯拉夫爾
特維爾
里加
道加瓦河
下諾夫哥羅德
波羅的海
莫斯科
波洛次克
維爾紐斯
斯摩倫斯克
格但斯克
加里寧格勒
條頓騎士團國
明斯克
聶
梁贊
圖拉
馬索維亞公國
華沙
梁贊大公國
波茲南
布列斯特
沃羅涅日
克雷沃聯邦
車尼戈夫
伯
加洛林帝國
弗次瓦夫
頓
金帳汗國
克拉科夫
基輔
利維夫
卡爾可夫
河
克里米亞汗國
伏爾加格勒
布拉提斯拉瓦
維也納
布達
多
布達佩斯
摩爾達維亞公國
頓內次克
克盧日-納波卡
雅西
基希涅夫
敖得薩
羅斯托夫
瑙
鄂圖曼帝國
匈牙利王國
札格雷布
黑海
克里米亞半島
鄂圖曼帝國
貝爾格勒
貝爾格勒
班內特國
瓦拉幾亞公國
鄂圖曼帝國
鄂圖曼帝國
切爾克斯人
20°
30°
40°
60°
50°

金帳汗國的首都薩萊，國祚二百六十二年的金帳汗國徹底消亡。

擺脫蒙古人的統治後，莫斯科公國立即展開擴張之路。

環顧莫斯科周圍，四面一馬平川，理論上講，他可以往四個方向擴張，但實際上莫斯科的選擇不多。西面是立陶宛和波蘭組成的克雷沃聯邦，單是一個立陶宛或波蘭，莫斯科都不敢輕舉妄動，更何況是二者的強強組合。南面有金帳汗國和由其分裂出來的一眾小國，莫斯科對金帳汗國從心理上就畏懼，即使是已經弱到不堪一擊，俄羅斯人還是不敢輕舉妄動。北面有出海口，這時的葡萄牙人已經探索到非洲的黃金海岸了，西班牙剛統一，正在摩拳擦掌，莫斯科想要成為一個海洋國家，就應該走北面，從海洋上擴張。可是俄羅斯人比誰都清楚，莫斯科公國在北冰洋的海岸，除白海外，都在北極圈內，一年絕大部分時間都處於封凍狀態，而從白海出發，遠洋必經北冰洋，北方實際上沒有出海口。這個時候，俄羅斯人還沒有發現莫曼斯克是個不凍港。莫曼斯克雖然地處北緯六十九度，但受北大西洋暖流影響，終年不封凍。

如果往西，進入波羅的海呢？這裡緯度不高，氣候適宜，離莫斯科又近，照理說是最好的出海口。可是，俄羅斯人進入波羅的海容易，但想從波羅的海進入大西洋就難了，這裡扼守著丹麥、瑞典、挪威三個王國，都是維京海盜出身的國家，想從他們眼皮底下做貿易賺錢簡直不可能。實際上，對莫斯科的俄羅斯人來說，風險最小的是從莫斯科往東，那裡雖然有喀山汗國、西伯利亞汗國，都是從金帳汗國裡分裂出來的，歷來都是金帳汗國統治最薄弱的地方，或許是最好的選擇。而且，俄羅斯人很清楚，蒙古人從東方來，曾經占領大片土地，現在蒙古人敗落了，這些地方群龍無首，正是搶占地盤的好時機。

一四八三年，莫斯科軍官喬爾內與特拉維率領一支遠征隊進入西伯利亞汗國，從彼爾姆地區的烏斯秋格出發，往東越過烏拉山脈，然後沿塔夫達河而下，經過今秋明附近後，繼續向東，依次到達托博爾河、額爾齊斯河、鄂畢河。在原金帳汗國範圍內，西伯利亞汗國占據的是最苦寒的地方，這裡除了蒙古人和突厥人外，土著人還處於石器時代。在鄂畢河一帶，主要生活著沃古爾人和漢特人。俄國人到這裡基本上沒有對手，一路擊敗多支土著軍隊，還抓獲不少俘虜。這一趟下來，許多沃古爾人和漢提人的部落歸順莫斯科。十月，遠征隊回到烏斯秋格。

伊凡三世得知特維爾大公和立陶宛大公來往甚密後，打算先收拾特維爾公國。一四八四年，莫斯科軍隊攻入特維爾，特維爾向立陶宛求救。立陶宛不想和莫斯科發生衝突，於是特維爾投降，保證不再和立陶宛來往。但是，第二年伊凡三世就抓到特維爾派往立陶宛的信使，於是再度發兵。特維爾不敵，大公出逃立陶宛，特維爾出城請降並宣誓效忠。伊凡三世封長子為新特維爾大公，此後特維爾便逐漸被併入莫斯科版圖。

伊凡三世的目標是把所有的羅斯公國都納入自己的版圖，但有些羅斯公國在立陶宛的統治之下，為了避免和立陶宛正面衝突，伊凡三世宣布，只要這些羅斯公國承認以莫斯科為首都，同時自願削去公國的藩號，併入莫斯科版圖，那麼，莫斯科只需要這些公國的國防和外交權，原來大公的領地和財產不受侵犯。這一招兵不血刃且非常奏效，西部和西北部許多羅斯公國紛紛來投，莫斯科只向這些地方派駐少量軍隊和官員進行管理。這樣一來，各個公國的獨立性就慢慢喪失了，權力向莫斯科集中，一群鬆散的公國逐漸演變成一個以莫斯科為首都的中央集權國家。

但在前往東方的道路上還有兩個障礙：梁贊大公國和喀山汗國。梁贊大公國早在基輔羅斯時期就存在，比莫斯科的歷史還早，是莫斯科的競爭對手。喀山汗國比較好辦，本身內鬨不斷，有一部分人本身就親莫斯科。一四八七年，莫斯科攻入喀山，扶持親莫斯科的穆罕默德·阿明（Möxämmädämin of Kazan）為汗，喀山汗國相安無事。

接下來，伊凡三世開始向烏拉山西部地區滲透，相繼征服彼爾姆、沃古爾（鄂畢河下游）、維亞特卡（今基洛夫）。短短十幾年裡，莫斯科從一個小公國，一躍成為東歐平原的大國，去往東方的道路上再也沒有強勁的對手。

莫斯科的快速崛起引起歐洲人的注意，一四八九年，神聖羅馬帝國皇帝派來特使，要冊封伊凡三世為王。當然，需要伊凡三世先提出請求，神聖羅馬皇帝再同意即可。之前說過，當時的歐洲（主要是中歐、西歐和南歐，不含東歐，一般情況下不含北歐），神聖羅馬帝國的創立是為了繼承羅馬帝國的榮光，除了羅馬帝國有皇帝，其他國家最高只能稱為王，而且必須得到皇帝冊封，這個王才算合理、合法。不管這個神聖羅馬帝國是不是有名無實，但在法統上，大家還是願意走這個流程，否則人人稱王就亂了套。伊凡三世卻不吃這一套，在他眼裡，拜占庭帝國（實際上他們一直自稱羅馬帝國，後人為了區別才稱為東羅馬帝國或拜占庭帝國）才是羅馬帝國的繼承者，現在拜占庭帝國亡了，莫斯科繼承拜占庭的法統，他才是真正的羅馬皇帝，幹嘛需要神聖羅馬帝國皇帝來冊封？不是直接替自己降級嗎？但鑑於西歐各國都在表面上承認神聖羅馬帝國，伊凡三世也不好和他翻臉，於是婉拒。

正當莫斯科如日中天時，上天又給了他一個向西拓展的機會。

一四九二年，兼任波蘭國王和立陶宛大公的卡齊米日四世（Casimir IV Jagiellon）去世，兩個兒子瓜分了波蘭和立陶宛。本來強大的克雷沃聯邦突然在軍事上失去優勢。伊凡三世看到戰機，立即聯絡南方的克里米亞汗國，一南一北聯合進攻立陶宛。莫斯科軍隊一路攻城掠地，梅曉夫斯克、謝爾佩伊斯克、維亞濟馬、梅采茨克等城邦公國相繼陷落。立陶宛大公求和，承認莫斯科對梅曉

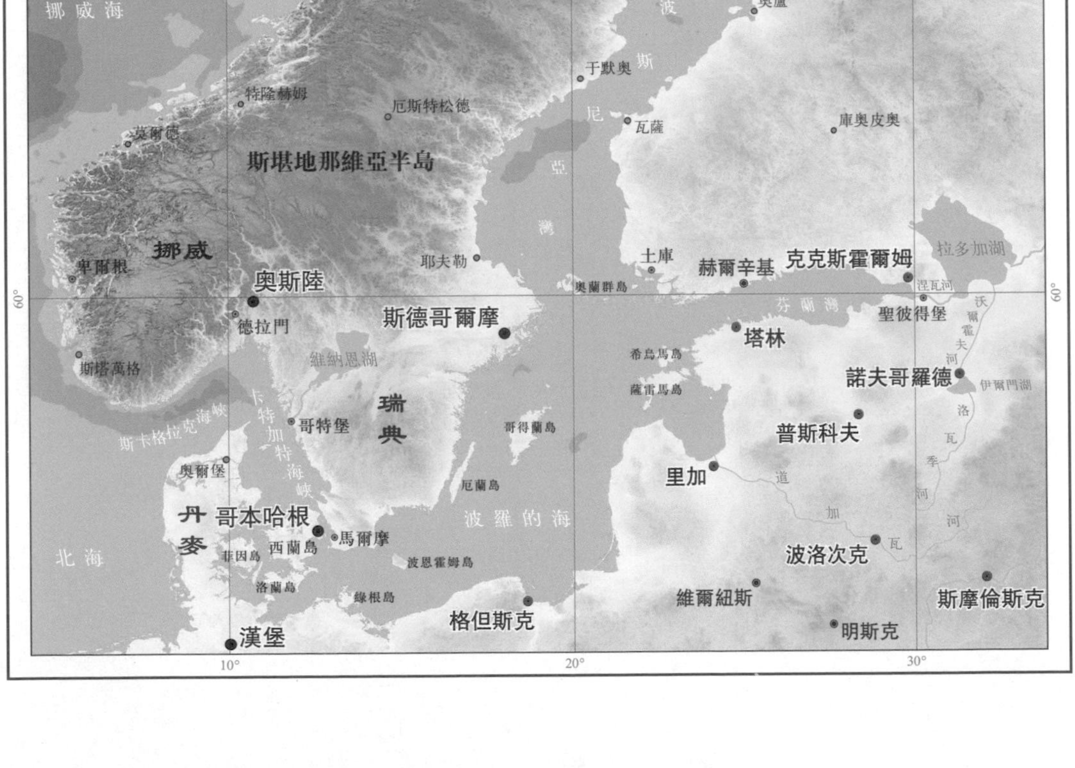

夫斯克等城邦的主權，伊凡三世勉強同意，雙方停戰。

一四九三年，哥倫布從西印度群島回國，極大地刺激了歐洲人的神經。莫斯科公國不甘寂寞，派了一支船隊到北冰洋探險。與西歐人的船隻不同，莫斯科的船隻呈卵型，沒有稜角，非常適合在冰海裡航行。這一遠航，俄羅斯人發現了斯匹茲卑爾根島。

一四九五年，莫斯科派了一支船隊到西北海域探險。船隊從北德維納河起航，經白海，繞過莫曼斯克角。返航途中，船隊在科拉半島的東北海岸停靠，使當地的土著拉普蘭人歸順了莫斯科。

一四九六年，伊凡三世派探險家格里高里．伊斯托馬出使丹麥王國。使者團從北德維納河出發，經白海，過巴倫支海，繞過斯堪地那維亞半島，先後到達挪威王國的特隆赫姆和丹麥王國的首都哥本哈根。後來，英國人也是透過這條航線與俄羅斯建立貿易關係。

海上探險收穫寥寥，莫斯科公國把目光再度轉向陸地，或者說陸地上的內河。一四九九年春，伊凡三世再派探險隊遠征鄂畢河地區。探險隊從莫斯科以北四百公里處的沃沃格達出發，先沿蘇霍納河往東北航行，再沿維切格達河往東到達伯朝拉河的上游，然後順河而下，在河口建立一個據點奧克西諾。十一月二十一日，遠征隊開始向烏拉山脈（當時俄羅斯人稱為「石帶」）進發，兩週後抵達山下。然後俄羅斯人兵分兩路，一路奔向尤格拉（漢特－曼西斯克），然後順鄂畢河而下到達別列佐夫（別列佐沃），迫使當地奧布多爾人和尤戈爾人歸順莫斯科；另一路在利亞平河地區占領三十多個村鎮，俘虜千餘人。利亞平河在烏拉山脈以東、鄂畢河以西，注入索西瓦河後再注入鄂畢河。這樣一來，鄂畢河下游地區從此被併入莫斯科公國。一五〇〇年秋天，遠征隊班師，一五〇一年四月回到莫斯科。

和立陶宛之間的和平是短暫的，莫斯科沒有忘記同時向西擴張。一五〇〇年，雙方終於爆發全面戰爭。莫斯科還是與拉克里米亞做盟友，克里米亞也格外賣力。立陶宛兩頭受敵，節節敗退。就連烏克蘭地區的公國也紛紛向莫斯科投誠。

一五〇二年，伊凡三世病重，瓦西里三世（Vasili III of Russia，伊凡三世和拜占庭公主索菲婭之子）繼位，兵鋒繼續向西推進，立陶宛的國土丟掉三分之一，包括十九個城邦、七十多處領地、二十二個城鎮和十三個鄉鎮。

一五〇三年，立陶宛再度求和，雙方再次簽訂和約，車尼戈夫、普季弗利、戈梅利、布良斯克等城邦併入莫斯科版圖。這時莫斯科版圖在西線達到相對理想的狀態：西線正面是要塞斯摩倫斯克，離立陶宛首都維爾諾（今維爾紐斯）四百多公里；北線以諾夫哥羅德為依託，與普斯科夫形成一道防線。一旦有變，兩線夾擊，立陶宛插翅難逃。

和伊凡三世生於憂患不同，瓦西里三世是含著金湯匙出生，從小就習慣一呼百應，很少考慮別人的感受。國事上，他更喜歡直接動武，不像父親那樣擅長用外交手段，這樣一來，就和原來的盟友克里米亞漸行漸遠了。

西線穩定了，瓦西里三世就把目光轉向東方。

喀山汗國本來已經臣服，甘心當小弟，但瓦西里三世不滿足，想把喀山直接納入莫斯科版圖。一五〇六年，瓦西里三世藉口喀山汗國違反此前簽署的和約，發兵喀山汗國，結果出師不利，鎩羽而歸。從此，喀山汗國和莫斯科反目成仇，還拉來克里米亞汗國、立陶宛大公國一起對付莫斯科。一時間，莫斯科三面臨敵。

恰在此時，立陶宛大公亞歷山大（Alexander Jagiellon）去世，新大公是他的弟弟，繼位後的第一件事就是要求莫斯科歸還此前占領的土地。雙方再一次爆發戰爭，臨陣之際，立陶宛一位名為米哈伊爾·格林斯基（Michael Glinski）的貴族臨陣反叛，立陶宛立即陷入被動，向盟友喀山汗國和克里米亞求助。兩國卻袖手旁觀，誰也不出兵。立陶宛只好又一次求和，承認此前莫斯科占領的土地。

看來有必要鞏固一下西線的防禦，一五〇九年至一五一〇年間，瓦西里三世花了很大的精力才把普斯科夫吃掉，這裡原本是他的封地，現在變成莫斯科公國的一部分。還有邊疆重鎮斯摩倫斯克，瓦西里準備一舉拿下。一五一二年，正當瓦西里三世率兵親征時，背後傳來一個壞消息：克里米亞大舉入侵，已經深入到莫斯科腹地了。

第十八章

從沙皇俄國到俄羅斯帝國

克里米亞汗國的主體是韃靼人，這個名字使用得很廣泛，在不同時期、不同地區，所代表的含義不一樣。

很多人經常把韃靼和蒙古混淆，其實韃靼的歷史比蒙古久遠很多，早在南北朝時，中國的史書就有韃靼的記載。但韃靼不單指某一個民族，一般認為最早是指蒙古高原上柔然的殘部。柔然本身是各種部族雜處，敗落後，殘部逐漸融合在一起，成為一個獨特的部族。突厥人興起後，柔然又融合一部分突厥人，逐漸被突厥化，中央王朝稱為韃靼。這時韃靼人的勢力還很小，經常被突厥人欺負。突厥敗落後，韃靼人又被新起的回鶻汗國欺負。直到回鶻人敗落，西遷阿爾泰山，草原上出現權力真空，韃靼人才能快速發展。這時的韃靼已經廣泛分布在大漠南北，有的還進入長城以南，例如後唐的李克用就曾招募數萬韃靼人替他打仗。

其實，這時草原上不僅有韃靼，還有別的部族，但韃靼分布最廣，中原人經常用韃靼泛指所有的草原游牧民族。

北宋時期，韃靼人臣服遼國，但經常反叛。南宋時，金國把精力放在宋朝身上，無暇北顧，不只是韃靼人，蒙古草原上各個部族都得到空前發展，其中就有蒙古部。

蒙古人也是柔然的殘部，柔然敗落後，主體逃回大興安嶺，分為兩支，北支稱室韋，南支稱契丹。室韋有一支稱蒙兀，就是蒙古。某種程度上，蒙古人和韃靼人有血緣關係，但歷經幾百年的演化，他們已經屬於不同部族。

回鶻人撤離後，蒙古人從大興安嶺進入蒙古草原，由漁獵改為游牧。十二世紀下半葉，蒙古高原上已是部族林立，其中塔塔兒部最強，就是之前所說的韃靼。這時，所謂的蒙古人僅指乞顏部、泰赤烏部和札達蘭部。塔塔兒人是突厥化的混合體，有說突厥語的，有說蒙古語的，還有說通古斯語的。蔑兒乞人據說是原西伯利亞人（葉尼塞人）和通古斯人，從他們的部落名字看又像是說蒙古語的。而克烈部和乃蠻部都是說突厥語的游牧民族。漠南的汪古部也是說突厥語的混合部族，還有一個吉利吉思部，實際上是吉爾吉斯人。鐵木真統一蒙古高原後，這些部族統稱為蒙古人。

蒙古高原的變化實在太快，民族又複雜，宋朝的漢人根本分不清，於是簡而化之，統稱韃靼人。根據他們離漢地的遠近、文化高低的不同，分為黑韃靼、白韃靼、生韃靼。黑韃靼就是漠北各部，白韃靼就是漠南的汪古部，還有生活在深山老林裡以狩獵為生的，最原始的那些部族，就稱為生韃靼。

這是一開始中國古籍裡的韃靼（先後有達怛、達靼、塔坦、韃靼、達打、達達等譯法）一詞的含義，到了國外，情況又發生改變。

蒙古人西征，隨征隊伍裡不僅有蒙古人，也有原來的韃靼人。而韃靼人的名號遠比蒙古人古老，更為人們所熟知。另外一個原因，蒙古人在西征途中，又有很多說突厥語的游牧民族，例如保加爾人和欽察人被征服後加入，就連自己最終都被突厥化，歐洲人更分不清他們之間的區別，乾脆都叫韃靼人。金帳汗國統治的二百多年裡，又有很多西亞和東歐人的白種人加入，他們同樣被稱為韃靼人。在歐洲，韃靼人屬於黃、白混血人種。

經過元朝後，中國人對蒙古人有了比較明確的認識。到了明朝，韃靼專指東蒙古政權，代表正統的蒙古人。至於今天中國的塔塔爾族，又和俄羅斯有關。十九世紀後，大量的韃靼人迫於生存壓力，開始回遷中國。那時的滿族官員對明顯帶有華夷之辨的韃靼二字頗為敏感，就改用塔塔爾這個比較中性的稱謂。但為了區別，我們將國外、特別是俄羅斯境內的這個族群仍翻譯為韃靼。

說回克里米亞汗國，就是一個由韃靼人組建的國家，說是國家，其實他們不從事生產，以前在金帳汗國手下時，還有俄羅斯人替他們收稅上貢，不需要考慮生存問題。等金帳汗國垮臺後，他們只能自謀生路了，謀生方式還是蒙古人的傳統——四處劫掠。打劫的對象主要是立陶宛公國、烏克蘭諸公國

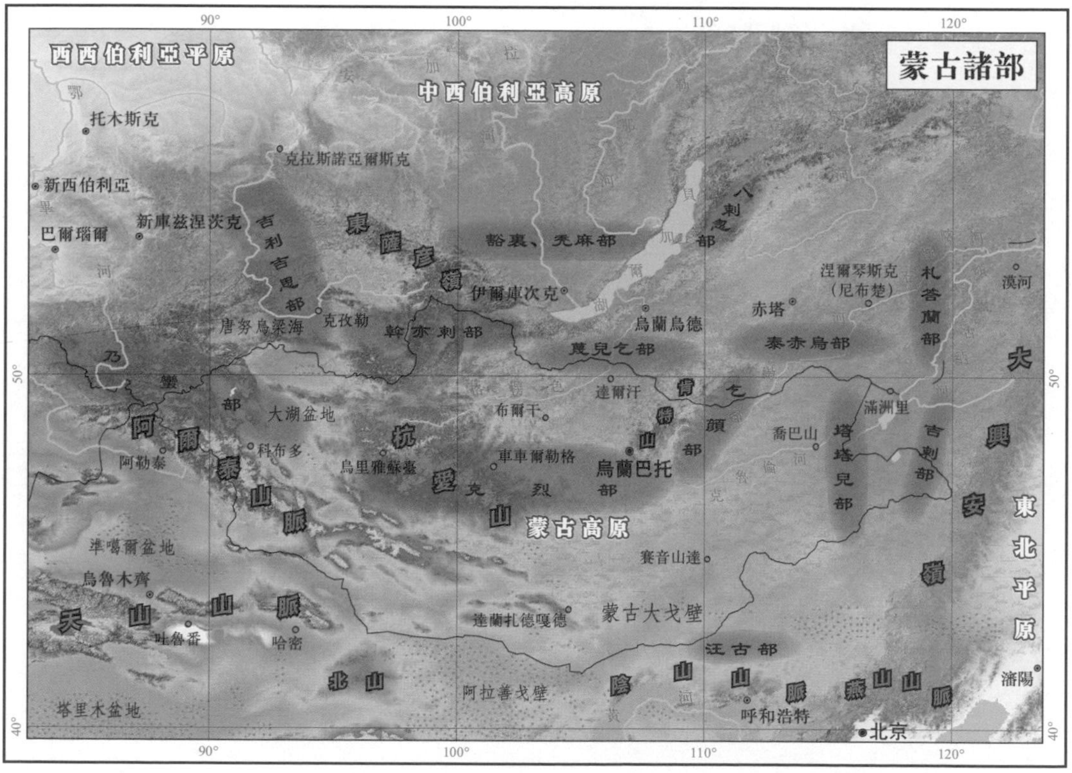

和莫斯科公國。至於南邊的鄂圖曼帝國，克里米亞是不敢動的，不僅不敢動，早在一四七五年，克里米亞就成為鄂圖曼的小弟，並皈依伊斯蘭教。旁邊其他的韃靼汗國，克里米亞自認是金帳汗國的繼承者，當然有理由保護他們。正是仗著背後有鄂圖曼帝國撐腰，克里米亞經常派出大隊的輕騎兵，深入敵境腹地數百里，然後兜個圈子折返，沿途劫掠而回。蒙古騎兵來去如飛，這些國家根本來不及反應。克里米亞汗國將這些波蘭人、烏克蘭人和俄羅斯人搶來後，當作奴隸賣到鄂圖曼帝國。據說，從十四世紀立國到十六世紀末，克里米亞汗國共販賣了三百萬名奴隸，其中大部分是俄羅斯人。

一五一二年，克里米亞突然偷襲莫斯科公國的後路，不是和莫斯科有仇，而是克里米亞韃靼人見錢眼開。立陶宛被俄羅斯人攻擊後，立陶宛大公花了一萬五千枚金幣，說服克里米亞的蒙哥吉雷汗出兵。瓦西里三世來不及回防，蒙哥吉雷汗很快占領了梁贊，兵臨莫斯科城下。莫斯科守城軍隊頑強抵抗，蒙哥吉雷汗根本不想打仗，大肆劫掠一番後退兵。但從此以後，莫斯科大公國和克里米亞汗國就算徹底翻臉了。

此時的瓦西里三世仍在斯摩倫斯克苦戰，親自衝鋒陷陣也沒拿下。無奈之下，下令圍城。兩年後，城中彈盡糧絕，斯摩倫斯克投降。但隨後，城裡的教會和貴族不服，暗通立陶宛。立陶宛開始反攻，雙方戰端重啟，一時陷入膠著。莫斯科經過艱苦奮戰，最終才保住斯摩倫斯克。

斯摩倫斯克的攻防戰讓莫斯科與立陶宛的矛盾愈來愈深，就連神聖羅馬帝國派特使前來斡旋都無濟於事。雙方一直僵持到一五二〇年，最終達成和解，簽訂為期五年的停戰協議。協議裡，立陶宛沒有承認莫斯科對斯摩倫斯克的主權，但莫斯科既然事實上占領了斯摩倫斯克，就有辦法將這裡變成莫斯科公國的一部分。此後，瓦西里三世不再向新占領的地方派遣督軍，而是移民：他將普斯科夫、斯摩倫斯克的居民大批遷往莫斯科，再將莫斯科的居民填補進來。時間一長，這些地方就和莫斯科公國的其他地方一樣，由俄羅斯人主導，想反叛都難。

一五二一年，克里米亞汗國再度入侵，很快又占領南方的門戶梁贊，兵臨莫斯科城下。瓦西里三世連嘗敗績，喀山汗國伺機而動，驅逐莫斯科扶持的傀儡，從克里米亞迎接一位王子繼位，隨後陳兵邊境，策應克里米亞的軍事行動。

韃靼人本來就擅長掠奪，不善於攻城。克里米亞在莫斯科城久攻不下，後方又有梁贊國襲擊後路，於是大掠一番後撤兵。

游牧騎兵想來就來，想走就走，而莫斯科四周一馬平川，沒有任何山川險阻可以抵擋，讓莫斯科很頭疼。但面對強大的克里米亞汗國，背後又有鄂圖曼帝國撐腰，莫斯科一時無計可施，只好把矛頭放在東方相對弱小的喀山汗國身上，拿他開刀。隨後的兩年裡，莫斯科集中兵力東征喀山汗國，幾經攻伐，終於讓喀山汗國俯首稱臣，再次扶持一位親莫斯科的可汗，並讓這位可汗的幾個兒子到莫斯科為人質。

莫斯科的一系列行動，讓我們很容易想到一個詞——遠交近攻。對於普魯士、丹麥、瑞典、法國，甚至是印度，瓦西里三世不停派出使者結好，對於立陶宛，使其孤立後伺機伐兵。對於梁贊等一些小公國，瓦西里三世的手段毫不掩飾，直接下令讓他們的大公來莫斯科，然後宣布接管他們的領地；對方如果態度比較好，就在別處賞一塊小封地過日子；如果反抗，該殺的殺，該關的關。即使是自己的親戚，瓦西里三世也毫不留情。幾年時間，沃羅茨科耶、卡盧加、烏戈利茨、梁贊、謝維爾斯科耶、諾夫哥羅德等公國相繼併入莫斯科版圖，以莫斯科為首都的俄羅斯雛形開始顯現。

這時麥哲倫已完成環球航行，英、法開始探索西北航道，莫斯科也明定從東北方向的內河抵達中國的戰略構想，下一步，就是逐步蠶食金帳汗國的遺產，打通去往中國的道路了。

一五三三年十二月，瓦西里三世病逝，三歲的幼子伊凡（Ivan the Terrible）即位，史稱伊凡四世。因為年幼，暫由母親葉蓮娜（Elena Glinskaya）攝政，她是金帳汗國蒙古貴族的後裔，伊凡四世也有蒙古人血統。

一五四七年一月，伊凡四世加冕為沙皇，國號由莫斯科公國改為俄羅斯帝國。要明白伊凡四世此舉的意義，就得先明白「沙皇」一詞的含義。

沙皇一詞來自於拉丁語 Caesar，就是凱撒的意思，轉到俄語就成了 царь，如果用羅馬字母拼寫就是 Tsar，發音是「沙」，意思是皇帝，中文半音半意翻譯為沙皇。這樣看來，沙皇就是皇帝了，但事實上沒這麼簡單，還得從源頭理一理。

凱撒（Julius Caesar）是羅馬共和國的最後一任執政官，也是一位獨裁者。正因為他的獨裁，羅馬的共和制遭到瓦解。屋大維（Gaius Octavius Thurinus）建立羅馬帝國後，後續的皇帝經常用「凱撒」的名號，這時，「凱撒」不再是一個名字，而是皇帝的代稱。但是，凱撒畢竟只是羅馬帝國的奠基者，真正的開創者是屋大維，他的封號是「奧古斯都」（Augustus），所以後來的皇帝喜歡用「奧古斯都」的名號。這樣一來，「奧古斯都」也成為皇帝的代名詞，而且比「凱撒」還要高一級。羅馬帝國時期，形成一個慣例：皇帝的稱號是「奧古斯都」，繼承人的稱號是「凱撒」。這麼看來，「凱撒」有點像皇子或王的意思了。但之前說過，羅馬帝國的皇帝不是中國的皇帝，這個皇子未必是皇帝的兒子，只是個繼承人，叫皇儲更合適。羅馬帝國分裂前是四帝共治時期，東、西帝國各有兩個皇帝，正皇帝是「奧古斯都」，副皇帝是「凱撒」，而且「凱撒」是「奧古斯都」的繼承人。羅馬帝國分裂後，這個慣例沒有變。籠統來說，「凱撒」是皇帝的代稱，但又不是最大的皇帝。

我們稱羅馬帝國這些最高統治者為皇帝，是因為他們的權力和皇帝沒什麼差別，實際上的職位是首席執政官，為了彰顯自己的權力，又加了一些諸如「終身保民官」、「大元帥」、「大祭司長」等頭銜，也包括「奧古斯都」和「凱撒」這些頭銜。但還有一個頭銜是皇帝專用的，就是「Imperator」（又譯凱旋將軍、大元帥、統帥）。這個詞在王政時代指的是軍事指揮官，在共和時代成為戰功卓著將領的榮譽稱號，帝國時代就僅限皇帝使用了。因此，Imperator 成為皇帝的代稱，法語的 empereur（皇帝）和 empire（帝國），以及英語的 emperor（皇帝）和 empire（帝國），都是來自這個拉丁詞語。西羅馬帝國滅亡後，東羅馬帝國的皇帝在拉丁語中的稱號就是 Imperator，後來神聖羅馬帝國的稱號除了「奧古斯都」外，也有 Imperator 的稱號。在後來的歐洲人眼裡，Imperator 才是真正的皇帝，高於「凱撒」。

但是，在俄羅斯人的心目中，「凱撒」就是至高無上的統治者，他們曾稱拜占庭帝國的皇帝為「凱撒」，也稱金帳汗國的大汗為「凱撒」，在他們眼裡，「凱撒」就是皇帝。直到一七二一年，彼得一世（Peter the Great）打敗瑞典後稱帝（Imperator），那時俄羅斯人才意識到歐洲人心目中的皇帝是Imperator，不是「凱撒」，官方才把伊凡四世之後的俄羅斯定位為王國，彼得一世之後的俄羅斯定位為帝國。但這是事後的修正，並非伊凡四世立國時的初衷。俄羅斯如果僅是想當王的話，早在瓦西里三世時就可以接受神聖羅馬帝國的冊封，沒必要另起爐灶。之所以有這種修正，正是源於俄羅斯與西歐的隔閡，對歐洲文化的一知半解。後來人們就把俄羅斯歷史上伊凡四世到彼得一世之間這段時期稱為「沙皇俄國」，把彼得一世加冕為帝到一九一七年尼古拉二世（Nicholas II of Russia）退位這段時期稱為俄羅斯帝國。但實際上，伊凡四世加冕為沙皇後，俄羅斯就是帝國，沙皇就是俄羅斯人心目中的皇帝。因此，彼得一世之後，俄羅斯人仍習慣稱皇帝為沙皇。

總之，伊凡四世加冕沙皇，意味著俄羅斯人正式向外宣告，他們繼承了拜占庭帝國的法統，常自稱莫斯科為「第三羅馬」。從此，俄羅斯不再是東歐平原上不起眼的小公國，他們已躋身於歐洲大國行列了。

但此時俄羅斯還沒有波羅的海的出海口，與歐洲各國之間仍有隔閡。恰好此時英國在開闢東北航道，與俄羅斯取得聯繫，俄羅斯因此獲得歐洲的先進武器，與西歐各國的差距愈來愈小。俄羅斯最大的目標就是逐步蠶食以前金帳汗國的領土，建立另一個蒙古帝國。

一五五二年，伊凡四世的十五萬大軍圍困喀山，兩個月後，喀山汗國終被征服。

一五五四年，伊凡四世派三萬俄軍進攻阿斯特拉罕汗國，推翻雅姆古爾切伊汗，扶持德爾維希·阿里上臺，阿斯特拉罕汗國變為俄羅斯的藩屬。一五五六年伊凡四世派兵驅逐阿里汗，正式吞併阿斯特拉罕汗國。

至此，俄羅斯的南方，除了克里米亞外，原金帳汗國的勢力被一掃而空。按道理，俄羅斯該進攻克里米亞汗國了，但克里米亞汗國背後有鄂圖曼帝國撐腰，恐怕沒那麼好對付。而此時，和英國的貿易中，俄羅斯人嘗到甜頭，急需開拓一條通往西歐的更近航道。

與英國的貿易都是走白海，入北冰洋，繞過斯堪地那維亞半島，不僅路途長，沿途一半的航程在北極圈內，有浮冰，風險大。如果開通從波羅的海到北海的航程，不僅距離近，氣候也適宜。所以，伊凡四世想打通波羅的海的出海口。

從俄羅斯到波羅的海，最近的入海口就是芬蘭灣的涅瓦河入口處。正是此處的戰略位置顯要，彼得大帝才在此修建聖彼得堡這座城市。但在伊凡四世時期，控制芬蘭灣的是位於南岸的立窩尼亞騎士團，也稱寶劍騎士團。

騎士團是十字軍東征時期的產物，東征時期，有許多騎士沒有參加東征，而是趁機搶占地盤。十二世紀下半葉，有不少日耳曼人來到波羅的海東岸，其中既有商人，也有傳教士。隨後，一群十字軍騎士也來到這裡，但不是來傳教的，而是來打家劫舍。一二〇二年，里加主教阿里別爾特（Albert of Riga）

把波羅的海沿岸的騎士們組織起來，仿照巴勒斯坦的騎士團形式，組建了寶劍騎士團。從此，芬蘭灣南岸，就是立窩尼亞地區，就被寶劍騎士團控制了。俄羅斯想打通波羅的海的入海口，寶劍騎士團是繞不過去的一個坎。

一五五八年一月，俄羅斯找了個藉口，說寶劍騎士團與立陶宛大公國聯合反對俄羅斯，對寶劍騎士團宣戰。就是歷史上的立窩尼亞戰爭，前後持續了二十五年。一開始，俄羅斯很順利，很快攻陷芬蘭灣南岸的納爾瓦（今愛沙尼亞境內）等城市，包圍里加主教區。寶劍騎士團抵擋不住攻勢，主教們紛紛尋找保護傘，有的投靠立陶宛，有的投靠瑞典。一五六一年，寶劍騎士團瓦解。波蘭、立陶宛、丹麥、瑞典立即插手立窩尼亞，都想從中分得一杯羹。但伊凡四世想獨吞立窩尼亞，於是與四國為敵。形勢很快發生逆轉，先是俄羅斯內鬨，然後是克里米亞趁機洗劫俄羅斯南方，鄂圖曼帝國也把軍隊開進窩瓦河流域。俄羅斯一時四面楚歌，難以招架，最終不得不求和。一五八二年，俄羅斯和波蘭簽訂協議，立窩尼亞大部分地區和波拉次克劃歸波蘭；次年，又和瑞典簽訂停戰協議，納爾瓦和芬蘭灣全部海岸歸瑞典。俄羅斯勞民傷財，在立窩尼亞打了二十五年，最終以失敗告終，原先吃進去的土地又被迫全部吐了出來，等於白忙一場。

這場曠日持久的戰爭讓俄羅斯意識到，全面開花的結局很慘，西邊的鄰居不好欺負，於是一心一意往東拓展，目標自然是西伯利亞汗國。

第十九章

征服西伯利亞汗國的帷幕

如果要對付東擴路上的敵人，俄羅斯人最擔心的還是蒙古韃靼騎兵。蒙古人雖然敗落了，但只是他們的組織能力和政治水準不行了，單兵的戰鬥力卻沒有下降。而實際上，俄羅斯也有這樣勇猛善戰的騎兵，就是哥薩克人。

哥薩克不是一個獨立的民族，而是一個特殊族群。十三世紀開始，一些斯拉夫人為了躲避金帳汗國的統治而流落到聶伯河、頓河和窩瓦河下游的草原上。十五、十六世紀，俄羅斯從小公國逐步走向中央集權，最倒楣的還是底層百姓，許多農民淪為農奴，一些不願成為農奴的俄羅斯人和烏克蘭人遷徙到俄羅斯南部，這裡曾是金帳汗國的核心地帶，金帳汗國瓦解後成為無主之地，他們結群而居，不受任何人管束，被附近的韃靼人（說突厥語）稱為「自由人」，音譯就是「哥薩克」。

哥薩克人雖然出身農民，但到了草原後，經常需要面對韃靼人的搶劫，又要防止俄羅斯王公貴族的抓捕，長久以來，養成下馬種地、上馬打仗的生活習俗，變得英勇善戰、殘暴無情。除了俄羅斯人和烏克蘭人外，這個群體也有白俄羅斯人、波蘭人、韃靼人、高加索人、喬治亞人、卡爾梅克人和土耳其人等，以俄羅斯人為主體。總之是一些為生活所迫的人，來到這個四戰之地，過著刀口上舔血的日子。這裡曾是東歐到中亞的傳統商貿路線，哥薩克人時常出去打劫，所以他們的名聲並不好。

對於俄羅斯來說，有這樣一個群體存在，可以暫時阻擋南方鄂圖曼土耳其人的北侵，但對國家政權來說，他們不受約束，終歸是個隱患，但如果善加利用，或許能為國家建立奇功偉業。在俄羅斯廣袤的國土上，不缺這樣有遠見、卓識的人。

早在一五五六年，伊凡四世就召見了與西伯利亞汗國毗鄰的斯特羅加諾夫家族，詢問一些邊境情況後，授權他們抵禦西伯利亞汗國；命他們在西伯利亞汗國近處構築工事堡壘，招募軍隊，添置武器，伺機侵佔西伯利亞汗國的土地。一五七四年，沙皇再次下令，准許斯特羅加諾夫家族在烏拉山東側，一直到鄂畢河及其支流圖拉河、托博爾河和額爾齊斯河等地建城募兵。

斯特羅加諾夫家族居住在卡馬河上游一帶，靠近烏拉山脈，是俄羅斯抵擋西伯利亞汗國的最前線，也是當地數一數二的大富商。對於沙皇的命令，斯特羅加諾夫家族當然願意，既為國家拓展疆土，也能擴充自己的領地。但斯特羅加諾夫家族也明白，僅憑自己的力量，要對付蒙古韃靼的騎兵很難取勝，於是聯繫哥薩克首領葉爾馬克·齊莫菲葉維奇（Yermak Timofeyevich），鼓動他入夥，一起去征服西伯利亞汗國。

葉爾馬克原本跟著頓河哥薩克首領在俄羅斯南部草原一帶流浪，因為搶劫窩瓦河一帶過往的商人和外國使臣，而遭到俄羅斯官方的打壓。一五七九年，伊凡四世派兵將其擊潰，葉爾馬克遭到通緝。眼看走投無路，斯特羅加諾夫家族的鼓動讓他眼前一亮，於是迅速入夥，開始招兵買馬。

一五八一年，雙方組建一支八百多人的遠征隊，其中五百四十人是葉爾馬克帶來的哥薩克人。九月初，遠征隊從奧列爾鎮出發，拉開征服西伯利亞汗國的帷幕。

西伯利亞這個名字對我們很熟悉，每到冬天，天氣預報就會說：「一股來自西伯利亞的冷空氣……」今天泛指俄羅斯烏拉山脈以東這片廣袤的土地，如果細分，又可以分為三部：西西伯利亞平

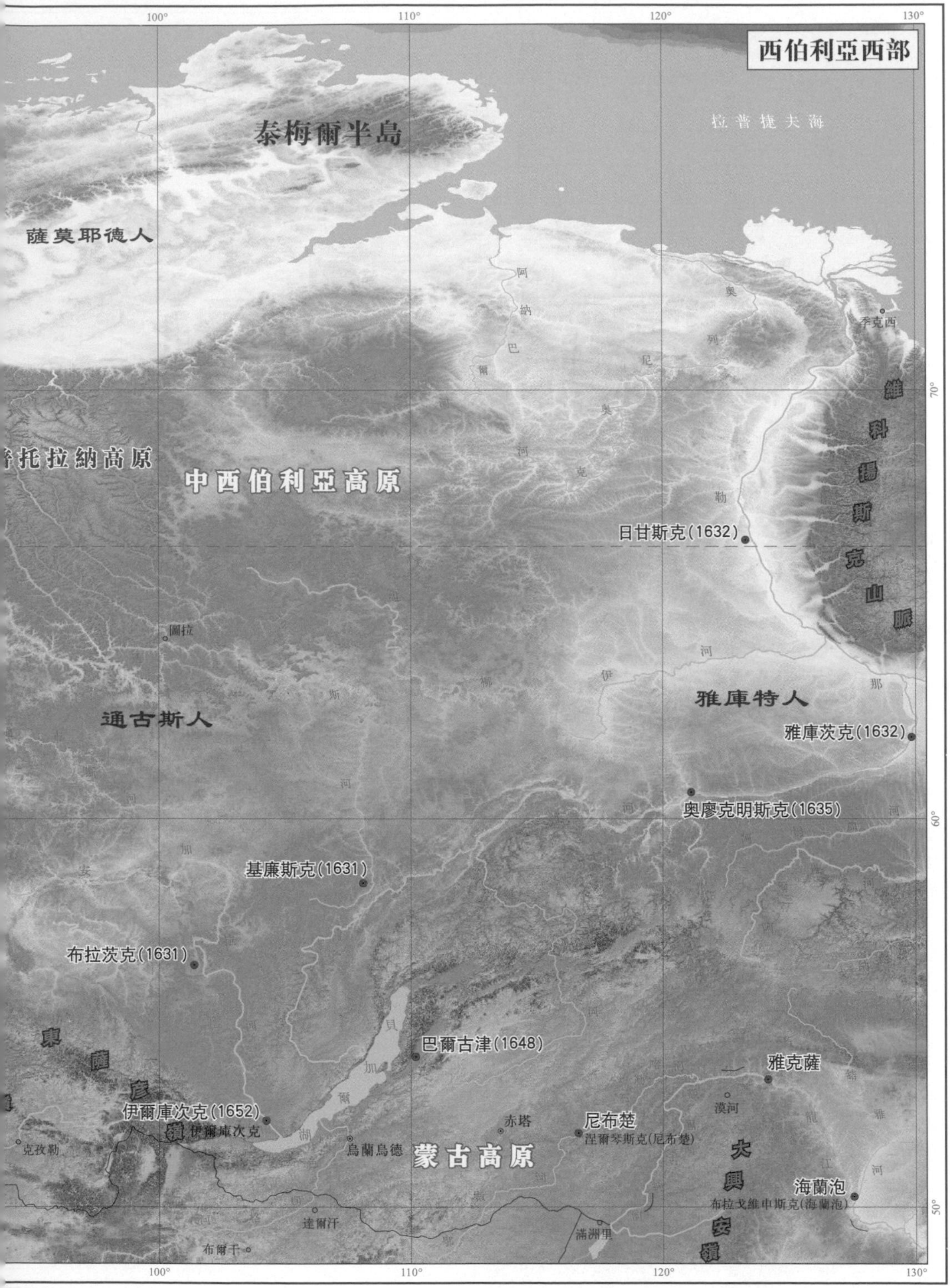
西伯利亞西部
泰梅爾半島
拉普捷夫海
薩莫耶德人
中西伯利亞高原
雅庫特人
通古斯人
日甘斯克(1632)
雅庫茨克(1632)
奧廖克明斯克(1635)
基廉斯克(1631)
布拉茨克(1631)
巴爾古津(1648)
伊爾庫次克(1652)
伊爾庫次克
雅克薩
漠河
尼布楚
涅爾琴斯克(尼布楚)
赤塔
烏蘭烏德
蒙古高原
海蘭泡
布拉戈維申斯克(海蘭泡)
大興安嶺
維科揚斯克山脈
滿洲里
達爾汗
布爾干
克孜勒
圖拉
乔克西
貝加爾湖
100°
110°
120°
130°
70°
60°
50°

新
地
島
卡拉海
葉尼塞灣
亞馬爾半島
鄂
畢
灣
瓦伊加奇島
諾里爾斯克
沃爾庫塔
曼加澤亞(1601)
北極圈
鄂畢多爾斯克
薩列哈爾德
圖魯漢斯克
薩莫耶德人
伯
朝
拉
河
烏
拉
山
脈
別列佐沃(1593)
西西伯利亞平原
鄂
畢
河
蘇爾古特(1594)
鄂畢城(1585)
漢特-曼西斯克
卡
馬
河
額
爾
濟
斯
河
納利姆(1596)
葉
尼
塞
河
葉尼塞斯克(1619)
圖林斯克
托博爾斯克
彼爾姆
秋明(1586)
秋明
葉卡捷琳堡
丘
雷
姆
河
托木斯克(1604)
托木斯克
克拉斯諾亞爾斯
托
博
爾
河
塔拉 (1594)
庫爾干
鄂木斯克
新西伯利亞
烏法(1586)
車里雅賓斯克
彼得羅巴甫洛夫斯克
庫茲涅茨克(16
新庫茲涅茨克
巴爾瑙爾(1738)
巴爾瑙爾
巴甫洛達爾
努爾-蘇丹
西
薩
彥
哈薩克丘陵
阿克托別
塞米巴拉金斯克
卡拉干達
60°
70°
80°
90°
50°

原、中西伯利亞高原和東西伯利亞山地。西伯利亞這個名稱正是源於當年的西伯利亞汗國。也有人認為西伯利亞這個名字來自鮮卑，是「鮮卑利亞」的變音。這個說法很勉強，俄羅斯人進入西伯利亞前，鮮卑人早已消失近千年；而且鮮卑人生活在蒙古高原，發源地在大興安嶺，離烏拉山還遠得很。這個名稱只會先是西伯利亞汗國韃靼人的自稱（Sib Ir），然後進入俄語（Сибирь），再進入英語（Siberia），翻譯成中文就是西伯利亞。按發音，西伯利亞汗國也譯為「失比爾汗國」。

十六世紀，西伯利亞汗國是整個西伯利亞地區唯一的文明國家，剩下的全是一些原始部落，這也是西伯利亞後來能代指整個地區的原因。對俄羅斯人來說，只要消滅西伯利亞汗國，往東方的道路再也不會碰到強大的敵人。

一五八二年五月，葉爾馬克的遠征隊開始與西伯利亞汗國的軍隊交鋒。西伯利亞有近二十萬人，如果仍是冷兵器時代，葉爾馬克的幾百人完全不是對手，但俄羅斯人手中有歐洲先進的火器，火器是傳統騎兵的剋星。另一方面，西伯利亞汗國是個封建國家，底下有大大小小的領主，西伯利亞庫楚汗（Kuchum）真正能動員的兵力有限。一仗下來，葉爾馬克的軍隊大勝，摧毀西伯利亞汗國西境重鎮葉潘欽。後來，俄羅斯人在此重建了一座城市——圖林斯克。

但西伯利亞韃靼人顯然不會正面等著挨打，他們有自己的作戰方式。

一五八四年八月五日，西伯利亞軍隊趁夜偷襲在瓦加伊河與額爾齊斯河匯合處宿營的俄羅斯遠征隊，全殲一百五十人，葉爾馬克在敗逃時溺水而死。

偷襲，來去如風，正是韃靼騎兵作戰的特點。西伯利亞的韃靼人雖然以牧業和農業為本，但游牧民族作戰的特點沒有改變。俄羅斯人意識到，這裡地廣人稀，氣候寒冷，韃靼人飄忽來去，形蹤不定，如果打游擊戰，即使是哥薩克人也難以占上風。從這時開始，俄羅斯採取一項措施，一邊找合適的地方築城做為據點，一邊蠶食韃靼人的土地，這種方式成為後來占領整個西伯利亞的基本模式。

一五八五年，俄羅斯人在額爾齊斯河和鄂畢河的匯合處修建鄂畢鎮，後升級為鄂畢城。這是俄羅斯人在烏拉山脈以東建立的第一個殖民點，之後的殖民點就像雨後春筍般冒了出來。

一五九三年，他們又在鄂畢河下游西面支流索西瓦河岸修建別列佐沃要塞。

一五九四年，在鄂畢河中游北岸建蘇爾古特城。

一五九五年，在鄂畢河下游修建鄂畢多爾斯克城（今薩列哈爾德）。

一五九六年，俄羅斯人在鄂畢河中上游修建納利姆城。然後，沿著鄂畢河中上游東岸的支流，經旱路越過分水嶺，再通過葉尼塞河的西岸支流，進入葉尼塞河。

至此，俄羅斯人已完全穿過西西伯利亞平原地帶，到達中西伯利亞高原的邊緣。更重要的是，俄羅斯人已經在西伯利亞汗國的北方，陸續建起一些城鎮，這些城鎮成為俄羅斯遠征隊的生命線，不僅能提供後方補給，還能源源不斷地為前方補充兵源。在天寒地凍的西伯利亞，特別是冬季缺吃少穿的情況下，俄羅斯人已經完全把握了戰爭的主動權。

一五九八年八月，離第一次開戰整整十六年後，俄羅斯軍隊在鄂畢河東部支流別爾德河口附近擊敗最後一支三百多人的西伯利亞軍隊，庫楚姆汗逃亡諾蓋汗國，後來在那裡被殺。至此，西伯利亞汗國滅亡。

西伯利亞汗國的首府原本在成吉－圖拉，十六世紀初移居喀什里克城。俄羅斯人摧毀這兩座城後，在原址附近分別修建秋明和托博爾斯克兩座城。

隨後，俄羅斯人占領西伯利亞南部的伊希姆平原，這是西伯利亞汗國最好的地方，與哈薩克汗國接壤。

一六〇〇年，俄羅斯人在塔茲河中下游建立曼加澤亞要塞。

至此，整個西西伯利亞平原幾乎完全被俄羅斯人控制。俄羅斯在托博爾斯克設立督軍一職，統管西伯利亞事務，稱為西伯利亞督軍。

一六〇四年，俄羅斯西伯利亞督軍派遣盧卡率領一支探險隊考察西伯利亞北方的海岸線。探險隊順鄂畢河而下，到了夏天，他們駛出鄂畢灣進入大海，然後向東航行。經過格達灣後，他們在葉尼塞灣入口處發現奧列尼島和西比里亞科夫島，隨即進入葉尼塞灣，但很快就調頭退回大海，然後繼續向東。不久，又發現泰梅爾半島的西部和皮亞西納河口。繼續沿海岸向東探索了一段距離後，船隊返航。在葉尼塞河口，他們與另一支陸上探險隊會師。原來這支探險隊是督軍派來接應的。這支探險隊經過普托拉納高原西北邊緣山地時，在那裡發現銀礦。不久，盧卡隊長因故去世，兩支探險隊各自沿原路返回。

同年，俄羅斯人在鄂畢河中上游修建托木斯克城。日後，托木斯克成為西伯利亞最大的城市。

相對西歐人對中國的一無所知，俄羅斯人對中國的了解還是比較多的。他們知道離中國已經不遠了，而且中間還隔著蒙古人。此時他們迫切地想與富庶的中國建立聯繫，於是從托木斯克派了一支哥薩克探險隊去尋找蒙古人的阿勒坦汗，希望蒙古人能從中牽線搭橋。

中國的史書裡也有一位阿勒坦汗，又稱俺答汗。俺答也譯作安達，蒙古語的意思是朋友、兄弟。阿勒坦汗是成吉思汗的十七世孫，蒙古土默特部的首領。土默特部的根基就是土默特平原，歷史上有名的敕勒川，今呼和浩特一帶。不過，俺答汗已於一五八二年去世，俄羅斯人尋找的阿勒坦汗不是我們所說的俺答汗，而是另有其人，具體原因稍後解釋。

俄羅斯的使者沒有找到阿勒坦汗，但從葉尼塞河上游的吉爾吉斯人那裡得到一些有關中國的情報。如果看今天的地圖，我們會發現以吉爾吉斯人為主體的吉爾吉斯斯坦，位於中國西邊的伊塞克湖一帶。在中國境內，還有他們的同族兄弟，稱為柯爾克孜族，也生活在這一帶。其實，貝加爾湖以西，葉尼塞河上游的東、西薩彥嶺一帶是吉爾吉斯人傳統的游牧地帶。中國歷史對他們的記載很早，至少在秦、漢時期，吉爾吉斯人就已經生活在這裡，那時中國人稱他們為「鬲昆」、「堅昆」，此後又有「契骨」、「紇骨」、「黠戛斯」、「轄戛斯」、「吉利吉思」、「乞兒吉思」、「布魯特」等，和貝加爾湖一帶的回鶻人是鄰居。比較有名的是「黠戛斯」，因為他們打敗了強大的回鶻汗國。吉爾吉斯人並不強大，先後被興起於蒙古高原的匈奴、突厥征服，也歸屬過唐朝，蒙古人興起後又臣服於蒙古（當時稱吉利吉思部）。總體來說，這時吉爾吉斯人的處境還算可以，等蒙古帝國瓦解，各部族長年混戰，吉爾吉斯人的處境就艱難了。一四三九年，瓦剌首領也先率軍對吉爾吉斯人發起突襲。面對突如其來的災難，一部分不甘屈服的吉爾吉斯人向西南遷移，經阿爾泰山脈，輾轉來到天山山脈西部伊塞克湖一帶，這是吉爾吉斯人第一次大規模西遷。後來，正是因為俄羅斯人到來，十七世紀四〇年代，蒙古準噶爾部為避免吉爾吉斯人與沙俄發生衝突，強令吉爾吉斯人從葉尼塞河上游西遷到伊塞克湖一帶，這是吉爾吉斯人歷史上最大規模的一次遷徙。這次遷徙的吉爾吉斯人與上一支會合後，又融入一部分中亞人和蒙古人，最終形成今天的吉爾吉斯人。和回鶻人一樣，吉爾吉斯是黃、白混血人種，不同的是，回鶻人一開始是黃種人，進入西域後開始融合當地人成為混血人種，而吉爾吉斯一開始是白種人，在歷史上先後融入匈奴人、突厥人、葛邏祿人、契丹人、蒙古人的血統，最終成為混血人種。其中可能還包括一些漢人，在唐朝的史料中說，堅昆中有黑髮人，而這些人通常自稱是李陵的後裔。李陵是漢將李廣的孫子，後投降匈奴。匈奴人混入吉爾吉斯人時，部分漢人裹挾其中，也不是什麼奇怪的事。

吉爾吉斯是個傳承數千年的民族，與中國相隔雖遠，但彼此早已知道對方的存在。俄羅斯人從吉爾吉斯人那裡了解到中國的一些情況後，知道要到達中國沒那麼容易，還要費一些周章。

這段期間，俄羅斯人的探險和開拓殖民地的活動沒有停止，而且開始向中西伯利亞高原挺進。

一六〇九年，俄羅斯人在葉尼塞河下游修建圖魯漢斯克，做為過冬的中轉地。

一六一〇年五月底，春季來臨，俄羅斯商人康特拉迪．庫羅奇金（Курочкин）帶領一支探險隊從圖魯漢斯克出發尋找海豹、海獅、海象的棲息地。六月底，船隊沿葉尼塞河而下，航行到河口，由於巨大的浮冰阻攔，在河口停留了五週。八月初，東南風起，浮冰被吹入深海，探險隊穿過葉尼塞灣，沿海岸東行。兩天後，船隊駛入皮亞西納河。在這裡發現有人類到達的足跡，庫羅奇金推測這些足跡是德意志人（泛指西歐人）留下的，他們從歐洲的海岸出發，先穿過北冰洋到達阿爾漢格爾斯克，然後再沿北冰洋海岸到達葉尼塞河口，說明從阿爾漢格爾斯克到葉尼塞河口的海上航路已經有人開闢了。這個消息讓俄羅斯當局大為震驚，因為有人證實，年年都有許多俄羅斯商人帶著德國（德意志）人的貨物，從阿爾漢格爾斯克乘船到葉尼塞河口。於是俄羅斯當局下令禁止俄羅斯居民從海上前往葉尼塞灣，違者處死，以防有外國人知道和利用這條航路。

一六一一年，俄羅斯人繼續沿葉尼塞灣往東，發現泰梅爾半島南部的哈坦加河上游。

一六一二年夏天，俄羅斯探險家舍斯坦科．伊萬諾夫和兒子駕著雪橇船，從鄂畢灣繞過亞馬爾半島，一直航行到白海的港口城市阿爾漢格爾斯克，這條航路算是終於開通。雪橇船是一種船底裝有滑板和冰刀的雪地水上兩用船，在陸地或水上行駛時都可以掛上風帆借助風力，這種船在西伯利亞冰雪世界使用真是再合適不過。

探險和殖民都需要經濟支撐，但西伯利亞的產出實在有限，除了獵捕野獸、獲取獸皮販賣外，似乎找不到其他經濟來源。因此，俄羅斯急需找到中國，如果能建立一條通往中國的貿易線，經濟來源就不是問題了。

一六一六年，俄羅斯人志在必得，托博爾斯克督軍同時派出兩個使節團（兼探險隊）去尋找蒙古各部：瓦．丘緬涅茨尋找土默特部，托．彼得羅夫尋找卡爾梅克部。土默特部前文已經簡單介紹過，卡爾梅克部聽起來很陌生，因為這是俄羅斯人的叫法，中國稱為土爾扈特。

土爾扈特部是克烈部的後裔，屬於瓦剌的一支，嚴格來說不算蒙古人。蒙古人統一高原後，把征服的各個部族統稱為蒙古人，這是廣義的蒙古人，但他們之間還是有差別。北元退回大漠後，在明朝不停打壓下，以成吉思汗為核心的黃金家族威信日益降低，位於高原西部的衛拉特部興起。衛拉特在明朝時稱為瓦剌，其下有四大部落：和碩特部、準噶爾部、杜爾伯特部、土爾扈特部。他們屬於廣義上的蒙古人。但在當時，瓦剌人不認為自己是蒙古人，而且與蒙古人是合作關係，所以上層一直保持通婚來維持

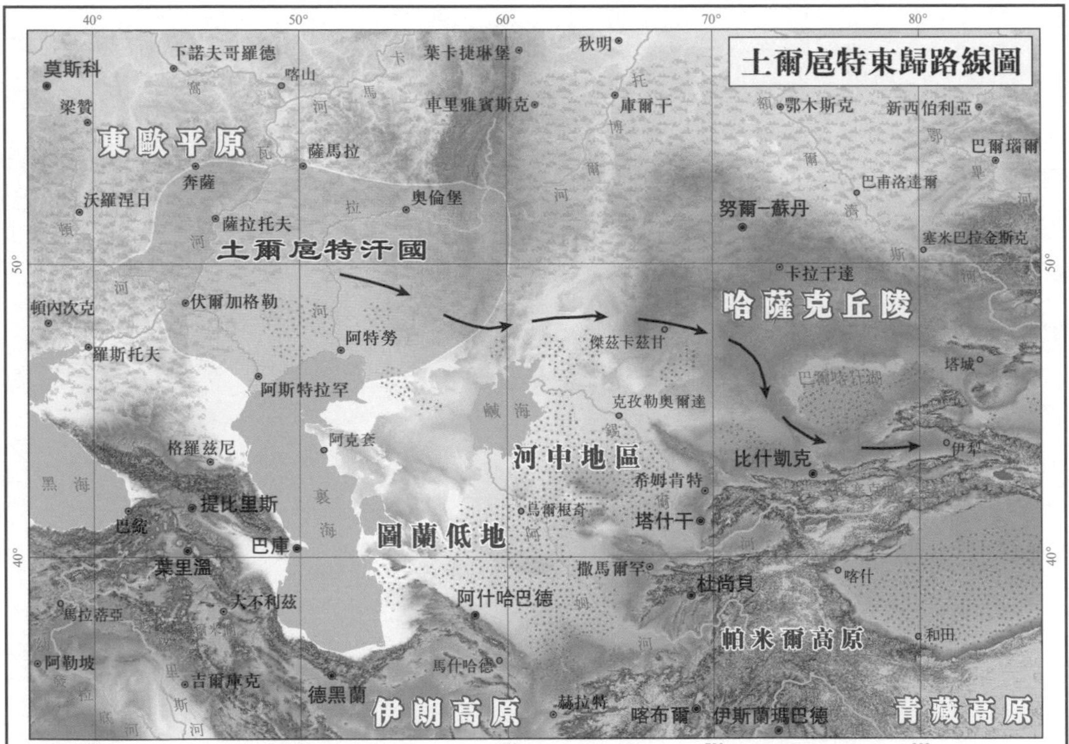

這一關係。其實明朝人也這麼認為，沒有稱他們為蒙古，而是瓦剌；而黃金家族控制的東部地區，按傳統習慣稱為韃靼。明朝有意利用瓦剌的崛起打擊韃靼，以免北元死灰復燃。瓦剌曾一度統一過蒙古高原，還在土木堡之變中打敗過明朝。只是在也先（瓦剌部首領）死後，瓦剌開始衰落，韃靼又崛起，恢復對瓦剌的控制。但這只是曇花一現，到明朝末年，蒙古高原上又部族林立，彷彿回到成吉思汗出現前的狀態。只是這時的瓦剌已經完全融入蒙古族，人們不再稱為韃靼和瓦剌，而是東蒙古和西蒙古。

土爾扈特部原本在塔城地區一帶游牧，東鄰準噶爾盆地，原本不存在什麼問題。到十七世紀，準噶爾部興起，土爾扈特部與準噶爾部不和，於是其首領率領族人和一部分杜爾伯特部、和碩特部的牧民西遷，經過兩年的時間，最終到達人煙稀少的窩瓦河下游地區，就是當年金帳汗國的核心區域。這是一六二八年的事，隨後俄羅斯人的勢力擴展到窩瓦河下游地區，對土爾扈特百般奴役。一七七一年，已經在此生活一百四十多年的土爾扈特終於不堪忍受，在大汗渥巴錫的帶領下，衝破沙俄的重重阻攔，歷盡艱辛，半年後回到中國。乾隆皇帝十分高興，將他們安置在新疆的伊犁。這個地方水草豐美，條件比塔城更好。曾經有一部電影叫《東歸英雄傳》，講的就是這一段歷史。他們啟程的時間是一月，本來想和窩瓦河西岸的人一起走，不巧的是當年是個暖冬，河水一直不結冰，消息傳遞不過去，於是西岸的那些人就永遠地留在那裡，就是俄羅斯境內的卡爾梅克人。當然，這是後話。

一六一六年，明朝末年，俄羅斯人向西伯利亞進發時，正是蒙古高原部族林立的時候，土爾扈特部屬於西蒙古，土默特部屬於東蒙古。而明朝，已經退居到長城以南。

這一次，兩個使節團都成功到達目的地，阿勒坦汗也同意了，俄羅斯的使節可以從他的地盤過境去中國。

俄羅斯人終於出了一口氣，眼看就要找到中國了。

第二十章
中國北方的「三國殺」——通古斯人

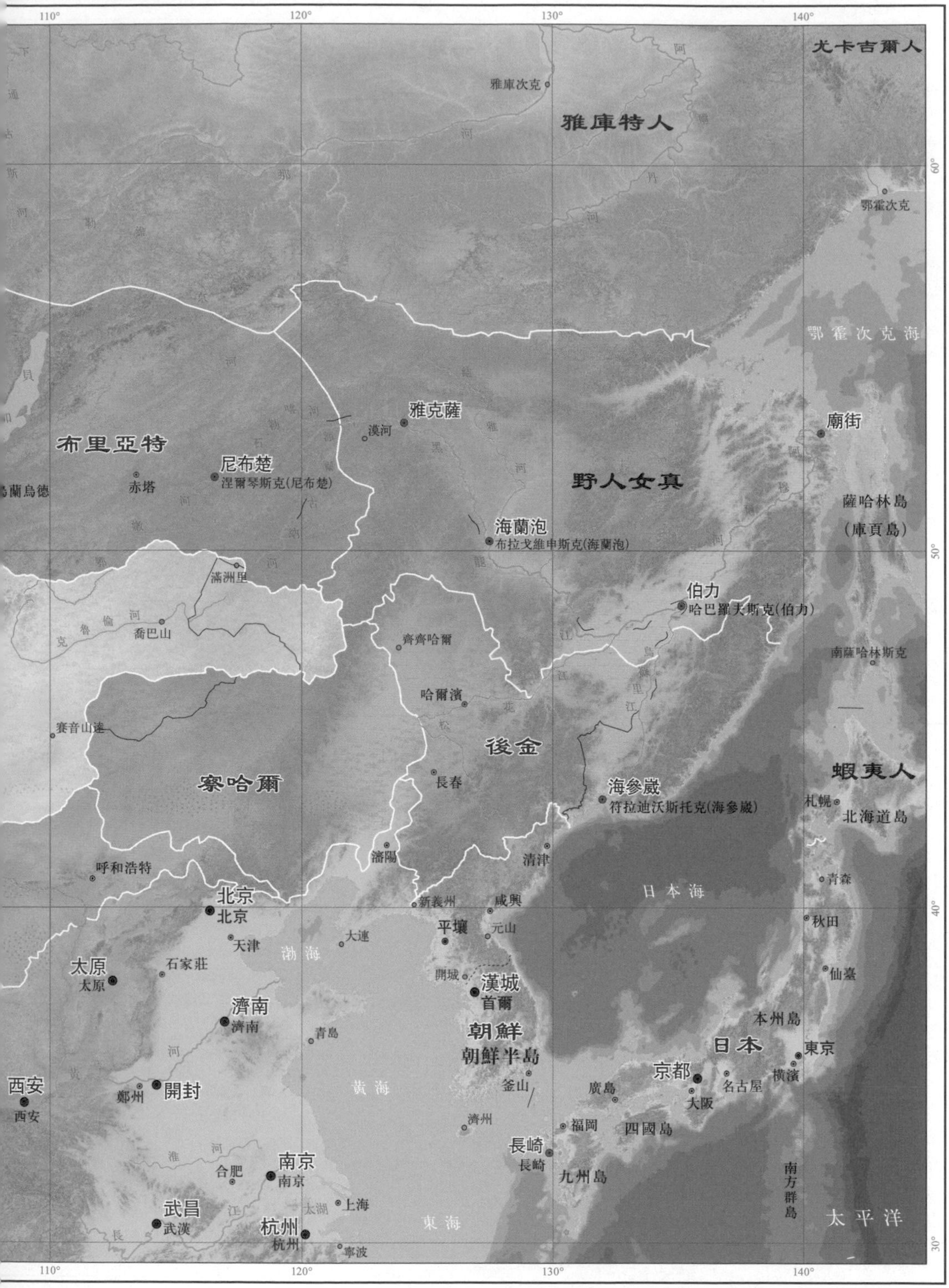
尤卡吉爾人
雅庫次克
雅庫特人
鄂霍次克
鄂霍次克海
雅克薩
漢河
布里亞特
尼布楚
涅爾琴斯克(尼布楚)
赤塔
廟街
野人女真
薩哈林島
(庫頁島)
海蘭泡
布拉戈維申斯克(海蘭泡)
滿洲里
伯力
哈巴羅夫斯克(伯力)
喬巴山
齊齊哈爾
南薩哈林斯克
哈爾濱
賽音山達
後金
蝦夷人
察哈爾
長春
海參崴
符拉迪沃斯托克(海參崴)
札幌
北海道島
瀋陽
清津
呼和浩特
青森
日本海
北京
新義州
咸興
秋田
天津
大連
平壤
元山
渤海
太原
石家莊
開城
漢城
首爾
仙臺
濟南
朝鮮
本州島
青島
日本
東京
朝鮮半島
京都
名古屋
橫濱
西安
開封
鄭州
黃海
釜山
廣島
大阪
濟州
福岡
四國島
長崎
九州島
南京
合肥
南方群島
武昌
武漢
上海
太湖
太平洋
杭州
東海
寧波

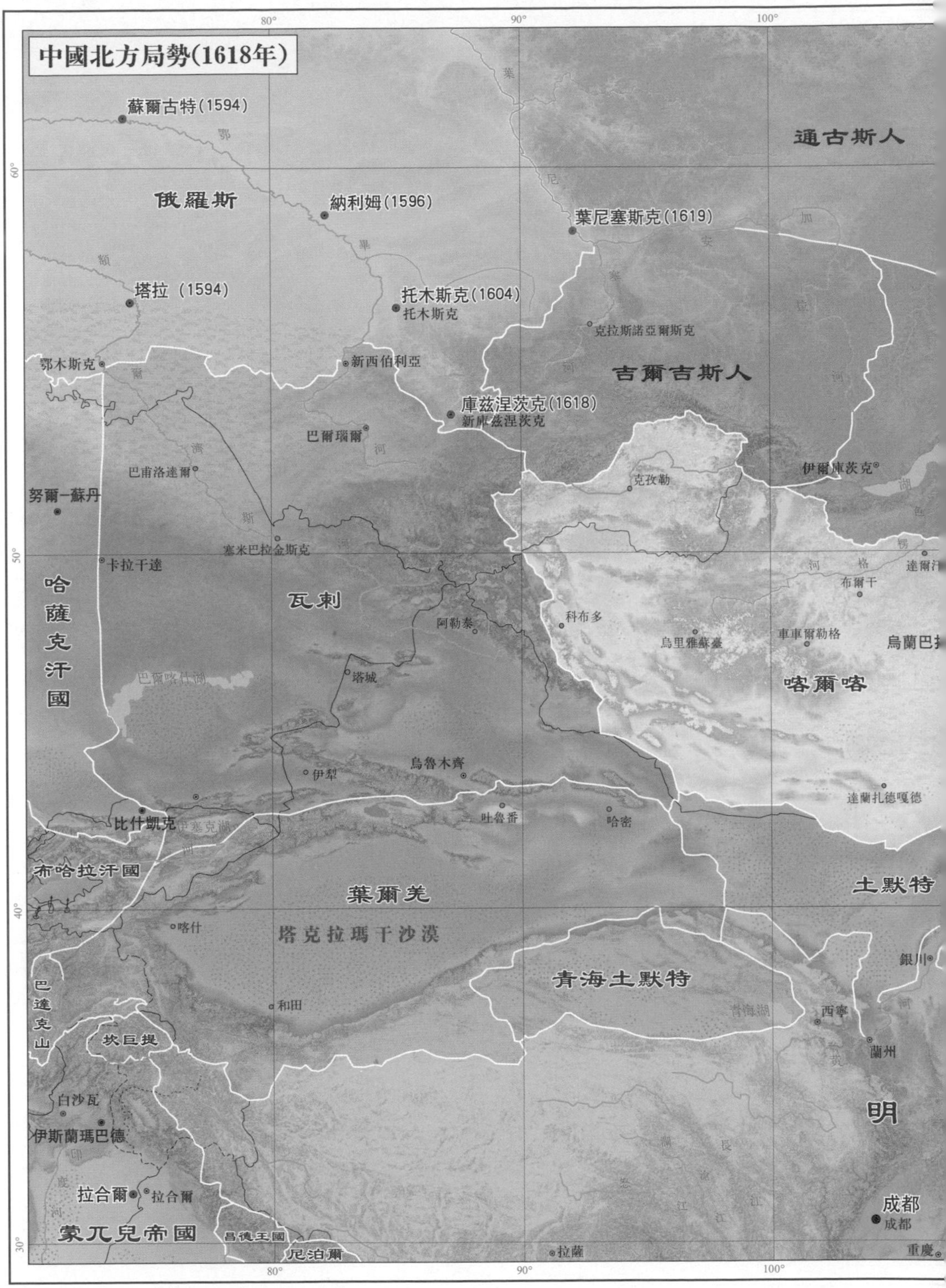
中國北方局勢(1618年)
蘇爾古特(1594)
俄羅斯
納利姆(1596)
塔拉 (1594)
托木斯克(1604)
托木斯克
葉尼塞斯克(1619)
通古斯人
克拉斯諾亞爾斯克
吉爾吉斯人
鄂木斯克
新西伯利亞
庫茲涅茨克(1618)
新庫茲涅茨克
巴爾瑙爾
巴甫洛達爾
伊爾庫茨克
克孜勒
努爾-蘇丹
塞米巴拉金斯克
卡拉干達
哈薩克汗國
瓦剌
阿勒泰
科布多
布爾干
烏里雅蘇臺
車車爾勒格
喀爾喀
塔城
巴爾喀什湖
伊犁
烏魯木齊
達蘭扎嘎德
比什凱克
伊塞克湖
吐魯番
哈密
布哈拉汗國
葉爾羌
喀什
塔克拉瑪干沙漠
土默特
青海土默特
和田
青海湖
西寧
銀川
蘭州
巴達克山
坎巨提
白沙瓦
伊斯蘭瑪巴德
明
拉合爾
拉合爾
成都
成都
蒙兀兒帝國
昌德王國
尼泊爾
拉薩
重慶
80°
90°
100°
60°
50°
40°
30°

此時的中國北方正在上演一場三國殺：一方是大明王朝，一方是女真，還有一方就是蒙古各部。其中蒙古的情況最為複雜，源於蒙古高原複雜的地形。蒙古高原的中部，即今中、蒙邊境線一帶，有一大片沙漠戈壁，統稱為蒙古大戈壁，俗稱大漠。大漠往東一直延伸到大興安嶺，往西直接阿爾泰山脈，成為一道天然屏障。正是這道屏障，把蒙古高原分為漠南和漠北。當然，在漠南地區，例如黃河的南岸和鄂爾多斯高原上，依然有大片沙漠存在；漠北因為緯度高，氣候乾寒，沙漠戈壁更是無處不在，古人經常把漠南和漠北統稱為大漠。總體上講，漠南以富庶的河套平原為核心，歷來都是游牧民族眼中的肥肉。而漠北雖然面積大很多，但氣候惡劣，人煙稀少；正是因為氣候惡劣，才能孕育出一個又一個英勇善戰的民族。

蒙古人原本發源於漠北的鄂嫩河，統一各部族建立強大的蒙古族也是在漠北。如果一直在漠北，蒙古人的戰鬥力會一直保持強悍。但自從南下入主中原後，蒙古人的戰鬥力急劇下降，做為統治階層的黃金家族（蒙古的統治家族）不願再回到風沙肆虐的漠北。即使是氣候溫和許多的漠南，蒙古人也不願多待，他們還時時想著殺回中原。當然，前提是將蒙古各部統一起來，集中力量，才能對付南邊的大明。

達延汗做為蒙古帝國第三十二位大汗、成吉思汗的第十五世孫，幾乎完成了第一步，但很不穩固。注意，這裡的蒙古帝國是從成吉思汗時代就建立的，與元朝並列存在，元朝雖亡，但蒙古帝國仍然存在。但對於明朝人來說，他們不願意面對這個事實，仍習慣稱為韃靼，表示他們只是地方割據政權。

做為韃靼部的首領，達延汗幾乎統一了漠南和漠北，而瓦剌被擠壓到阿爾泰山及以西地區，因為在大漠以西，稱為漠西蒙古。

達延汗在位時，把屬地劃分為左翼三萬戶和右翼三萬戶，即察哈爾和土默特兩部。一個萬戶就是十個千戶，三萬戶即三十個千戶。千戶制是成吉思汗的發明，是集軍事和政治於一體的組織單位，這種組織方式非常適合游牧民族，無論是生產、收稅還是打仗，千戶是最基本的單位。千戶的首領是世襲，就像歐洲的封建領主一樣。千戶制最大的作用是打破原來部落和氏族之間的天然隔閡，讓草原上的游牧民族不再是以血緣聚集，而是以軍政為單位。這也是成吉思汗能同化各部、建立蒙古族的原因。在千戶制的重組下，血緣變得模糊了。從管理的角度，千戶以下還有百戶、十戶；千戶以上，就是萬戶，代表著一個更大的領主，一般只有黃金家族的人才能擔任。

土默特三萬戶居於河套一帶，察哈爾居於大興安嶺南部。蒙古大汗居察哈爾，所以某種程度上察哈爾代表著蒙古帝國。此時東蒙古基本上都處於漠南，一是這裡氣候溫暖、水草豐美，二是他們陳兵大明邊境，準備隨時入主中原。

達延汗死後，土默特和察哈爾各自為政，開始走向分裂。察哈爾三萬戶裡有一個萬戶名為喀爾喀部，底下又有十二部，其中有五部南遷，歸附後金，而另外七部開始向漠北遷移，就是後來的喀爾喀蒙古，也稱漠北蒙古，而原來的土默特和察哈爾稱為漠南蒙古。漠北蒙古面積雖大，但人口只有半個萬戶，大約六千戶，而漠南蒙古有五個半萬戶，人口是漠北蒙古的十倍。漠北蒙古因地處偏遠，人口又少，無意染指中原，與漠南蒙古漸行漸遠。喀爾喀蒙古的範圍大致相當於今天蒙古國的範圍，就是通常說的外蒙古，外蒙古後來之所以能夠獨立，除了沙俄的人為干涉外，地理和歷史也是原因之一。

土默特部後來向明朝納貢，身為正統的察哈爾便以之為敵，以統一漠南為己任，漠南蒙古就是今天內蒙古的雛形。

綜上所述，此時的蒙古人分為三部分：漠西蒙古、漠北蒙古和漠南蒙古，而漠南蒙古又分為兩支：察哈爾和土默特。此外在喀爾喀以北，就是貝加爾湖周圍，還生活著一支布里亞特人，他們不算蒙古人，但已經被蒙古人同化，說蒙古語。他們的祖上很可能和扶餘人、丁零人有關，在演化的過程中又融入其他族群。蒙古人稱為「林中百姓」，保持著原始的生活習性。被蒙古人征服後，逐漸被蒙古化。喀爾喀部稱霸漠北時，他們又臣服於喀爾喀，又稱布里亞特蒙古。

正是因為蒙古各部一盤散沙，女真人才得以發展壯大。一六一六年，努爾哈赤在東北自立。之前的女真人曾建立金國，國號用現成的，還是叫金，為了區分，我們稱為後金。後金對蒙古各部的政策就是拉攏一部，打擊一部，分化瓦解，逐步蠶食。後金先拉攏科爾沁部，打擊察哈爾部。察哈爾部統一土默特部後，後金趁機西進，統一漠南，隨後喀爾喀部納貢稱臣。當然，這已經是二十年後的事了，那時皇太極已經繼位，將國號改為大清，女真改為滿洲。本來，山海關易守難攻，滿洲人很難進入中原，於是想借道蒙古高原，從兩面夾擊明朝。雖然最終因吳三桂開閘放水，引清兵入關，滿洲人沒有取道蒙古，但在征服蒙古各部時，滿洲人不但壯大了自己的實力，也免卻了後顧之憂。

還是說回一六一八年，這時後金剛建立，蒙古各部占據高原，尤以喀爾喀蒙古面積最大。

俄羅斯人所稱的阿勒坦汗正是喀爾喀蒙古的第三代可汗碩壘烏巴什，阿勒坦在俄語裡是黃金的意思，黃金汗指的是黃金家族的蒙古大汗，除瓦剌外，察哈爾、土默特、喀爾喀的可汗都來自黃金家族。俄羅斯設想有兩條路可以通往中國，一條是由土爾扈特部引領，經葉爾羌到達中國；一條是由喀爾喀部引領，經土默特部到達中國。第一條路，之前說過，要經過準噶爾盆地，而土爾扈特部與準噶爾部素來不和，難以成行。而且從準噶爾盆地去南疆，還要經過吐魯番盆地，此時的吐魯番一直不服葉爾羌的統治，經常造反，路途不順，危險也大。所以第一條路線不可取，看來只有第二條路線了。

一六一八年五月九日，托木斯克督軍奉俄羅斯沙皇之命，組建了使團出訪中國，以伊凡．佩特林（Ivan Petlin）為正使，安德烈．馬多夫（Andrei Mundov）為副使。五月十九日，使團到達吉爾吉斯地區。五月二十五日，到達阿巴坎河（發源於西薩彥嶺）。六月三日，到達克穆齊克河。六月六日，到達烏布蘇湖（今蒙古國境內最大湖泊）。然後使團沿特斯河東進，六月二十一日，到達特斯河上游，見到阿勒坦汗。隨後，在阿勒坦汗所派的畢克力圖喇嘛等十二人的陪伴下，佩特林一行人繼續在蒙古地區旅遊考察，經過許多王公的領地，最後來到漠南的板升（蒙古語，明朝稱為歸化，今呼和浩特）。

然後俄羅斯使團進入大明國境，先後經過張家口、宣化、懷來、南口、昌平五座城市後，九月一日，使團到達北京，被萬曆皇帝朱翊鈞安置在宏大的國賓館裡。

從進入板升開始，佩特林一行人就大開眼界，邊貿城市的繁華、長城的威嚴、北京城的宏大是前所未聞的。但他們顯然忘了一件事，既然是使團，就應該手持沙皇的國書，如果按中國的規矩，還需帶上貢品。但他們一樣都沒帶，空著手來，所以不能面見皇帝，在北京城裡玩了幾天，明朝官員就打發他們回去。

九月五日，佩特林一行人踏上歸程。十月十日，他們離開明朝轄境。第二年（一六一九年）五月十九日，使團回到托木斯克，帶回萬曆皇帝致俄羅斯沙皇的國書，內容如下：

爾等既為通商而來，則通商可也，歸去後仍可再來。在此世上，爾為大國君主，朕亦為大國皇帝也。願兩國之間道路暢通無阻，爾等可常相往來。爾等進貢珍品，朕亦以優質綢緞賞賜爾等。而今爾等即將歸去，如再來，或大君主派人前來，應攜帶大君主之國書，屆時朕亦將以國書作答。爾等如攜有國書前來，朕即命以上賓相待。因路途遙遠，且語言不通，朕不便遣使訪問貴大君主，現謹向貴大君主致意。一旦朕之使者有路可去爾大君主處，朕將遣使前往。基於吾人之禮教，朕不能親自出訪他國，且目前亦不能派遣使臣及商人出國。

這封國書在中國文獻沒有記載，可能就是相關接待官員代擬的普通便箋，不是正式國書，所以沒有記入正史。而俄羅斯方面，只有翻譯後的俄文本，原件遺失，上文即是俄文轉譯回來的，所以看起來不像中國皇帝的口吻。這個所謂的「國書」存疑，不是懷疑它的存在，而是懷疑它是否是國書，內容是否有改動，是否出自中國皇帝之手。以當時的大明皇帝來說，中國是天朝上國，對其他君主都是以皇帝對臣子的口氣說話，不會這麼客氣、謙卑。

事實上，當時俄羅斯人是由蒙古人帶來的，中國人不懂俄語，都是由蒙古人在中間翻譯。使團是哥薩克人，與蒙古人有些習俗相當，中國很長一段時間都把他們當成蒙古人，或者是蒙古某個偏遠的部落（蒙古人曾征服各種勢力，各種長相奇怪的人都有）。而俄羅斯方面，沒有一個懂漢語的人，帶回的「國書」一直放在那裡，直等到多年後，才找到人翻譯出來，但那時明朝都滅亡了。

這次俄羅斯人千里跋涉出使中國，結果卻不了了之。原因不奇怪，國家資訊不對稱，中國以為他們是來朝貢的，但又不懂規矩，沒帶國書，更沒帶貢品，所以不能見皇帝。至於貿易方面，中國此時正要面對新興的女真人，沒那個心思，對國外的商品也不稀罕。而俄羅斯方面，一直沒把文本翻譯出來，不知道中國方面的態度，此事就不了了之。

但從歷史的角度來說，這是俄羅斯第一個訪問中國的使團，也是基督教國家來華的第一個世俗使團（以前都是牧師帶隊）。從地理發現的角度來說更是意義重大，就是俄羅斯人終於打通從歐洲到中國的通道，只是其中的貿易要等到多年以後才能正常展開。

看來與中國的貿易不是那麼容易，俄羅斯繼續向東推進。不過他們沒有忘記在這次出訪的要道上修建一座城市，即庫茲涅茨克。這裡已經到了蒙古高原的邊緣，此舉既是為了搶占戰略節點，也是為了鞏固日後與中國的商貿要道。庫茲涅茨克曾在蘇聯時代改名為史達林斯克，俄羅斯聯邦成立後改回原名。順便一提，在俄語裡，斯克和格勒都是城市的意思，格勒比斯克大，斯克也譯作茨克。還有用得極少的堡，是從德語裡引進的，也是城市的意思。

下一步是中西伯利亞高原，做為前進的基地，俄羅斯先在葉尼塞河上游修建葉尼塞斯克做為據點。

從葉尼塞河往東，俄羅斯人開始遭遇通古斯人。

通古斯人會養鹿、養豬，平時以捕魚、狩獵為生，和早期生活在白山黑水之間的滿洲人極為相似，也是漁獵民族。更重要的是，他們的語言和滿語相近，這個群體統稱為滿－通古斯語族。因此有人推斷，滿洲（滿族）人的祖先是從西伯利亞遷移過來的，但這種說法很不符合常理。

北緯四十度是建州女真的大致南界，以北緯四十度為起點往北看，愈往北，生存條件愈嚴酷。一般情況下，一個民族南遷，要嘛自身發展壯大了，南下搶占更好的生存空間，像游牧民族南下那樣；要嘛南邊是無主之地，這在人類早期是有可能的。但對通古斯人來說，這兩個條件都不具備。通古斯人生活在接近北極圈附近，生存條件極為惡劣，漁獵民族的生產力極度低下，根本不可能發展出更多人口，更談不上壯大。另一個，早在先秦時期，中國史書記載，肅慎人就生活在長白山到黑龍江一帶。無論人口規模還是文明程度，肅慎都比通古斯強，與其說通古斯人南遷到長白山，倒不如說肅慎人北遷到西伯利亞。

再來說說這個肅慎，漢、晉時稱挹婁，南北朝時稱勿吉，隋、唐時稱靺鞨，元、明時期稱女真。名稱的變化只是因為他們的統治階層換人，就像元、明、清一樣，主體都是中國。滿族的來源正是這樣，今天所說的滿族源於明末清初的滿洲，而滿洲人源於女真，女真可以一直上溯到肅慎。而先秦時期，肅慎就生活在白山黑水之間，那時中原有很多未開發的蠻荒之地，北方的游牧民族還很弱小，如果那時通古斯人就生活在西伯利亞，沒有人會搶占他們的生存空間，四周空地多的是，沒必要冒著滅族的危險，

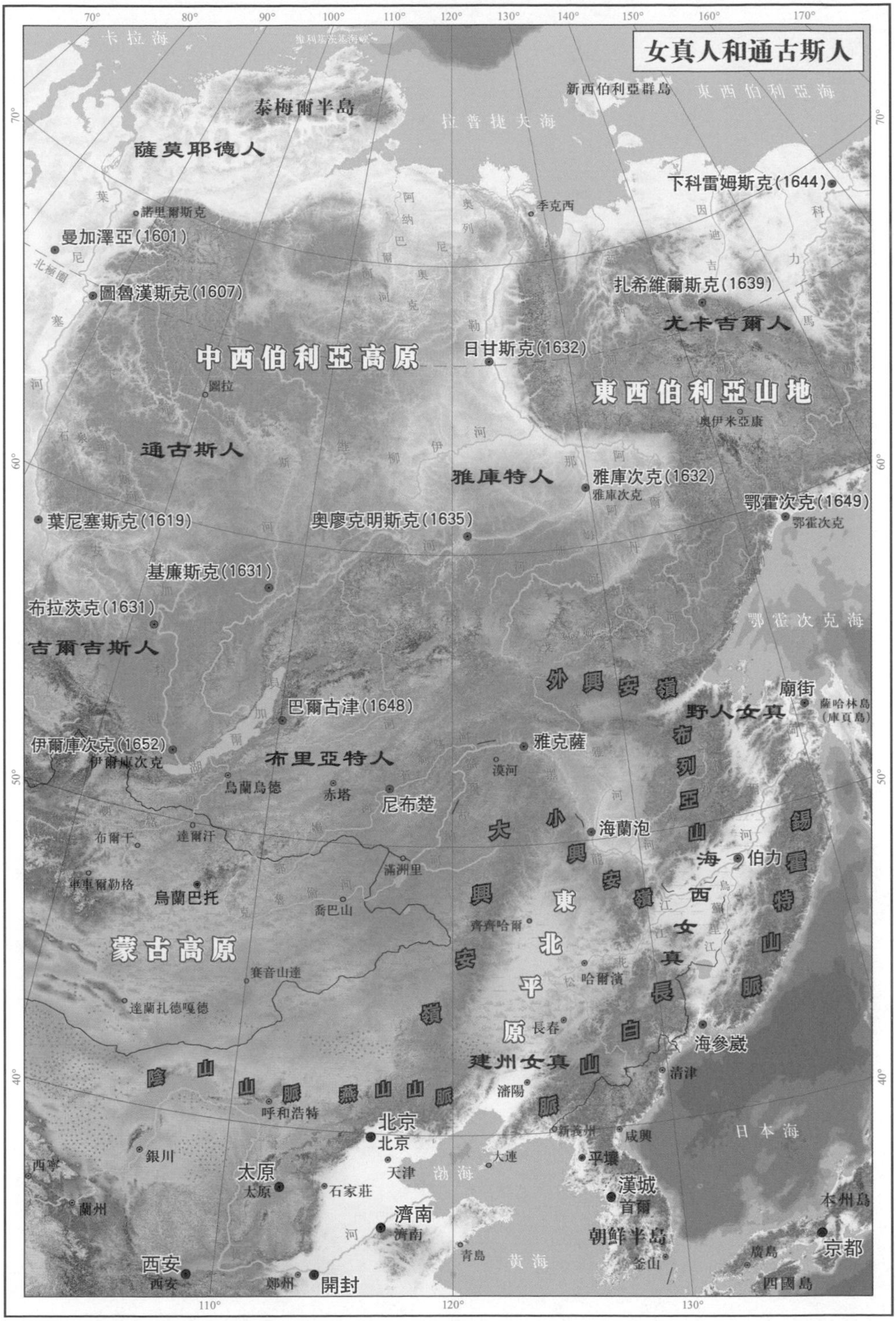
女真人和通古斯人
卡拉海
泰梅爾半島
拉普捷夫海
新西伯利亞群島
東西伯利亞海
薩莫耶德人
下科雷姆斯克(1644)
諸里爾斯克
季克西
曼加澤亞(1601)
北極圈
圖魯漢斯克(1607)
扎希維爾斯克(1639)
尤卡吉爾人
中西伯利亞高原
日甘斯克(1632)
東西伯利亞山地
圖拉
奧伊米亞康
通古斯人
雅庫特人
雅庫次克(1632)
雅庫次克
鄂霍次克(1649)
鄂霍次克
葉尼塞斯克(1619)
奧廖克明斯克(1635)
基廉斯克(1631)
布拉茨克(1631)
鄂霍次克海
吉爾吉斯人
外興安嶺
廟街
薩哈林島
(庫頁島)
巴爾古津(1648)
野人女真
伊爾庫次克(1652)
伊爾庫次克
雅克薩
布里亞特人
漠河
布列亞山
烏蘭烏德
赤塔
尼布楚
錫霍特山脈
大小興安嶺
海蘭泡
布爾干
達爾汗
海西女真
伯力
車車爾勒格
烏蘭巴托
滿洲里
喬巴山
東北平原
齊齊哈爾
蒙古高原
賽音山達
哈爾濱
長白山
達蘭扎德嘎德
長春
海參崴
建州女真
清津
陰山山脈
燕山山脈
瀋陽
呼和浩特
新義州
咸興
日本海
北京
北京
大連
銀川
平壤
渤海
太原
太原
天津
石家莊
漢城
首爾
本州島
蘭州
濟南
濟南
朝鮮半島
西安
西安
青島
黃海
金山
廣島
京都
鄭州
開封
四國島

跑到一個比他們發達很多的地方去，至少蒙古高原上還沒有出現強權，貝加爾湖一帶照樣可以漁獵，沒必要捨近求遠。

我更相信，不是通古斯人南遷形成滿族，而是恰恰相反，他們應該是從東北遷出的一支肅慎人，被西方殖民者命名為通古斯人，所以有了先入為主的觀念。通古斯人這個名稱來自附近雅庫特人對他們的稱呼，意思是「養豬的人」。雅庫特人之所以這麼稱呼，是因為他們只養馬，養豬對他們來說是一件很奇怪的事。眾所周知，豬是中國人最早馴化出來的，通古斯人幾乎生活在一個與世隔絕的環境，竟然會養豬，只能是從中原或受中原文明洗禮的族群裡帶過來的，而這個地方，最大的可能就是東北一帶。

事實上，除了滿族人外，東北一帶還有錫伯族、赫哲族、鄂倫春族、鄂溫克族。錫伯族分布在遼寧瀋陽一帶（新疆的錫伯族是清朝時遷入）；赫哲族主要分布在黑龍江、松花江、烏蘇里江交匯構成的三江平原一帶；鄂倫春族主要分布在內蒙古的呼倫貝爾和黑龍江北部，就是黑龍江上游一帶；鄂溫克族和通古斯人的語言習俗最接近，居住在黑龍江上游一帶。這些說通古斯語民族的分布範圍彷彿描繪出一幅肅慎人的擴散圖：他們最早在長白山和黑龍江（即白山黑水）之間的森林和水邊漁獵，採集野果，後來逐步發展，一些人走向平原，吸收漢文明，建立國家，有許多人融入了漢人；一部分人還是習慣在森林中捕獵，沿著黑龍江兩岸的山地北上，逐漸擴展到黑龍江上游，還有一部分人越過外興安嶺，進入勒那河流域，後來受到雅庫特人的擠壓，又西遷到通古斯河一帶。這種遷移有時是主動的，有時是被動的，肅慎人發展到女真人的過程中，有無數的政權起起伏伏，被打敗的部族舉家搬遷，逃離原來的棲息地不是什麼稀奇的事。特別是在當中有個強大的渤海國，曾經是東北的霸主，被契丹人滅國後，族人四散逃離，或遁入山中，或遠走他鄉，都很正常。我們看到明末時，野人女真和通古斯人的屬地實際上是連在一起的。

由於俄羅斯人根據雅庫特人的稱呼，把這些人稱為通古斯人，又因為西方人率先提出通古斯語族這個概念，就有了先入為主的觀念，把滿語歸為通古斯語族，實在是本末倒置。西伯利亞的環境至今都是人類生存的極限，不可能成為某個民族的起源，只能成為某些族群的落難地。無論是在過去還是現在，如果不是受到生存的擠壓，人類都會向溫暖的地方遷徙，無關種族和文化，只是一種本能。

第二十一章

俄羅斯的探索之路——中俄戰爭的序章

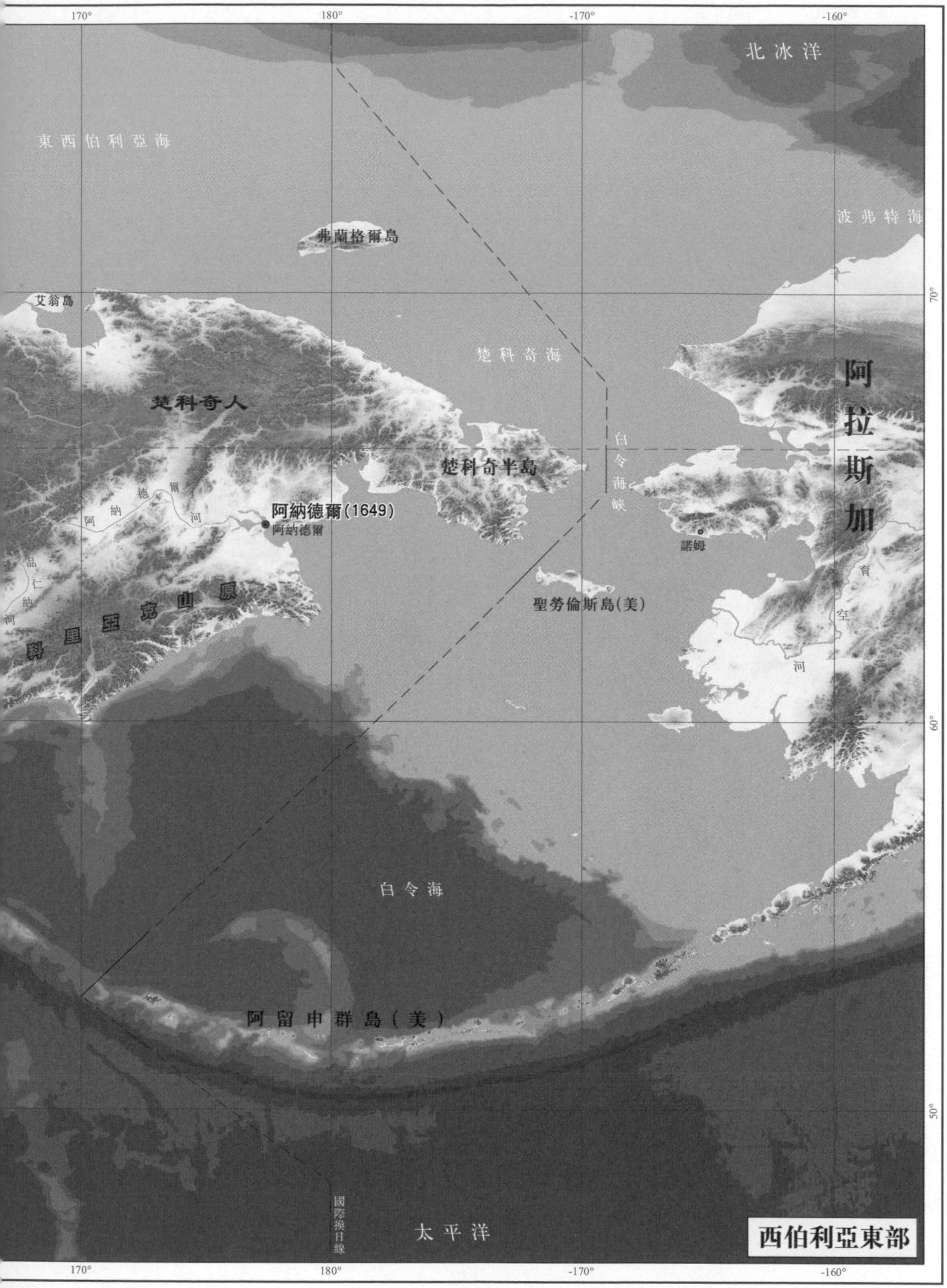
西伯利亞東部
北冰洋
東西伯利亞海
弗蘭格爾島
波弗特海
艾翁島
楚科奇海
阿拉斯加
楚科奇人
楚科奇半島
白令海峽
阿納德爾(1649)
阿納德爾
阿納德爾河
諾姆
品仁納河
育空河
科里亞克山原
聖勞倫斯島(美)
白令海
阿留申群島(美)
國際換日線
太平洋
170°
180°
-170°
-160°
70°
60°
50°

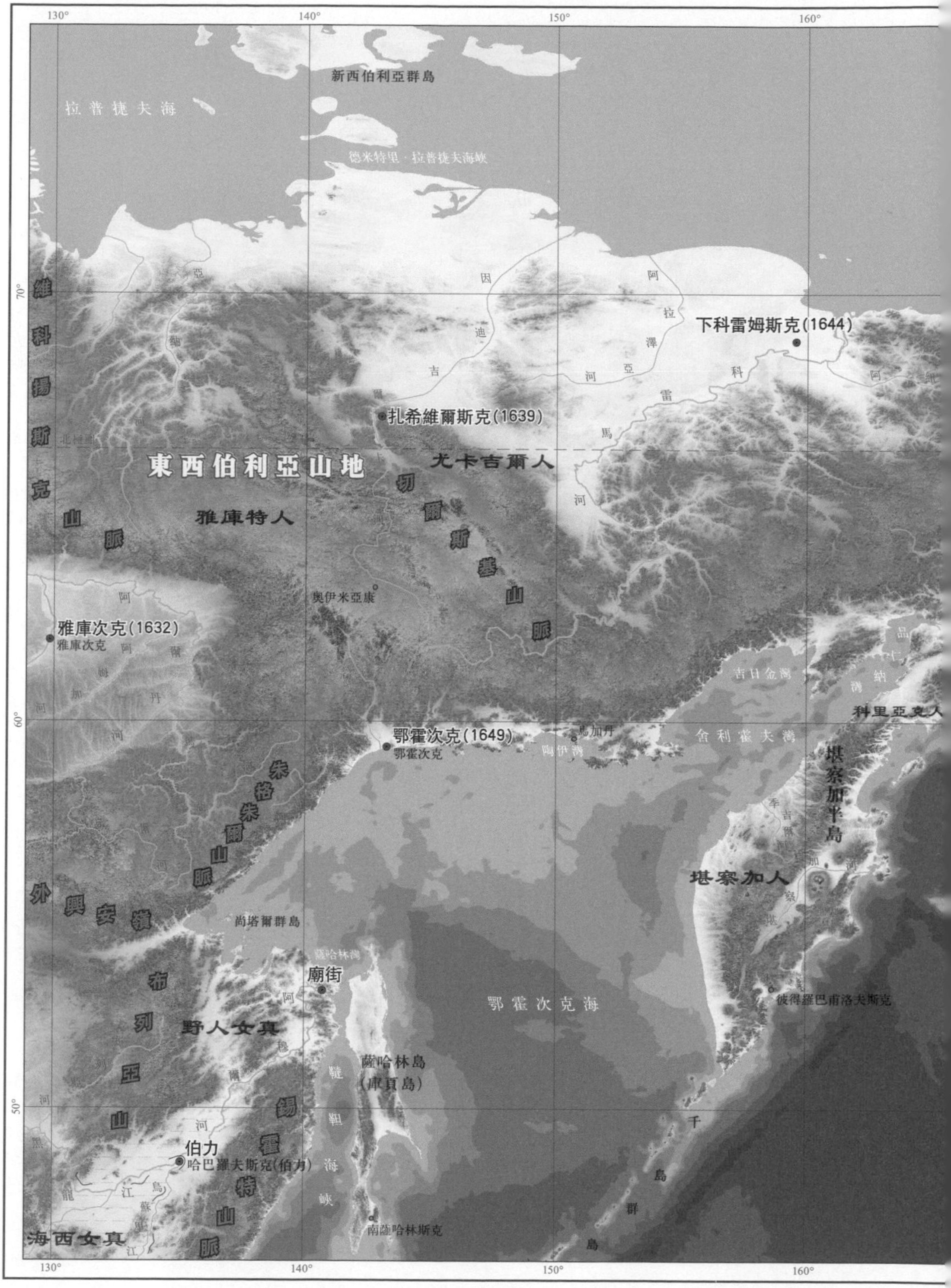
新西伯利亞群島
拉普捷夫海
德米特里·拉普捷夫海峽
下科雷姆斯克(1644)
扎希維爾斯克(1639)
東西伯利亞山地
尤卡吉爾人
雅庫特人
切爾斯基山脈
維科揚斯克山脈
奧伊米亞康
雅庫次克(1632)
雅庫次克
吉日金灣
科里亞克人
鄂霍次克(1649)
鄂霍次克
馬加丹
舍利霍夫灣
堪察加半島
朱格朱爾山脈
堪察加人
外興安嶺
尚塔爾群島
廟街
鄂霍次克海
彼得羅巴甫洛夫斯克
布列亞山
野人女真
薩哈林島
(庫頁島)
錫霍特山脈
伯力
哈巴羅夫斯克(伯力)
千島群島
南薩哈林斯克
海西女真

東擴的過程中，俄羅斯始終是水陸並進，只是情況有好有壞。

一六二〇年，俄羅斯的一批航海家沿著中西伯利亞的北冰洋海岸向東探險。他們繞過泰梅爾半島北部，穿過半島北端切柳斯金角和北地群島中的布爾什維克島之間的維利基茨基海峽。但是，在切柳斯金角東南約一百三十公里的海上，船被凍住了，船員們被迫在北緯七十七度的法傑伊群島北部的一個島上過冬，並在群島對面大陸邊緣的西姆斯灣建了一座房子。冬季來臨，這裡的平均氣溫為零下四十度，最冷時為零下七十度。最後，船員全部凍死，無一倖免。維利基茨基海峽是人類居住世界最北的海峽，然而發現者卻沒有留下姓名。

這是海上的情況，在陸上，俄羅斯人收穫滿滿。

同年初夏，俄羅斯曼加澤亞富商傑米德·皮揚達（Demid Pyanda）率領一支四十餘人由漁獵手組成的隊伍，從圖魯漢斯克乘船，去探索通古斯河。一般來說，先有河名，才有附近居民的族名，但通古斯河恰好相反，它的名稱正是來自通古斯人。通古斯河包含兩條河：下通古斯河和石泉通古斯河。其中下通古斯河全長二千多公里，而其上游距離勒那河不到三十公里，通古斯人最早應該先到達勒那河，然後從勒那河的上游進入通古斯河。

俄羅斯人沿下通古斯河向東航行，地形並不平坦，許多時候需要登岸或跨越瀑布。上游的河流忽然折向南方，河中堆滿樹杈。顯然，這是通古斯人所為，通古斯人不歡迎俄羅斯人侵入他們的領地。但憑著手中的火器，俄羅斯人沒有退縮，越過被阻河段後，一邊沿河探索，一邊收購毛皮，還在沿途建了名為「下皮揚達」的過冬地。西伯利亞的夏季很短，冬季很快來臨。通古斯人趁機攻擊過冬地，但被俄羅斯人的火器擊退。

冬天過後，一六二一年夏，探險隊繼續沿下通古斯河逆流而上。在南緯六十二度處，冬天又來臨，他們建了名為「上皮揚達」的過冬地。

再次等到夏天，一六二二年初夏，俄羅斯人在下通古斯河剛解凍後就出發，往南航行幾百公里。到了北緯五十八度時，已經接近河流的源頭，前方無路可走，冬天也到了，他們在這裡過冬，並與這裡的通古斯人進行交換。

一六二三年春，皮揚達領著探險隊把船隻拉上陸地，由於到處都是冰雪，不怎麼費力，他們把船拉到勒那河上，等河水融化，沿著勒那河東去。一路上，發現許多注入勒那河的支流，其中包括維京河和奧廖克馬河。到了勒那河中游的低地，發現河流折向北方。俄羅斯人事先就了解到，這一帶是雅庫特人的地盤，他們是游牧民族，比較強悍，俄羅斯人不想與之為敵，於是調轉船頭往上游去了。

但皮揚達沒有沿原路返回，而是順著勒那河一直航行到源頭。這裡位於北緯五十四度，距離貝加爾湖只有一百四十公里。探險隊棄舟登岸，向西走了一百五十多公里。秋天，探險隊到達安加拉河上游，就地建造了幾艘輕型小船，然後順流南下，沿途發現奧卡河等支流，隨後渡過好幾個瀑布，又發現安加拉河急轉向西。十一月，河水封凍，隊員們便製作雪橇，沿著封凍的安加拉河道向西滑行。第二年（一六二四年）初，他們到達葉尼塞斯克，然後繼續乘雪橇沿葉尼塞河滑行，最終回到出發地圖魯漢斯克。

這次探險，皮揚達的探險隊總共花費三年半的時間，航行七千多公里，步行幾百公里，雪橇滑行一千七百多公里，基本完成了對中西伯利亞南部的探索和發現，並為俄羅斯繼續東進打下基礎。

一六三二年，俄羅斯在勒那河中游西岸修建雅庫次克要塞，很快就成了俄羅斯探險隊和遠征隊新的前進基地。隨後，俄羅斯人又在勒那河下游修建盧甘斯克要塞。

一六三三年夏天，由托博爾斯克和葉尼塞斯克的上百名哥薩克人和商人組成一支探險隊，隊長是伊利亞·彼菲里耶夫（Ilya Perfilyev）。他們從盧甘斯克出發，沿勒那河順流而下，直到河口的三角洲，兵分兩路：伊凡·雷布諾夫（Ivan Rebrov）率隊往左，彼菲里耶夫往右。

先說往左這一支，一年後發現奧列尼奧克河，雷布諾夫率隊逆河而上，接下來的三年多，他們一直住在那裡，並向沿河地區的通古斯人徵收毛皮稅。

再說彼菲里耶夫，他們往東後不久發現亞納灣和亞納河，隨即逆河而上。兩年後（一六三五年）到達亞納河上游，修建維科揚斯克要塞，並向當地的雅庫特人徵收毛皮稅。雅庫特人原本發源於蒙古高原和貝加爾湖一帶，十世紀時，為躲避布里亞特人北遷至勒那河一帶，趕走那裡的通古斯人。和之前提到的涅涅茨人一樣，他們也是高車人的後代，融合一部分鄂溫克人與埃文人（二者很相近，都屬於通古斯語族）。在整個西伯利亞，雅庫特人是戰鬥力最強的部族，曾在一年前圍攻雅庫次克要塞，雖然集結了上千人，仍被二百名哥薩克守軍擊退。一年後，為鞏固對勒那河中游的控制，俄羅斯人在東經一二〇·五度、北緯六〇·五度處建立奧廖克明斯克要塞。

與此同時，俄羅斯派出一支哥薩克騎兵進入亞納河上游地區。他們從雅庫次克出發，渡過勒那河的支流阿爾丹河，進入上揚斯克山區。越過上揚斯克山脈後，進入雅庫特人的游牧區，他們停了下來。此時的雅庫特人正在與尤卡吉爾人打仗，為了得到哥薩克人的幫助，他們願意加入俄羅斯國籍，並告訴探險隊，從亞納河的支流可以到達因迪吉爾卡河。夏天，哥薩克騎兵從亞納河中游到達因迪吉爾卡河中游，建立徵收毛皮稅的過冬地。當時的尤卡吉爾人還處於石器時代，哥薩克騎兵不費吹灰之力就擊敗他們。然後就地取材，建造了一艘小船，沿因迪吉爾卡河逆流而上，向兩岸的尤卡吉爾人徵收毛皮稅。再然後，隊長波斯尼奇返回雅庫次克，隨後的兩年（一六三八年、一六三九年）裡，兩次往返於雅庫次克和因迪吉爾卡河之間。

再說彼菲里耶夫的探險隊，他於一六三八年回到勒那河，讓雷布諾夫繼續向東探索。秋天到來前，雷布諾夫完成對亞納灣東部的發現，接著向東穿越德米特里．拉普捷夫海峽，進入東西伯利亞海。他們沿海岸航行，隨後發現因迪吉爾卡河的入口。雷布諾夫率隊逆流而上，前行六百公里，到達因迪吉爾卡河的支流烏揚迪那河口，建立過冬地。一行人在那裡逗留兩年多，一六四一年回到勒那河。就這樣，俄羅斯人將發現的北冰洋海岸線又前推了二千公里。

除了向遠東地區探索外，俄羅斯人也把目光投向南方。南方的氣溫高，戶外的活動時間長，推進的速度更快。

一六三九年春天，俄羅斯探險家伊凡．尤里耶維奇．莫斯克維廷（Ivan Moskvitin）率一支三十人的探險隊出發。他們沿阿爾丹河逆流而上，八天後到達其東南部的支流馬亞河，又沿馬亞河往上航行了六週。再往前，因為水淺，就地建造了兩艘吃水淺的輕型平底船繼續前行。航行六天，到了距離鄂霍次克海不到二百公里的馬亞河源頭。探險隊棄舟登岸，輕裝前進，穿過一片片森林和陸地，越過朱格朱爾山脈，迎面吹來的風忽然變得溫和溼潤，這裡已經屬於太平洋西海岸了。

八月，探險隊在烏利亞河重新建造平底船，順流進入鄂霍次克海。就這樣，俄羅斯人第一次駛入太平洋。

隨後，他們在烏利亞河的入海口建立過冬營地。一六四〇年春天，兵分兩路沿海考察。往北的船隊一直走到陶伊河為止，莫斯克維廷親自率隊往南，先到烏達灣，然後發現尚塔爾群島，並從其南部繞過，駛入薩哈林灣。在海灣的南部，莫斯克維廷看到薩哈林島（即庫頁島）的北端和阿莫爾河（即黑龍江）。當時這些都屬於中國的土地，確切地說是屬於滿洲人的土地，但此時的滿洲人把目光盯著山海關，沒有人在意這些苦寒之地。

因為人手少，加上食物短缺，莫斯克維廷沒有繼續向前探索。第二年夏天，莫斯克維廷帶著四百四十張黑貂皮回到雅庫次克，貂皮最終運到莫斯科上交國庫。

再看看俄羅斯人在遠東地區的發現。

一六四一年初，俄羅斯軍人米哈伊爾・瓦西里耶維奇・斯塔杜欣（Mikhail Stadukhin）率領一小隊騎兵前往遠東探險。他們從雅庫次克出發，往東北方向前進。渡過阿爾丹河後，到達因迪吉爾卡河上游的奧伊米亞康地區，這是北半球的寒極之一，最低氣溫在零下七十多度。不過這裡有溫泉，附近的牧民常來此歇腳。奧伊米亞康的名稱來自於雅庫特語，意為「不凍的水」。在遠東地區，溫泉比黃金還寶貴。俄羅斯人占領這裡後，開始對雅庫特人和通古斯人徵收毛皮稅。

與此同時，另一支俄羅斯探險隊在葉拉斯托夫的帶領下，乘船到了因迪吉爾卡河入海口。

一六四二年，他們在這裡建造了一艘船。等到夏天來臨，就乘船順著因迪吉爾卡河而下，來到北冰洋，開始往東探索。

葉拉斯托夫的探險隊已經先行出發，他們發現阿拉澤亞河。葉拉斯托夫駕船逆河而上，隨後，斯塔杜欣的探險隊也到達阿拉澤亞河。而葉拉斯托夫的探險隊一直探索到阿拉澤亞河的上游和河源，並在北緯六十九度過冬。

就這樣，亞納河全段、因迪吉爾卡河中上游和阿拉澤亞河全段都被俄羅斯人發現、考察完畢。在阿拉澤亞河流域，俄羅斯人首次遇到駕鹿的楚科奇人。

此後，俄羅斯在東邊和南邊採取齊頭並進的方式。

南邊，既然鄂霍次克海已經發現，沒有理由停下腳步。

一六四三年，俄羅斯祕書官瓦西里．達尼洛維奇．波亞爾科夫（Vassili Poyarkov）率領一支一百三十多人的遠征隊向南進發。他們從雅庫次克出發，乘六艘平底船先順勒那河而下，然後逆阿爾丹河先往東再往南，到達其支流烏丘爾河後，逆流而上。從烏丘爾河到其支流戈納姆河需要經過一道瀑布，航船不能直接駛入。於是把船拖上岸，繞過瀑布再沿戈納姆河而上。可以看出，俄羅斯人十分熟悉寒冷地帶的生活，充分利用這裡冰天雪地的特點，如果是溫帶地區，沒有冰雪充當潤滑劑，在陸地上拖行船隻幾乎是寸步難行。

深秋時節，河水開始封凍，隊長波亞爾科夫留下一部分人在戈納姆河過冬，自己帶著九十人輕裝滑雪，向南走了近百公里，翻越南方的分水嶺斯塔諾夫山脈（外興安嶺）。第二次，俄羅斯人從北冰洋水系來到太平洋水系。注意，這時，實際上沙俄已經侵入了中國的土地，雖然明、清正在打仗，但外興安嶺以南是中國傳統的勢力範圍。

隨後，他們來到結雅河上游。波亞爾科夫在河口附近築要塞過冬，並強迫附近的達斡爾人繳納毛皮稅。達斡爾人是契丹的一支，遼國滅亡後北遷到黑龍江以北，早在努爾哈赤年代就已經臣服於滿洲，此時突然冒出俄羅斯人來強行徵稅，達斡爾人當然不幹，於是雙方打了起來。除了對南方民族更有認同感外，對於漢人政權，或者漢化的後金政權，像達斡爾人這種落後的原始部族，通常只需要繳納一點貢品就可以換來安全，還能得到不少回賞。但俄羅斯人收的是稅，只要你有收入就要繳一份稅，對生活原本就貧困的原始部族來說無異於敲骨吸髓。無論從哪方面考量，達斡爾人都不可能臣服俄羅斯人。

冬季，這些俄羅斯的哥薩克人斷了糧，以樹皮、草根、野獸為充饑。極端情況下，他們甚至以對方戰死的屍體為食。

一六四四年五月下旬，停留在戈納姆河的分隊前來支援，並用船運來糧食，但此時總人數已經不足

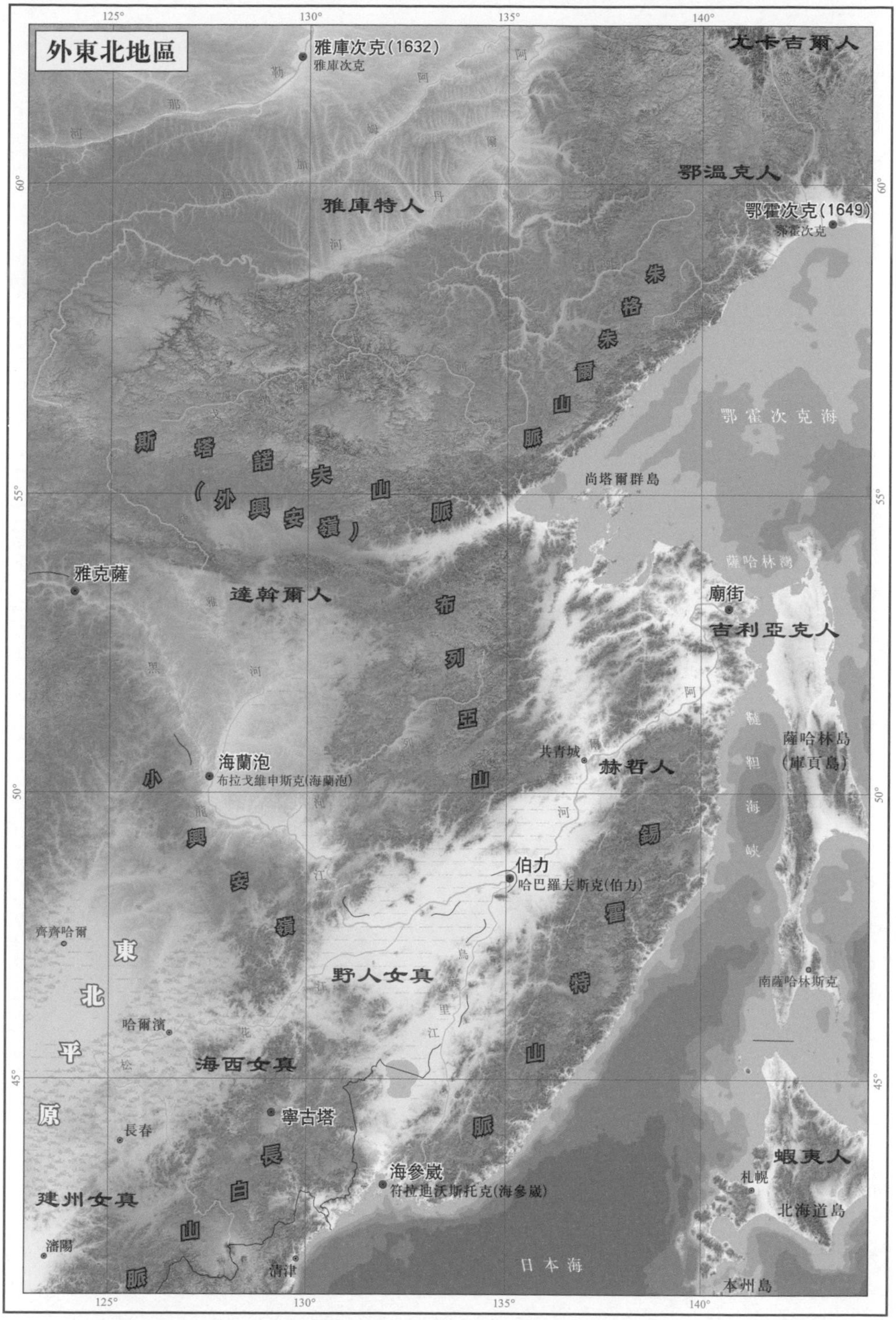
外東北地區
雅庫次克(1632)
雅庫次克
尤卡吉爾人
鄂溫克人
鄂霍次克(1649)
鄂霍次克
雅庫特人
朱格朱爾山脈
鄂霍次克海
尚塔爾群島
斯塔諾夫山脈
(外興安嶺)
雅克薩
達斡爾人
布列亞山
薩哈林灣
廟街
吉利亞克人
共青城
赫哲人
薩哈林島
(庫頁島)
韃靼海峽
海蘭泡
布拉戈維申斯克(海蘭泡)
小興安嶺
錫霍特山脈
伯力
哈巴羅夫斯克(伯力)
齊齊哈爾
東北平原
野人女真
南薩哈林斯克
哈爾濱
海西女真
寧古塔
長春
長白山脈
海參崴
符拉迪沃斯托克(海參崴)
蝦夷人
札幌
北海道島
建州女真
瀋陽
清津
日本海
本州島

百人。而後，他們乘船沿結雅河南下，駛入黑龍江。正是清兵入關時，東北兵力空虛，俄羅斯人得以在黑龍江暢通無阻。他們順著黑龍江南下，先後經過布列亞河、松花江和烏蘇里江。在松花江一帶，波亞爾科夫派了二十多個人上岸打探情況，結果全部被當地的女真人消滅。這些女真人屬於野人女真，原本生活在黑龍江和烏蘇里江以外。後金興起於建州女真，建州女真後來吞併了海西女真，這兩支女真相對更文明，有嚴密的組織，而東海（泛指東邊的海）邊上的女真相對更原始野蠻，所以稱為野人女真，也稱東海女真。當建州女真和海西女真南下後，野人女真開始內遷，填補他們騰出的空地。其實早在一六一五年，努爾哈赤就吞併了野人女真，皇太極後來把他們統稱為滿洲人。野人女真戰鬥力強悍，波亞爾科夫招惹不起，繼續南下。

九月下旬，波亞爾科夫終於航行到阿莫爾河口。他們在河口過冬，對當地的吉利亞克人（尼夫赫人）徵收毛皮稅。

冬天，因食物短缺，很多人死去。

一六四五年春，冰雪開始融化。探險隊從河口駛入大海，進入韃靼海峽，看到庫頁島的西海岸。從吉利亞克人那裡得知，島上居住著多毛的阿伊努人，即蝦夷人。這些蝦夷人正是在大和民族的擠壓下，從本州退到北海道島，再逐步滲入人煙更為稀少的庫頁島上。

探險隊沿著海岸線考察，最後在九月分到達烏利亞河口。他們在這裡碰到埃文基人（中國稱鄂溫克人），強迫他們繳納毛皮稅，一行人在河口就地過冬。

一六四六年早春，冰雪還未開化，波亞爾科夫留下二十人駐守河口，剩下的三十多人乘雪橇沿烏利亞河往上游進發，越過分水嶺，到達馬亞河。在馬亞河上游造了一艘船，然後沿馬亞河、阿爾丹河、勒那河順流而下，六月中旬回到雅庫次克。

波亞爾科夫這趟探險共花費三年時間，行程八千公里，蒐集了大量有關黑龍江和庫頁島的情報。有了這些情報，波亞爾科夫向雅庫次克的督軍建議，征服阿莫爾河地區，就是外東北地區，於是引發中、俄之間的一場戰爭。

第二十二章

尼布楚條約

東邊的情況，俄羅斯人已經推進到科力馬河流域。

斯塔杜欣的探險隊由陸地轉為海上後，一六四三年發現科力馬河。他們逆河而上航行了十二天，然後登岸。秋天，在科力馬河中游修建過冬營地，向當地土著徵收毛皮稅。

第二年秋天，斯塔杜欣率探險隊回到科力馬河下游，在其支流阿紐伊河匯入處修建過冬營地下科利馬斯克，並向當地尤卡吉爾人徵收毛皮稅。下科利馬斯克後來發展成一座城鎮，成為俄羅斯人在遠東探險的基地。

一六四六年，俄羅斯冒險家伊格納吉耶夫率領一支由漁獵手組成的探險隊，從下科利馬斯克出發，北下入海後，往東航行，到達艾翁灣，發現灣口的艾翁島。遇到使用石器和骨器的楚科奇人，雙方進行了不對話的交換。楚科奇人很早就生活在這裡，唐史中的「夜叉國」指的就是他們，但沒有直接接觸，而是從「流鬼國」（堪察加）的使者那裡聽說的。總體來說，中國人對西伯利亞的認識一直很模糊，這裡的氣候對俄羅斯人來說習以為常，但對中國人來說簡直要命。直到明朝都是如此，明朝人將外興安嶺以北的人統稱為北山野人。既然是野人，當然沒必要去了解。但俄羅斯人不一樣，他們窮怕了，哪怕是一張貂皮，也要從這些原始部族手中奪走。

一六四七年，聽說阿納德爾河盛產黑貂皮，俄羅斯富商費多特・阿列克謝耶維奇・波波夫（Fedot Alekseyevich Popov）與冒險家謝苗・伊凡諾維奇・迭日涅夫（Semyon Dezhnev）組織了一支探險隊，從下科利馬斯克出發，沿海岸向東航行，但很快被浮冰所阻，一船人無功而返。

一六四八年，波波夫和迭日涅夫，再加上新加入的哥薩克人格拉西姆．安吉杜諾夫（Gerasim Ankudinov），再次組織探險隊去尋找阿納德爾河。這次湊了七艘帆船，船員有九十人。和上次一樣，從科力馬河駛入北冰洋，然後向東航行。到了楚科奇海，船隊遭到暴風雨，有兩艘船撞上冰山毀壞，船員全部喪生。其餘船隻繼續航行到楚科奇角，又遭遇一場暴風雨，兩艘船失蹤。八月，探險隊到達白令海峽一帶，又損失了安吉杜諾夫的船，所幸船員們都無恙。九月，探險隊駕著僅剩的兩艘船前行，發現海岸線由東轉南。順著海岸線，繞過亞洲的最東端，即東經六十六．九度、北緯一百六十九．七五度的迭日涅夫角。俄羅斯人首次透過海路，從北冰洋駛入太平洋。

按道理，波波夫、迭日涅夫、安吉杜諾夫是第一批到達白令海峽的人，但這個海峽沒有以他們的名字命名（只有一個海角以迭日涅夫命名），原因是他們當時只是到達這裡，沒有詳細考察，東邊是不是還有大陸？亞洲是不是到此為止？他們沒有去確認，或許它像麥哲倫海峽一樣，只是大陸中間的一條水道？更重要的是，他們沒有踏上美洲大陸，就無法確定是兩大洲之間的海峽。直到一七二五年，丹麥探險家受俄羅斯彼得大帝之命，前後兩次先經由陸地到達鄂霍次克，再從鄂霍次克海繞過堪察加半島，然後北向探索，最終確認這是一條海峽，而對岸就是美洲。維圖斯．白令（Vitus Bering）在第二次探險死於途中，後人為了紀念他，把這條海峽命名為白令海峽，把白令海峽到阿留申群島之間的海域命名為白令海。

說回波波夫、迭日涅夫和安吉杜諾夫的三人組合，他們的目標是到阿納德爾河尋找黑貂皮。一六四八年十月一日，波波夫與迭日涅夫走散。先說迭日涅夫，他被風浪推送到北緯六十度一帶的奧柳托爾斯基角。一船二十五人在此登岸，往東北方翻過科里亞克山原，十週後終於到達阿納德爾河，在河口挖地穴過冬。第二年初，探險隊只剩十二人，其餘的或死亡、或走散。他們就地建造了一艘內河船，等阿納德爾河解凍後，開始溯河而上。航行五百公里後，到達有安納烏人居住的地區，便對他們徵收毛皮稅。

一六五〇年春天，他們遇到一支從西邊陸地過來的探險隊。此後的十年時間，迭日涅夫一直在阿納德爾河徵收毛皮稅，並在河口的太平洋沿岸蒐集海象牙。直到一六六〇年，迭日涅夫才攜帶著大量的海象牙從陸路回到科力馬河，然後走海路到達勒那河，又經過盧甘斯克和雅庫次克後，最終在一六六四年回到莫斯科。

再說波波夫，他們被風暴吹得更遠，到了堪察加半島東海岸。波波夫駕船駛入堪察加河，在一條小支流的河口過冬。第二年春天，乘船返回大海，沿海岸南下，繞過堪察加半島最南端的洛帕特卡角，進入鄂霍次克海，再沿半島西海岸北上，行駛到北緯五十八度左右的季吉爾河口。緊接著，波波夫一行十七人便不知所蹤。

與此同時，一六四九年七月，俄羅斯軍人謝苗．莫托拉（Semyon Motora）率領一支約四十人的探險隊從下科利馬斯克出發，沿其支流阿紐伊河向東，前去尋找新的土地和向沙皇交稅的人。冬季，在阿紐伊河上游過冬。阿紐伊河上游與阿納德爾河的上游相距不過四十多公里。一六五〇年三月初，莫托拉一行人乘雪橇從阿紐伊河上游出發，於四月中旬到達阿納德爾河。在這裡遇到先行到達的迭日涅夫，隨後，老牌探險家斯塔杜欣也尾隨而至，搶走了莫托拉和迭日涅夫徵收的大量黑貂皮後揚長而去。

斯塔杜欣不僅是資格老，在地理發現上也是碩果纍纍。

一六五二年初，斯塔杜欣以滑雪或鹿拉雪橇的方式，沿阿納德爾河的一條支流向西南方向挺進。經過一段不長的旱路後，發現注入鄂霍次克海最北端的品仁納河，在這裡，遇到科里亞克人。科里亞克人主要分布在堪察加半島北部，與楚科奇人同源。和通古斯人一樣，他們飼養馴鹿。但從語言上來說，科里亞克人屬於古西伯利亞語的羅拉維特蘭（Luorawetlan）語系。從生產水準上講，還處於漁獵階段。

斯塔杜欣一行人順著品仁納河到達品仁納灣，然後再往西南，到達吉日金灣，在這裡製造了一些大型獸皮艇，準備沿海探險。

一六五三年夏天，斯塔杜欣一行人往西南方向航行。夏末，到達陶伊灣。九月，在陶伊河口建立要塞，以狩獵維持生計。此後四年就生活在這裡，向當地土著徵收毛皮稅。就這樣，鄂霍次克海北岸被納入俄羅斯的版圖。

一六五七年，斯塔杜欣一行人離開陶伊河口往西，到達奧赫塔河口的鄂霍次克，又停留了兩年。

一六五九年，斯塔杜欣一行人離開鄂霍次克北上，經奧伊米亞康和阿爾丹河回到雅庫次克，將帶回的大量貂皮上交國庫，沙皇提升他為哥薩克的阿塔曼（首領）以為獎勵。

斯塔杜欣這次探險歷時十年之久，行程上萬公里。從莫斯克維廷到斯塔杜欣，俄羅斯人已經發現了鄂霍次克海全部的西海岸，斯塔杜欣成為俄羅斯在東擴路上的重要人物之一。

南邊，俄羅斯遇到遠征路上第一個強大的對手——中國，最終引發一場中、俄之間的戰爭。

事情得從一六四八年說起，俄羅斯在貝加爾湖以東二十五公里處建立巴爾古津要塞，為俄羅斯人南侵做準備。

一六四九年，在雅庫次克督軍的支持下，俄羅斯商人葉羅費・帕夫洛維奇・哈巴羅夫（Yerofey Khabarov）率領二百多人來到黑龍江中上游，他們在黑龍江北岸一帶向達斡爾人徵收毛皮稅。此時清軍已經入主中原，達斡爾人屬於中國臣民。俄羅斯人強迫達斡爾人加入俄羅斯國籍，達斡爾人不從，他們就一路姦淫擄掠。

同年，俄羅斯在奧赫塔河口修建鄂霍次克要塞，同時在阿納德爾河口修建阿納德爾要塞，鄂霍次克後來成為俄羅斯在海上探險的重要基地。

一六五一年，哈巴羅夫的遠征隊攻陷達斡爾人的寨子古伊古達爾，殺千餘人。

一六五二年，哈巴羅夫一行人到達黑龍江下游，經烏蘇里江河口，往東三百公里，到達宏回力河口，即烏扎拉村（今共青城附近），在這裡休整過冬，與當地的赫哲人起了衝突。有一首傳唱很廣的民歌〈烏蘇里船歌〉，反映的就是赫哲人傳統漁獵生活的情景。赫哲人和女真人同源，後來的滿洲人其實混入很多赫哲人。當時赫哲人廣泛分布在從烏蘇里江到黑龍江下游的地區，但由於生產力落後，面對俄羅斯人的火器，赫哲人損失慘重，便向駐守寧古塔的清軍求救。清軍主力已經入關，東北只有少數部隊留守，盛京（瀋陽）方面令寧古塔駐軍出擊。按俄方的記載，清軍出動二千二百名騎兵，是俄方的十倍，另有六門大炮和三十多支火槍，其中有一些是三眼銃或四眼銃（早期中國稱火槍為銃，為了與傳統的木槍區別）。之前俄羅斯人碰到的對手都是手持弓箭的游牧民族或漁獵民族，第一次聽到從對方陣營裡傳來的槍聲著實嚇了一跳。戰鬥一開始清軍占有壓倒性優勢，但也許是清軍一直想生擒對方，或者太輕敵，最終居然敗了。也許正是這一仗敗得很丟臉，清朝對此事的記載只有寥寥數語：「順治九年，駐防寧古塔章京海色率所部擊之，戰於烏扎拉村，稍失利。」

這是中、俄之間的第一場戰鬥，從此，俄羅斯的勢力就擴展到黑龍江北岸。

隨後，俄羅斯在貝加爾湖以西五十公里安加拉河畔修建伊爾庫次克。這個地方原本屬於布里亞特的地盤，在沙俄的打壓下，一部分布里亞特人南遷至喀爾喀，一部分仍留在當地反抗。

但自從發現外東北地區，俄國人更想得到那片靠海的土地。於是加快南下的步伐，還是以步步為營（確切地說是步步為城）的方式向黑龍江地區推進。

一六五九年，俄羅斯在石勒喀河中游修建涅爾琴斯克要塞（即尼布楚）。

一六六五年，在黑龍江北岸修建阿爾巴津要塞（即雅克薩）。

尼布楚尚且屬於布里亞特蒙古的勢力範圍，而雅克薩已經深入到中央王朝的直轄地區了，再不出手，俄羅斯人就會更加肆無忌憚。

清廷入主中原不久，內部不穩定，還有很多勢力正在伺機而動：南方是日益坐大的三藩，隨時會獨立；東南有臺灣的鄭氏集團一直在抗清；西北有準噶爾部叛亂，影響波及喀爾喀蒙古、內蒙古、青海和西藏。對於沙俄的侵略，清廷多次派人交涉、警告，均未奏效。於是清廷意識到只有動用武力才能阻止沙俄入侵。一六八二年，康熙平定三藩那一年，就立即著手用武力對付俄羅斯人。與此同時，俄羅斯的彼得大帝也在積極備戰。

一六八三年，中、俄的雅克薩戰役爆發。

戰前，康熙皇帝派人做了三項工作：一是加強偵察，摸清雅克薩的軍情；二是築愛輝（清末改作璦琿）城，做為永久駐地；三是令蒙古車臣汗（喀爾喀蒙古部落之一）斷絕與沙俄的貿易，使敵人的物資難以為繼；四是加緊造船，保證軍糧可以經松花江、黑龍江，迅速運抵前線。

然後，清廷勒令盤踞在雅克薩等地的俄羅斯人撤離，俄羅斯人不予理睬，反而率眾南下璦琿打劫。清將薩布素出兵，將俄羅斯人擊退，並搗毀他們在黑龍江下游建立的所有據點，使雅克薩成為一座孤城。一六八五年初，康熙命彭春率三千人，攜戰艦、火槍、火炮和刀矛、盾牌等兵器，從璦琿出發，分水陸兩路奔赴雅克薩。

雅克薩原本是達斡爾人的村寨，俄羅斯人強占後改名為阿爾巴津，並修築城牆。正是有城牆為依託，俄羅斯的雅克薩督軍阿列克謝・托爾布津（Alexeï Tolbouzine）雖然手下只有四百五十名士兵、火炮三門、火槍三百支，面對數倍於己的清軍，毫不退讓。托爾布津的自信來自他手上拿的是歐洲最先進的燧發槍，而清軍手上用的是火繩槍。燧發槍不用帶明火，士兵可以靠得更近，集中火力而不怕引火上身，擊發快，裝填彈藥時不用擔心碰到火星引起爆炸，總之比火繩槍好用很多。

但戰爭一打響，俄羅斯人就傻眼了，清軍用船載炮攻擊城南，陸炮攻擊城北，俄軍傷亡慘重，托爾布津投降，退往尼布楚。清軍焚毀雅克薩後，回師璦琿。

但俄羅斯人不甘心，到了秋天，莫斯科給托爾布津增援六百名士兵。托爾布津立即毀約，帶著舊部和援軍回到雅克薩重建據點，還蒐集大量的糧食，準備長期作戰。

清廷得到這個消息後極為憤慨，康熙下令黑龍江將軍薩布素反擊。

一六八六年七月，二千四百名清兵再次進抵雅克薩城下，將城圍住。此時托爾布津手下有八百二十六名士兵、一百支火繩槍、八百五十支燧發槍。和上次一樣，清軍主要用火炮，戰鬥一打響，托爾布津被炸死。同時，雅克薩西面臨江，清軍將城南、北、東三面掘壕駐兵，切斷雅克薩的一切外援。最後俄羅斯人死傷慘重，只剩下六十六人，莫斯科緊急向清廷請求撤圍，願意商定邊界。

一六八九年九月七日（康熙二十八年七月二十四日，俄曆七一九七年八月二十八日），中方代表索額圖、佟國綱等與俄方代表費岳多（Fyodor Alexeyevich Golovin）等在尼布楚簽訂關於中、俄東部邊界的協定，就是《尼布楚條約》。

史書上說《尼布楚條約》是中國歷史上第一個平等條約。有人據此反駁，說中國出讓了布里亞特蒙古大片的土地，這是個不平等條約。甚至俄羅斯人認為他們放棄了外東北，也是個不平等條約。其實這裡的平等是指身分平等，而非條約內容。中國一直以天朝上國自居，在此之前，中國和外國的關係，要嘛是朝貢關係，要嘛是沒關係，向來不是國與國的平等關係。在我們的印象中，清政府與外國簽訂了太多不平等條約，所以都把注意力放在條約內容上，而沒有注意到中國對自己身分的認知上。但這也是一時，到了晚清，當西洋人從海上來的時候，中國依然認為他們是蠻夷，沒有當成和中國是一樣的平等國家。

《尼布楚條約》確定了俄羅斯和中國的東部邊界，以文字形式確認外興安嶺以南的外東北地區和庫頁島屬於中國。這也是中國第一次以條約的形式劃定邊界，在此之前，都是以勢力範圍來控制邊防，邊界是模糊的。

尼布楚談判幾經周折，一開始，中方提出以勒那河為界：勒那河以西歸俄羅斯，勒那河以東歸中國。而俄羅斯則提出以黑龍江為界：黑龍江以內歸中國，以外歸俄羅斯。最後雙方各讓一步；西起額爾古納河（黑龍江源頭，與石勒喀河匯合後稱黑龍江），然後往東，再沿格爾必齊河（石勒喀河支流）往北，最後沿外興安嶺往東，一直到大海為界，以南屬中國，以北屬俄羅斯。只不過在烏第河以南有一小塊地方，因雙方沒商定好，成為待議地區。

這條劃界等於承認沙俄對布里亞特蒙古的主權，其實一開始中國的底線是尼布楚一帶，但恰在此時準噶爾汗國開始攻打喀爾喀蒙國，讓康熙急於和俄羅斯劃定邊界，好騰出手來一心一意對付準噶爾。相較於俄羅斯，準噶爾才是心腹大患。準噶爾是漠西蒙古（即瓦剌，清時稱衛拉特）的一支，土爾扈特部被迫於一六二七年西遷到窩瓦河下游後，和碩特部也於一六三七年進入青藏高原，漠西蒙古準噶爾一家獨大。一六三五年，後金滅察哈爾，衛拉特盟主遣使向後金表示歸附。一六四四年，清軍入關，漠西蒙古各部上表稱臣，清朝正式對他們冊封。一六七〇年，噶爾丹成為準噶爾部的臺吉（首領，低於汗），把漠西蒙古由鬆散的聯盟，變為集權的君主制政體。一六七八年，噶爾丹正式成立準噶爾汗國，公然造反。同年出兵南疆，占領葉爾羌汗國。至此，準噶爾汗國幾乎獨占整個西域（吐魯番除外）。一六八八年，噶爾丹越過杭愛山，出兵喀爾喀蒙古，正是尼布楚談判的關鍵時期。

相較於亞里布特蒙古，西域對中國的重要性不言而喻。而且，噶爾丹與俄羅斯有往來，康熙擔心他們沆瀣一氣，更不好對付，在談判時做些讓步，換取沙俄在準噶爾問題上的中立，應該是此時最好的選擇。而且，當時布里亞特蒙古不屬於清朝，喀爾喀蒙古要到一六九一年才臣服。事實證明，清朝慷他人之慨讓出的土地，換取和俄羅斯一百七十多年的和平，而清朝剿滅準噶爾也花了近百年時間，如果此時陷入和俄羅斯的糾紛，天長日久，西域就難以收回了。而俄羅斯方面，心腹大患是南方的鄂圖曼帝國，也不想與中國為敵，於是雙方最終達成一致。

因為《尼布楚條約》，俄羅斯南下擴張的步伐暫時只能到此為止，剩下唯一的目標就是往東，其實他們在東方一直都沒有停止腳步。

一六九六年，阿納德爾斯克督軍派遣哥薩克人莫諾斯科率領幾十人的遠征隊，去征服不肯繳稅的科里亞克人。一行人先到堪察加半島北部的阿普卡河，在那裡建了一個過冬營地，隨後到達堪察加半島中部的季吉爾河，搗毀一個堪察加人的村莊。

一六九七年初，俄羅斯再派哥薩克人阿特拉索夫（Vladimir Atlasov）前去考察並征服堪察加半島。

這次遠征隊共有一百二十人，其中有一半是尤卡吉爾人。他們先乘雪橇沿品仁納河的河谷進入半島，再沿西海岸南下。到了北緯六十度，折向東方橫穿半島。二月，到達阿普卡河口，向科里亞克人徵收毛皮稅。然後兵分兩路：一路沿太平洋海岸南下；阿特拉索夫自領一路再次橫穿半島，沿鄂霍次克海岸南下。但沒過多久，西路分隊中的尤卡吉爾人發生動亂，兩隊又合二為一，動亂也被鎮壓下去。七月，遠征隊沿半島的西海岸來到季吉爾河，然後折向東方，翻過分水嶺，進入堪察加河谷。俄羅斯人仿效西歐人的做法，在河岸豎起十字架以示占領和紀念。第一次見到仍處於原始社會的堪察加人，並向他們徵收毛皮稅。堪察加人即中國歷史中記載的「流

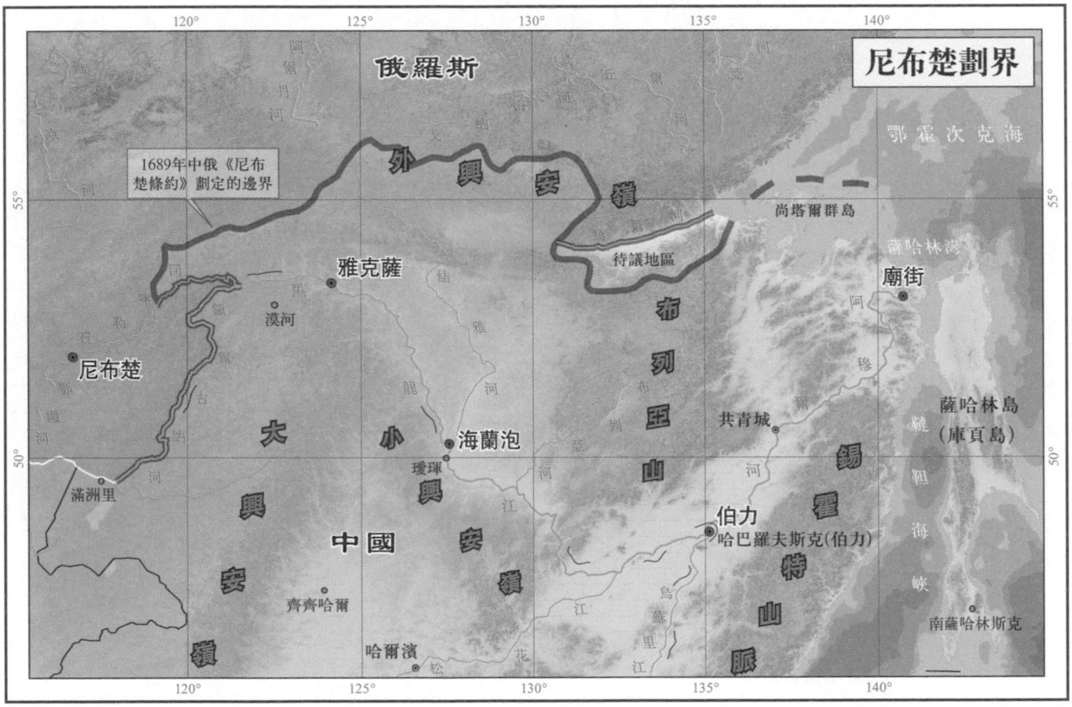

鬼國」人，唐朝時，他們曾派使者到過長安，和楚科奇人、科里亞克人是近親。除此之外，這一族群還包括阿留申人（分布於阿留申群島）、克里克人（分布於楚科奇半島）。

隨後，探險隊沿鄂霍次克海繼續南下，在北緯五十二度處，發現一條小河，於是沿河而上，遇見蝦夷人，同樣向他們徵收毛皮稅。當他們繼續往南，來到離半島南端只有十公里地方時，看見南方的千島群島中的舒姆舒島，在這裡第一次遇見富有的日本人，日本人稱舒姆舒島為占守島。

一六九九年七月，探險隊回到雅庫次克。隨後，俄羅斯在堪察加半島上建立堪察加斯克據點。

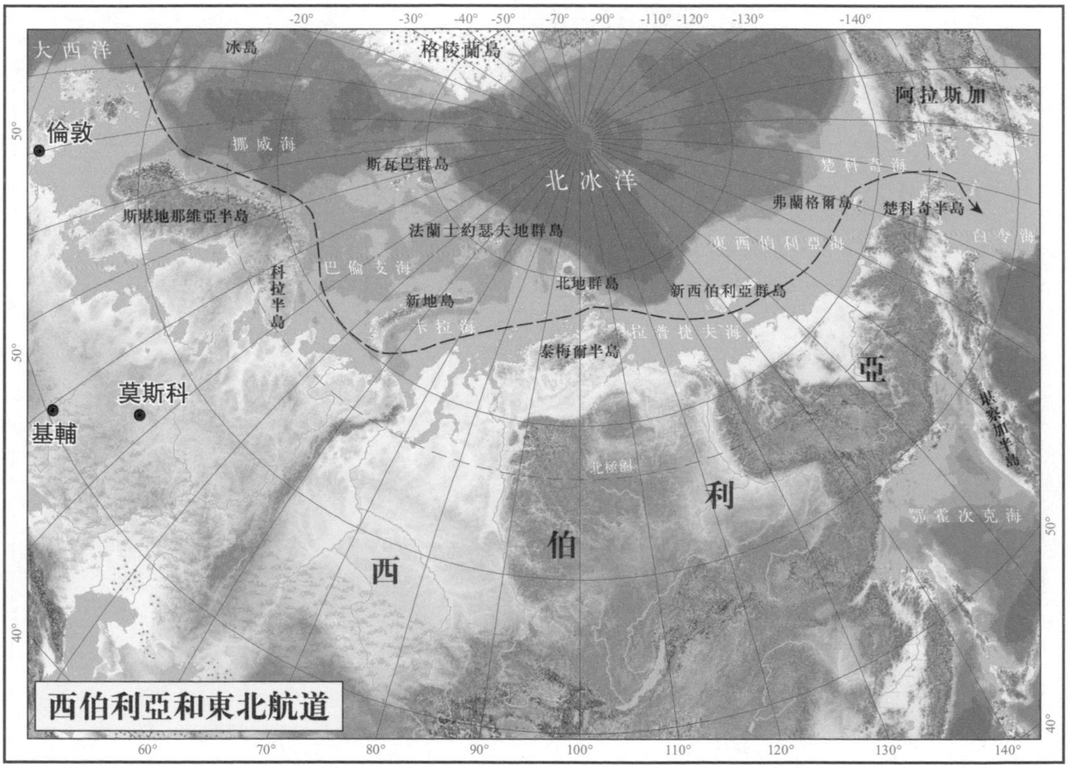

西伯利亞和東北航道

至此，俄羅斯人經過兩個多世紀的努力，發現了整個西伯利亞，並將其納入版圖。在此之間，俄羅斯人發現無數的河流、山脈和海島，開拓很多到達蒙古和中國的陸地通道。此外，俄羅斯人還斷斷續續開闢了一條從歐洲沿北冰洋到達太平洋的航道，就是我們常說的東北航道，雖然完整的東北航道要到一八七九年才徹底打通，但無疑是有了俄羅斯人打下的基礎。

就這樣，從一四一八年亨利王子（Prince Henry the Navigator，葡萄牙人，又稱恩里克王子）派出第一支遠洋探險隊開始，到一六九九年俄羅斯人在堪察加半島建立據點，歐洲人經過近三百年時間，把殖民者的旗子插遍全球，也讓全球的特產和物資彼此流通起來。這就是我們常說的大航海時代，如果把凡是地理發現都算上，還可以把近百年之後的詹姆士・庫克（James Cook）在南太平洋的探險也算上。庫克船長的主要成果是確認了紐西蘭和澳洲的東海岸，還發現太平洋上的一些島嶼，但他最大的貢獻是發現橙汁和泡菜可以防治壞血病，從而拯救了大量船員的性命。

如果說蒙古人橫掃歐亞，第一次把舊大陸聯繫在一起，那麼歐洲人的大航海則是實現了人類第一次全球化。從此，世界各個國家、各個文明都不是孤立地存在，而是彼此息息相關。僅三百年時間，在世界三大文明體系（中國、阿拉伯、歐洲）中，歐洲人成功完成了一次逆襲，從一窮二白到引領世界數百年，世界各地都開始不同程度地歐化，但文明的同化從來不是春風化雨，而是充滿血腥和暴力。

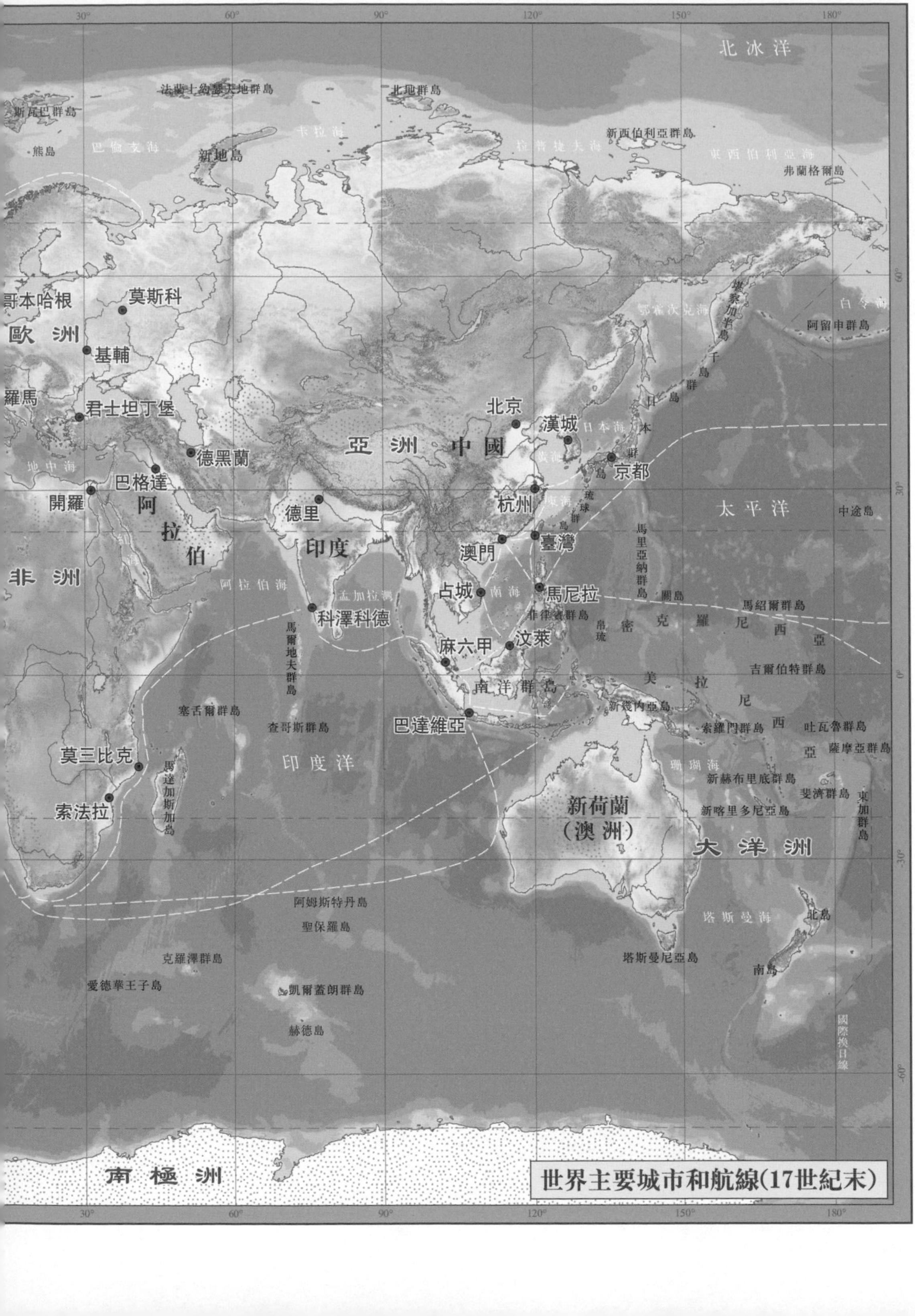

世界主要城市和航線(17世紀末)

-150°
-120°
-90°
-60°
-30°
0°
北冰洋
伊莉莎白女王群島
帕里群島
格陵蘭島
格陵蘭海
波弗特海
巴芬灣
維多利亞島
巴芬島
揚馬延島
挪威海
冰島
法羅群島
奥斯陸
60°
哈德遜灣
北海
倫敦
阿留申群島
北美洲
魁北克
巴黎
大西洋
里斯本
亞速群島
詹姆斯敦
馬德拉群島
百慕達群島
30°
加納利群島
北回歸線
哈瓦那
墨西哥灣
大安地列斯群島
玻
夏威夷群島
墨西哥城
加勒比海
維德角群島
里
萊恩群島
巴拿馬
聖喬治
太平洋
波哥大
尼
0°
科隆群島
(加拉帕戈斯群島)
祕魯
巴西
西
馬克薩斯群島
庫克群島
利馬
亞森欣島
亞
庫斯科
聖赫勒拿島
土亞莫土群島
南美洲
南回歸線
智
復活節島
大西洋
-30°
特里斯坦-達庫尼亞群島
利
果夫島
馬爾維納斯群島
(福克蘭群島)
南喬治亞島
布威
-60°
南極圈
別林斯高晉海
羅斯海
威德爾海

後記

回到最初的問題，為什麼歐洲能成為大航時代的引領者？一個字：窮。窮則思變。

當時的伊斯蘭世界正勢不可擋，鄂圖曼帝國從東部打入希臘，柏柏爾人從西部侵入伊比利半島，地中海眼看要變成穆斯林的內湖。正是這時，古希臘塵封千年的典籍重見天日，為歐洲人打開了一扇窗，於是文藝復興開始。

文藝復興解放了歐洲人的思想，他們在中世紀沉淪千年，不僅因為羅馬教廷手握大權，更重要的是宗教束縛了人們的思想。還是那句話，解放思想才能解放生產力。文藝復興解放了歐洲人的思想，於是歐洲人的能力全面暴發。在新的文化土壤之下，人們重拾古希臘先賢的求知精神，開始向這個世界探索。探索的過程中，發現原來深信不疑的宗教存在許多問題，於是宗教改革應運而生。同樣在探索過程中，發現這個世界遠比他們想像的廣闊，這就是大航海。宗教改革讓人們進一步放飛自我，古希臘的科學精神回歸應有的位置。而大航海就是一場轟轟烈烈的科學實踐，人們在這場實踐中，不但證明了科學的正確性，更推動科學的進一步發展。文藝復興、宗教改革和大航海互為因果，彼此促進，最終讓歐洲脫胎換骨，從蒙昧無知一步步走向領先世界。

歐洲人在大航海上脫胎換骨，與此同時，中國卻落後了。

我們常說中國近代落後挨打，是清朝的閉關鎖國，把所有的罪責都推給清朝，這當然有失公允。實際上，中國近代的落後不在清朝，而恰好在大航海時代，只不過到晚清才集中爆發出來而已。大航海時代，歐洲迅速崛起，而中國仍在原地踏步，幾百年下來，這種差距愈來愈大。清朝的一套行政制度完全傳承自明朝，實行的是同樣儒家治國那一套。在這種傳統的治國模式下，全國上下最聰明的人都去參加科舉了，當官是唯一的出路，科技創新就無從談起，而歐洲人正是在科技和創新的基礎上反超世界。當然，清朝的統治者做為少數民族，在治國手段上更趨保守，對民間的創新更是不能容忍，最終加劇東、西方的差距，這是毋庸置疑的。單從技術上來說，明朝末期，中國和歐洲的火器差距不大，甚至在康熙皇帝平定噶爾丹叛亂時，還動用了大量的紅夷大炮，但在整個清朝統治時期，中國的火器從此止步不前，幾百年下來，差距愈來愈大，這也是事實。在海上，清朝平定臺灣後，沒有將臺灣做為海上勢力的基地，相反的，借助臺灣島的特殊地理位置，朝廷可以更有效地打擊民間海上勢力，這樣一來，中國與外界的交流幾乎繼絕，成了完全封閉的國度，對外面的世界更是一無所知。幾千年來，中國的傳統就是重農抑商，在這種思想下，想主動發展出海洋文明也不可能，但如果不是太保守、太封閉，也不至於差距那麼大。

總體上，在大航海時代，中國還沒有落後世界，只是略有差異。中國的絲綢和瓷器也是當時的大宗商品，因此賺到全世界的錢。而伊斯蘭世界在歐洲人的打壓下節節敗退，從此停止擴張的步伐。印度在經濟和政治上本身也沒什麼建樹，他們對世界的影響主要是文化上的，但僅限於印度半島和東南亞。最慘的是非洲和美洲，成為歐洲人奴役的對象。

大航海時代，歐洲湧現出許多傑出的人物，當然也有許多流氓和惡棍，還夾雜著血腥的殖民史。反思這段歷史，其實是反思中國近代落後的原因。他山之石，可以攻錯，了解這段歷時能更多地發現別人的優點，尋找不足之處，而不是一味地批判。

以上是我對大航海時代的一點思考，並以之為後記。

需要說明的是，我在寫作本書時，是抱著一種普及知識的心態，不想做學術研究。許多觀點只是我的一家之言，你可以不同意，但如果能因此對你有所啟發，那也算是功德一件。在行文方面，力求通俗易懂，如果還能有趣就更好了。在敘述的嚴謹性和生動性之間，更傾向於後者。我時常覺得自己寫的不是歷史，而是有關歷史的隨筆，不需要讀者完全同意我的看法，只要能激發大家的某些感悟，我的目的就算達到了。

最後，大航海時代時間跨度大，涉及的人物和事件多，還有地理、文化等錯綜複雜的關係，個人水準有限，書中錯漏之處在所難免，敬請廣大讀者不吝指正！

李不白

二〇二一年四月十五日於北京

HISTORY 066

用地理看歷史：大航海，何以重劃貿易版圖？

作　者—李不白
主　編—邱憶伶
責任編輯—陳映儒
行銷企畫—林欣梅
封面設計—兒日
內頁設計—張靜怡

編輯總監—蘇清霖
董 事 長—趙政岷
出 版 者—時報文化出版企業股份有限公司
一〇八〇一九臺北市和平西路三段二四〇號三樓
發行專線—（〇二）二三〇六—六八四二
讀者服務專線—〇八〇〇—二三一—七〇五
（〇二）二三〇四—七一〇三
讀者服務傳真—（〇二）二三〇四—六八五八
郵撥—一九三四四七二四時報文化出版公司
信箱—一〇八九九臺北華江橋郵局第九九號信箱

時報悅讀網—http://www.readingtimes.com.tw
電子郵件信箱—newstudy@readingtimes.com.tw
時報出版愛讀者粉絲團—https://www.facebook.com/readingtimes.2
法律顧問—理律法律事務所　陳長文律師、李念祖律師
印　　刷—金漾印刷有限公司
初版一刷—二〇二一年六月四日
初版二刷—二〇二一年九月八日
定　　價—新臺幣四八〇元

時報文化出版公司成立於一九七五年，
一九九九年股票上櫃公開發行，二〇〇八年脫離中時集團非屬旺中，
以「尊重智慧與創意的文化事業」為信念。

用地理看歷史：大航海，何以重劃貿易版圖？／
李不白著 . -- 初版 . -- 臺北市：時報文化，2021.06
296 面；17×23 公分 . --（History 系列；66）
ISBN 978-957-13-8983-7（平裝）

1. 東西方關係　2. 文明史　3. 航海

630.9　　110007155

ISBN 978-957-13-8983-7
Printed in Taiwan